Dictionnaire
des modes de cuisson
et de conservation des aliments
pour une prise de poids de qualité

MENARD Cédric
DIETETICIEN-NUTRITIONNISTE
Diplômes d'Etat français

Merci infiniment d'avoir acheté cet ouvrage

© 2020, Cédric Menard

Edition : BoD - Books on Demand
12/14 rond-point des Champs Elysées, 75008 Paris
Imprimé par Books on Demand GmbH, Norderstedt, Allemagne
ISBN : 9782322233274
Dépôt légal : juin 2020

Bonjour et merci infiniment de votre confiance.

Je m'appelle MENARD Cédric, et je suis diététicien-nutritionniste diplômé d'Etat. J'ai effectué une partie de mes études de diététique au sein de l'hôpital psychiatrique de Picauville, ainsi qu'aux services de néphrologie et de gastro-entérologie au C.H.U de Rennes. Une fois diplômé, je me suis installé comme diététicien-nutritionniste en profession libérale en 2008. J'ai profité de mes premiers mois d'installation pour me spécialiser en micro-nutrition, et fus diplômé du Collège Européen Nutrition Traitement Obésité (CENTO) en 2009.

<u>Attention</u> : cet ouvrage est strictement adapté à la prise de poids de qualité des personnes en étant de maigreur.

Mes autres ouvrages
traitants de la diététique de la prise de poids de qualité :

Quelle alimentation pour la maigreur ?

Recettes et menus pour prendre du poids

Menus de printemps pour prendre du poids

Menus d'été pour prendre du poids

Menus d'automne pour prendre du poids

Menus d'hiver pour prendre du poids

Dictionnaire alimentaire de la prise de poids de qualité

Le B.a.-ba de la diététique : la prise de poids

Mon site Internet : **www.cedricmenarddieteticien.com**
Mon numéro de certification professionnelle **ADELI**, enregistré auprès de la DDASS : 509500435.

**Vous souhaitez bénéficier
de mes services diététiques en ligne ?**

- Afin d'approfondir votre prise en charge diététique
associée à un coaching personnalisé.

- Où bien pour me poser des questions
n'ayant malheureusement pas de réponse
au sein de cet ouvrage ?

Rendez vous alors sur mon site Internet

www.cedricmenarddieteticien.com

puis cliquez sur la bannière
présente sur la page d'accueil du site intitulée :

« Téléconsultations diététiques »

Légende de l'ouvrage :

- Le mode de cuisson ou de conservation de l'aliment concerné joue un rôle très positif, dans ce cas il sera accompagné de **quatre étoiles pleines ★ ★ ★ ★**.

- Le mode de cuisson ou de conservation de l'aliment concerné joue un rôle plus ou moins positif, dans ce cas il sera accompagné de **trois étoiles pleines ★ ★ ★**.

- Le mode de cuisson ou de conservation de l'aliment concerné joue un rôle neutre, dans ce cas il sera accompagné de **deux étoiles pleines ★ ★**.

- Le mode de cuisson ou de conservation de l'aliment concerné est déconseillé, dans ce cas il sera accompagné d'une seule **étoile pleine ★**. Dans l'idéal, ce mode de cuisson ou de conservation ne sera pas mis en pratique.

- Le mode de cuisson ou de conservation de l'aliment concerné est très **vivement déconseillé** à la consommation, pour ne pas dire interdit, il sera alors désigné par ce type de cadre grisé.

A noter que la notation de l'aliment concernera uniquement l'aliment sans aucune transformation autre que celle de mentionnée. Par exemple, la sardine **surgelée** aura une notation qui concerne une sardine nature et fraîche qui sera **uniquement surgelée** (et non pas cuisinée, huilée, précuite, salée, etc. avant sa surgélation !)

A noter également qu'il n'est pas question, dans cet ouvrage, de traiter de la quantité mais **de la qualité nutritionnelle** du mode de cuisson ! Par exemple, la notation d'un aliment cuit dans l'huile correspondra à la **qualité nutritionnelle** de ce mode de cuisson dans l'huile, et ne dépendra pas de la quantité d'huile utilisée, ni de la quantité de ce plat de consommée !

Au sein de cet ouvrage...

On considérera les gelées de fruit et les marmelades comme faisant partie de la catégorie **confiture** (pour leur notation).

Les modes de cuissons suivants : **papillote, vapeur, grillé(e), pierrade, rôti(e) à la broche**, sont des modes de cuisson totalement dépourvus de matières grasses, ni avant, ni pendant, ni après la cuisson.

Fruit **à l'anglaise** : fruit poché dans de l'eau sucrée puis saupoudré de sucre avant consommation.

Aliment **cuit à la milanaise** : aliment trempé dans l'œuf battu puis dans la chapelure avant d'être cuit.

Aliment **cuit à l'étouffée** : aliment cuit à feu doux en vase clos (cocotte fermée, casserole fermée, etc...)

Aliment **cuit en braisé** : aliment cuit à feu doux en vase clos (cocotte fermée, casserole fermée, etc...) dans un fond très aromatique qui ne recouvre que la moitié de l'aliment en cours de braisage.

Aliment **cuit en meunière** : aliment trempé dans du lait puis dans de la farine avant d'être cuit.

Aliment **cuit en papillote** : aliment accompagné (ou non) d'aromates et cuit sans matière grasse, enveloppé dans du papier aluminium.

Aliment **cuit en poêlée** : aliment cuit à feu moyen à vif dans un wok (de préférence), en général à découvert.

Aliment **cuit en ragoût** : aliment cuit à feu doux en vase clos (cocotte fermée, casserole fermée, etc...) dans un roux (matières grasses et farine).

Cuisson au court bouillon : cuisson dans une grande quantité d'eau aromatisée d'un bouquet garni, carottes, oignon, sel, poivre... Les cuissons à l'eau salée uniquement rentrent dans cette catégorie.

Potage velouté : légume vert mixé accompagné de lait et d'huile végétale.

Potage crème : légume vert mixé accompagné de lait, de crème fraîche et de jaune d'œuf.

Sec : concerne la conservation de l'aliment en sec et non pas sa consommation crue en sec bien entendu.

Mesures hygiéno-diététiques générales

Les matières grasses sont indispensables pour votre prise de poids. Elles devront être cependant de bonne qualité. 10 à 20g de beurre par jour sont conseillés pour leurs apports en vitamines A, E et D. Vous pouvez également consommer de la margarine végétale de qualité : « St Hubert oméga 3 sans huile de palme » est la plus intéressante. Au moins cinq cuillères à soupe d'huile végétale par déjeuner et autant par dîner seront nécessaires. Privilégiez l'huile d'olive pour la cuisson et l'huile de noix pour l'assaisonnement. Evitez de consommer des graisses cuites. On privilégiera les graisses végétales par rapport aux graisses animales (à cause du cholestérol). Les matières grasses sont également très importantes pour leurs forts apports en énergie.

Les viandes, poissons, œufs et leurs assimilés sont des apports alimentaires fondamentaux en protéines de haute valeur biologique, en fer, en zinc, en vitamine B12... Un aliment de ce groupe alimentaire doit être consommé au moins à chaque déjeuner. Etant donné que votre prise de poids sera associée **impérativement** à une activité musculaire régulière, vous en consommerez également au dîner (et même au goûter). Evitez de les cuire dans les matières grasses si possible.

Les féculents doivent être impérativement consommés à chaque petit-déjeuner, déjeuner et même au dîner. Je vous invite à les éviter au cours du goûter. Vous favoriserez les céréales blutées (**non complètes**). Ils représentent les fondations même de votre équilibre alimentaire, et ils assurent **indirectement** la qualité et le succès de votre prise de poids.

Les légumes verts sont d'indispensables apports en fibres alimentaires qui aident efficacement à lutter contre la constipation (ou à la prévenir), en eau, en sels minéraux (dont du fer et du calcium pour certains) et en vitamines (surtout B9 et même C). Certains sont riches en oméga 3. Ils doivent être consommés, **mais dans des quantités modérées**.

Les produits laitiers sont **très importants** pour leurs apports alimentaires élevés en calcium, en protéines animales de grande valeur biologique, en vitamine D et en vitamines du groupe B. Un apport en produit laitier **à chaque repas** est absolument fondamental. Ils aident très fortement à prévenir l'ostéoporose. Vous favoriserez les fromages affinés.

Tous les fruits sont très importants pour leurs apports en fibres, qui aident, tout comme le font les légumes verts, à prévenir ou à guérir les problèmes de constipation. Ce sont également les meilleures sources alimentaires en vitamine C. Les fruits oléagineux (amande, noix, noisette...) sont exceptionnels dans leurs apports alimentaires très élevés en calcium, et en oméga 3 notamment, ils sont également sources d'énergie. Des fruits à chaque repas sont importants. Des choix judicieux seront à faire à leur niveau.

Le sucre et les produits sucrés sont **des impératifs nutritionnels** uniquement pendant votre phase de prise de poids. Sans eux, vous risquez fort de ne pas réussir à grossir. Une association très efficace existe pour votre prise de poids : sucre + gras (exemple : confiture + beurre sur de la baguette).

Il est **très important** de fractionner son alimentation en faisant un goûter.

Une prise de poids harmonieuse passe par :

-	L'acceptation que son corps va changer.
-	Par une activité musculaire régulière et sérieuse.
-	Par l'acceptation de se faire aider par un professionnel de santé si cela devient trop difficile.

☝ Je sais par expérience au sein de mes cabinets, que prendre du poids pour une personne maigre, est aussi difficile que d'en perdre pour une personne obèse ! Ne soyez donc pas trop dur(e) vis-à-vis de vous-même, notamment si vos résultats se font attendre !

A

Ablette : petit poisson d'eau douce à chair blanche.
Conservée par le sel : ★★
Conservée sous vide : ★★
Consommation crue
Cuisson à la milanaise avec beurre doux : ★★★
Cuisson à la milanaise avec beurre salé : ★★★
Cuisson à la milanaise avec huile végétale : ★★★★
Cuisson à la milanaise avec margarine végétale non salée : ★★★
Cuisson à la milanaise avec margarine végétale salée : ★★★
Cuisson à la milanaise avec saindoux ou graisse d'oie ou de canard : ★★★
Cuisson à la milanaise sans matière grasse : ★
Cuisson en beignet : ★★★
Cuisson en friture : ★★★
Cuisson en sauté (idem poêlée).
Pierrade : ★
Poêlée avec beurre doux : ★★★
Poêlée avec beurre salé : ★★★
Poêlée avec huile végétale : ★★★★
Poêlée avec margarine végétale non salée : ★★★
Poêlée avec margarine végétale salée : ★★★
Poêlée avec saindoux ou graisse d'oie ou de canard : ★★★
Poêlée sans matière grasse : ★
Salée et fumée : ★★
Séchée : ★★
Surgelée : ★★
Remarque : n'hésitez pas à cuisiner avec de bonnes quantités d'huile végétale.

Abricot : fruit d'été de couleur orange et de calibre moyen au goût sucré.
A l'anglaise : ★★★★
Au sirop : ★★★★
Au sirop léger : ★★★

Abricot - Agneau (viande d')

Confit : ★★★★
Conserve au naturel : ★★
Conservé dans l'alcool : ★★★
Conservé sous vide : ★★
Consommation cru : ★★
En beignet : ★★★
En compote (avec sucre ajouté) : ★★
En compote sans sucre ajouté : ★★
En confiture : ★★★★
En confiture allégée en sucre : ★★★
En confiture sans sucre : ★
Flambé (abricot poché) : ★★★
Fraîchement récolté : ★★
Poché sans sucre : ★
Sec : ★★★★
Surgelé : ★★

Agneau (viande d') : petit de la brebis. Viande rouge.
Conservée par le sel : ★★
Conservée sous vide : ★★
Consommation crue
Cuisson à la milanaise avec beurre doux : ★★★
Cuisson à la milanaise avec beurre salé : ★★★
Cuisson à la milanaise avec huile végétale : ★★★★
Cuisson à la milanaise avec margarine végétale non salée : ★★★
Cuisson à la milanaise avec margarine végétale salée : ★★★
Cuisson à la milanaise avec saindoux ou graisse d'oie ou de canard : ★★★
Cuisson à la milanaise sans matière grasse : ★
Cuisson à l'étouffée avec beurre doux : ★★★
Cuisson à l'étouffée avec beurre salé : ★★★
Cuisson à l'étouffée avec huile végétale : ★★★★
Cuisson à l'étouffée avec margarine végétale non salée : ★★★
Cuisson à l'étouffée avec margarine végétale salée : ★★★
Cuisson à l'étouffée avec saindoux ou graisse d'oie ou de canard : ★★★
Cuisson à l'étouffée sans matière grasse : ★
Cuisson au court bouillon : ★
Cuisson en braisé avec beurre doux : ★★★

Cuisson en braisé avec beurre salé : ★★★
Cuisson en braisé avec huile végétale : ★★★★
Cuisson en braisé avec margarine végétale non salée : ★★★
Cuisson en braisé avec margarine végétale salée : ★★★
Cuisson en braisé avec saindoux ou graisse d'oie ou de canard : ★★★
Cuisson en braisé sans matière grasse : ★
Cuisson en friture : ★★★
Cuisson en meunière avec beurre doux : ★★★
Cuisson en meunière avec beurre salé : ★★★
Cuisson en meunière avec huile végétale : ★★★★
Cuisson en meunière avec margarine végétale non salée : ★★★
Cuisson en meunière avec margarine végétale salée : ★★★
Cuisson en meunière avec saindoux ou graisse d'oie ou de canard : ★★★
Cuisson en meunière sans matière grasse : ★
Cuisson en ragoût avec beurre doux : ★★★
Cuisson en ragoût avec beurre salé : ★★★
Cuisson en ragoût avec huile végétale : ★★★★
Cuisson en ragoût avec margarine végétale non salée : ★★★
Cuisson en ragoût avec margarine végétale salée : ★★★
Cuisson en ragoût avec saindoux ou graisse d'oie ou de canard : ★★★
Cuisson en sauté (idem poêlée).
Cuisson rôtie à la broche : ★
Cuisson rôtie au four avec beurre doux : ★★★
Cuisson rôtie au four avec beurre salé : ★★★
Cuisson rôtie au four avec huile végétale : ★★★
Cuisson rôtie au four avec margarine végétale non salée : ★★★
Cuisson rôtie au four avec margarine végétale salée : ★★★
Cuisson rôtie au four avec saindoux ou graisse d'oie ou de canard : ★★★
Cuisson rôtie au four sans matière grasse ajoutée : ★★★
Cuisson vapeur : ★
Grillée : ★
Pierrade : ★
Poêlée avec beurre doux : ★★★
Poêlée avec beurre salé : ★★★
Poêlée avec huile végétale : ★★★★
Poêlée avec margarine végétale non salée : ★★★

Agneau (viande d') - Aiguillat

Poêlée avec margarine végétale salée : ★★★
Poêlée avec saindoux ou graisse d'oie ou de canard : ★★★
Poêlée sans matière grasse : ★
Salée et fumée : ★★
Séchée : ★★
Surgelée : ★★
Remarque : n'hésitez pas à cuisiner avec de bonnes quantités d'huile végétale.

Aiguillat : requin comestible, aussi appelé « Chien marin ».
Conservé par le sel : ★★
Conservé sous vide : ★★
Consommation cru
Cuisson à la milanaise avec beurre doux : ★★★
Cuisson à la milanaise avec beurre salé : ★★★
Cuisson à la milanaise avec huile végétale : ★★★★
Cuisson à la milanaise avec margarine végétale non salée : ★★★
Cuisson à la milanaise avec margarine végétale salée : ★★★
Cuisson à la milanaise avec saindoux ou graisse d'oie ou de canard : ★★★
Cuisson à la milanaise sans matière grasse : ★
Cuisson à l'étouffée avec beurre doux : ★★★
Cuisson à l'étouffée avec beurre salé : ★★★
Cuisson à l'étouffée avec huile végétale : ★★★★
Cuisson à l'étouffée avec margarine végétale non salée : ★★★
Cuisson à l'étouffée avec margarine végétale salée : ★★★
Cuisson à l'étouffée avec saindoux ou graisse d'oie ou de canard : ★★★
Cuisson à l'étouffée sans matière grasse : ★
Cuisson au court bouillon : ★
Cuisson en braisé avec beurre doux : ★★★
Cuisson en braisé avec beurre salé : ★★★
Cuisson en braisé avec huile végétale : ★★★★
Cuisson en braisé avec margarine végétale non salée : ★★★
Cuisson en braisé avec margarine végétale salée : ★★★
Cuisson en braisé avec saindoux ou graisse d'oie ou de canard : ★★★
Cuisson en braisé sans matière grasse : ★
Cuisson en friture : ★★★

Cuisson en meunière avec beurre doux : ★★★
Cuisson en meunière avec beurre salé : ★★★
Cuisson en meunière avec huile végétale : ★★★★
Cuisson en meunière avec margarine végétale non salée : ★★★
Cuisson en meunière avec margarine végétale salée : ★★★
Cuisson en meunière avec saindoux ou graisse d'oie ou de canard : ★★★
Cuisson en meunière sans matière grasse : ★
Cuisson en ragoût avec beurre doux : ★★★
Cuisson en ragoût avec beurre salé : ★★★
Cuisson en ragoût avec huile végétale : ★★★★
Cuisson en ragoût avec margarine végétale non salée : ★★★
Cuisson en ragoût avec margarine végétale salée : ★★★
Cuisson en ragoût avec saindoux ou graisse d'oie ou de canard : ★★★
Cuisson en sauté (idem poêlé).
Cuisson rôti à la broche : ★
Cuisson rôti au four avec beurre doux : ★★★
Cuisson rôti au four avec beurre salé : ★★★
Cuisson rôti au four avec huile végétale : ★★★
Cuisson rôti au four avec margarine végétale non salée : ★★★
Cuisson rôti au four avec margarine végétale salée : ★★★
Cuisson rôti au four avec saindoux ou graisse d'oie ou de canard : ★★★
Cuisson rôti au four sans matière grasse ajoutée : ★★★
Cuisson vapeur : ★
Grillé : ★
Pierrade : ★
Poêlé avec beurre doux : ★★★
Poêlé avec beurre salé : ★★★
Poêlé avec huile végétale : ★★★★
Poêlé avec margarine végétale non salée : ★★★
Poêlé avec margarine végétale salée : ★★★
Poêlé avec saindoux ou graisse d'oie ou de canard : ★★★
Poêlé sans matière grasse : ★
Salé et fumé : ★★
Séché : ★★
Surgelé : ★★
Remarque : n'hésitez pas à cuisiner avec de bonnes quantités d'huile végétale.

Aiguillette de bœuf - Airelle

Aiguillette de bœuf : voir « Bœuf (viande de) ».

Aiguillette de canard : voir « Canard (viande de) ».

Aiguillette de cheval : voir « Cheval (viande de) ».

Aiguillette de poulet : voir « Poulet (viande de) ».

Ail : plante potagère à bulbe dont les gousses sont utilisées en cuisine. Légume vert.
Conservé dans le vinaigre : ★★
Conserve en saumure (eau salée) : ★★
Conservé sous vide : ★★★
Consommation cru : ★★
Consommation cuit : ★★
Déshydraté : ★★
Fraîchement récolté : ★★
Pulpe : ★★
Surgelé : ★★

Airelle : fruit rouge ou noir proche de la myrtille.
A l'anglaise : ★★★★
Au sirop : ★★★★
Au sirop léger : ★★★
Confite : ★★★★
Conserve au naturel : ★★
Conservée dans l'alcool : ★★★
Conservée sous vide : ★★
Consommation crue : ★★
En beignet : ★★★
En compote (avec sucre ajouté) : ★★
En compote sans sucre ajouté : ★★
En confiture : ★★★★
En confiture allégée en sucre : ★★★
En confiture sans sucre : ★
Fraîchement récoltée : ★★
Pochée sans sucre : ★
Séchée : ★★★★
Surgelée : ★★

Alose : poisson gras d'eau douce.
Conservée par le sel : ★★
Conservée sous vide : ★★
Consommation crue
Cuisson à la milanaise avec beurre doux : ★★★
Cuisson à la milanaise avec beurre salé : ★★★
Cuisson à la milanaise avec huile végétale : ★★★★
Cuisson à la milanaise avec margarine végétale non salée : ★★★
Cuisson à la milanaise avec margarine végétale salée : ★★★
Cuisson à la milanaise avec saindoux ou graisse d'oie ou de canard : ★★★
Cuisson à la milanaise sans matière grasse : ★
Cuisson à l'étouffée avec beurre doux : ★★★
Cuisson à l'étouffée avec beurre salé : ★★★
Cuisson à l'étouffée avec huile végétale : ★★★★
Cuisson à l'étouffée avec margarine végétale non salée : ★★★
Cuisson à l'étouffée avec margarine végétale salée : ★★★
Cuisson à l'étouffée avec saindoux ou graisse d'oie ou de canard : ★★★
Cuisson à l'étouffée sans matière grasse : ★
Cuisson au court bouillon : ★
Cuisson en braisé avec beurre doux : ★★★
Cuisson en braisé avec beurre salé : ★★★
Cuisson en braisé avec huile végétale : ★★★★
Cuisson en braisé avec margarine végétale non salée : ★★★
Cuisson en braisé avec margarine végétale salée : ★★★
Cuisson en braisé avec saindoux ou graisse d'oie ou de canard : ★★★
Cuisson en braisé sans matière grasse : ★
Cuisson en friture : ★★★
Cuisson en meunière avec beurre doux : ★★★
Cuisson en meunière avec beurre salé : ★★★
Cuisson en meunière avec huile végétale : ★★★★
Cuisson en meunière avec margarine végétale non salée : ★★★
Cuisson en meunière avec margarine végétale salée : ★★★
Cuisson en meunière avec saindoux ou graisse d'oie ou de canard : ★★★
Cuisson en meunière sans matière grasse : ★
Cuisson en sauté (idem poêlée).

Cuisson rôtie à la broche : ★
Cuisson rôtie au four avec beurre doux : ★★★
Cuisson rôtie au four avec beurre salé : ★★★
Cuisson rôtie au four avec huile végétale : ★★★
Cuisson rôtie au four avec margarine végétale non salée : ★★★
Cuisson rôtie au four avec margarine végétale salée : ★★★
Cuisson rôtie au four avec saindoux ou graisse d'oie ou de canard : ★★★
Cuisson rôtie au four sans matière grasse ajoutée : ★★★
Cuisson vapeur : ★
Grillée : ★
Pierrade : ★
Poêlée avec beurre doux : ★★★
Poêlée avec beurre salé : ★★★
Poêlée avec huile végétale : ★★★★
Poêlée avec margarine végétale non salée : ★★★
Poêlée avec margarine végétale salée : ★★★
Poêlée avec saindoux ou graisse d'oie ou de canard : ★★★
Poêlée sans matière grasse : ★
Salée et fumée : ★★
Séchée : ★★
Surgelée : ★★
Remarque : n'hésitez pas à cuisiner avec de bonnes quantités d'huile végétale.

Aloyau : voir « Bœuf (viande de) ».

Amande marin : voir « Palourde ».

Ananas : gros fruit tropical à chair sucrée et savoureuse. Fruit exotique.
A l'anglaise : ★★★★
Au sirop : ★★★★
Au sirop léger : ★★★
Confit : ★★★★
Conserve au naturel : ★★
Conservé dans l'alcool : ★★★
Conservé sous vide : ★★
Consommation cru : ★★
En beignet : ★★★

En compote (avec sucre ajouté) : ★★
En compote sans sucre ajouté : ★★
En confiture : ★★★★
En confiture allégée en sucre : ★★★
En confiture sans sucre : ★
Flambé : ★★★
Fraîchement récolté : ★★
Poché sans sucre : ★
Séché : ★★★★
Surgelé : ★★

Anchois : petit poisson gras marin.
Conservé dans la saumure : ★★
Conservé dans l'huile : ★★★
Conservé par le sel : ★★
Conservé sous vide : ★★
Consommation cru
Cuisson à la milanaise avec beurre doux : ★★★
Cuisson à la milanaise avec beurre salé : ★★★
Cuisson à la milanaise avec huile végétale : ★★★★
Cuisson à la milanaise avec margarine végétale non salée : ★★★
Cuisson à la milanaise avec margarine végétale salée : ★★★
Cuisson à la milanaise avec saindoux ou graisse d'oie ou de canard : ★★★
Cuisson à la milanaise sans matière grasse : ★
Cuisson en beignet : ★★★
Cuisson en friture : ★★★
Cuisson en sauté (idem poêlé).
Pierrade : ★
Poêlé avec beurre doux : ★★★
Poêlé avec beurre salé : ★★★
Poêlé avec huile végétale : ★★★★
Poêlé avec margarine végétale non salée : ★★★
Poêlé avec margarine végétale salée : ★★★
Poêlé avec saindoux ou graisse d'oie ou de canard : ★★★
Poêlé sans matière grasse : ★
Salé et fumé : ★★
Séché : ★★
Surgelé : ★★

Andouillette - Anguille

Remarque : n'hésitez pas à cuisiner avec de bonnes quantités d'huile végétale.

Andouillette : voir « Porc (viande de) ».

Aneth : plante ombellifère aromatique.
Conservée sous vide : ★★
Consommation crue : ★★
Consommation cuite : ★★
Déshydratée : ★★
Fraîchement récoltée : ★★
Surgelée : ★★

Angélique : plante ombellifère aromatique.
Conservée sous vide : ★★
Consommation crue : ★★
Consommation cuite : ★★
Déshydratée : ★★
Fraîchement récoltée : ★★
Surgelée : ★★

Anguille : poisson gras d'eau douce.
Conservée par le sel : ★★
Conservée sous vide : ★★
Consommation crue
Cuisson à la milanaise avec beurre doux : ★★★
Cuisson à la milanaise avec beurre salé : ★★★
Cuisson à la milanaise avec huile végétale : ★★★★
Cuisson à la milanaise avec margarine végétale non salée : ★★★
Cuisson à la milanaise avec margarine végétale salée : ★★★
Cuisson à la milanaise avec saindoux ou graisse d'oie ou de canard : ★★★
Cuisson à la milanaise sans matière grasse : ★
Cuisson à l'étouffée avec beurre doux : ★★★
Cuisson à l'étouffée avec beurre salé : ★★★
Cuisson à l'étouffée avec huile végétale : ★★★★
Cuisson à l'étouffée avec margarine végétale non salée : ★★★
Cuisson à l'étouffée avec margarine végétale salée : ★★★

Cuisson à l'étouffée avec saindoux ou graisse d'oie ou de canard : ★★★
Cuisson à l'étouffée sans matière grasse : ★
Cuisson au court bouillon : ★
Cuisson en braisé avec beurre doux : ★★★
Cuisson en braisé avec beurre salé : ★★★
Cuisson en braisé avec huile végétale : ★★★★
Cuisson en braisé avec margarine végétale non salée : ★★★
Cuisson en braisé avec margarine végétale salée : ★★★
Cuisson en braisé avec saindoux ou graisse d'oie ou de canard : ★★★
Cuisson en braisé sans matière grasse : ★
Cuisson en friture : ★★★
Cuisson en meunière avec beurre doux : ★★★
Cuisson en meunière avec beurre salé : ★★★
Cuisson en meunière avec huile végétale : ★★★★
Cuisson en meunière avec margarine végétale non salée : ★★★
Cuisson en meunière avec margarine végétale salée : ★★★
Cuisson en meunière avec saindoux ou graisse d'oie ou de canard : ★★★
Cuisson en meunière sans matière grasse : ★
Cuisson en ragoût avec beurre doux : ★★★
Cuisson en ragoût avec beurre salé : ★★★
Cuisson en ragoût avec huile végétale : ★★★★
Cuisson en ragoût avec margarine végétale non salée : ★★★
Cuisson en ragoût avec margarine végétale salée : ★★★
Cuisson en ragoût avec saindoux ou graisse d'oie ou de canard : ★★★
Cuisson en sauté (idem poêlée).
Cuisson rôtie au four avec beurre doux : ★★★
Cuisson rôtie au four avec beurre salé : ★★★
Cuisson rôtie au four avec huile végétale : ★★★
Cuisson rôtie au four avec margarine végétale non salée : ★★★
Cuisson rôtie au four avec margarine végétale salée : ★★★
Cuisson rôtie au four avec saindoux ou graisse d'oie ou de canard : ★★★
Cuisson rôtie au four sans matière grasse ajoutée : ★★★
Cuisson vapeur : ★
Grillée : ★
Pierrade : ★

Poêlée avec beurre doux : ★★★
Poêlée avec beurre salé : ★★★
Poêlée avec huile végétale : ★★★★
Poêlée avec margarine végétale non salée : ★★★
Poêlée avec margarine végétale salée : ★★★
Poêlée avec saindoux ou graisse d'oie ou de canard : ★★★
Poêlée sans matière grasse : ★
Salée et fumée : ★★
Séchée : ★★
Surgelée : ★★

Remarque : n'hésitez pas à cuisiner avec de bonnes quantités d'huile végétale.

Anone : fruit tropical comestible. Fruit exotique.
A l'anglaise : ★★★★
Au sirop : ★★★★
Au sirop léger : ★★★
Confite : ★★★★
Conserve au naturel : ★★
Conservée dans l'alcool : ★★★
Conservée sous vide : ★★
Consommation crue : ★★
En beignet : ★★★
En compote (avec sucre ajouté) : ★★
En compote sans sucre ajouté : ★★
En confiture : ★★★★
En confiture allégée en sucre : ★★★
En confiture sans sucre : ★
Fraîchement récoltée : ★★
Pochée sans sucre : ★
Séchée : ★★★★
Surgelée : ★★

Araignée de bœuf : voir « Bœuf (viande de) ».

Araignée de cheval : voir « Cheval (viande de) ».

Aronia : petite baie rouge ou noire. Fruit rouge.
A l'anglaise : ★★★★
Au sirop : ★★★★

Au sirop léger : ★★★
Confite : ★★★★
Conserve au naturel : ★★
Conservée dans l'alcool : ★★★
Conservée sous vide : ★★
Consommation crue : ★★
En beignet : ★★★
En compote (avec sucre ajouté) : ★★
En compote sans sucre ajouté : ★★
En confiture : ★★★★
En confiture allégée en sucre : ★★★
En confiture sans sucre : ★
Fraîchement récoltée : ★★
Pochée sans sucre : ★
Séchée : ★★★★
Surgelée : ★★

Asperge : plante potagère cultivée pour ses jeunes pousses. Légume vert.
Conservée en saumure : ★★
Conservée sous vide : ★★
Consommation crue
Cuisson à l'étouffée avec beurre doux : ★★
Cuisson à l'étouffée avec beurre salé : ★★
Cuisson à l'étouffée avec huile végétale : ★★★
Cuisson à l'étouffée avec margarine végétale non salée : ★★
Cuisson à l'étouffée avec margarine végétale salée : ★★
Cuisson à l'étouffée avec saindoux ou graisse d'oie ou de canard : ★★
Cuisson à l'étouffée sans matière grasse : ★
Cuisson au court bouillon : ★
Cuisson en braisé avec beurre doux : ★★
Cuisson en braisé avec beurre salé : ★★
Cuisson en braisé avec huile végétale : ★★★
Cuisson en braisé avec margarine végétale non salée : ★★
Cuisson en braisé avec margarine végétale salée : ★★
Cuisson en braisé avec saindoux ou graisse d'oie ou de canard : ★★
Cuisson en braisé sans matière grasse : ★
Cuisson en friture : ★★

Cuisson en papillote : ★
Cuisson en sauté (idem poêlée).
Cuisson vapeur : ★
Poêlée avec beurre doux : ★★
Poêlée avec beurre salé : ★★
Poêlée avec huile végétale : ★★★
Poêlée avec margarine végétale non salée : ★★
Poêlée avec margarine végétale salée : ★★
Poêlée avec saindoux ou graisse d'oie ou de canard : ★★
Poêlée sans matière grasse : ★
Potage crème : ★★★★
Potage nature sans matière grasse ajoutée
Potage velouté : ★★
Surgelée : ★★
Remarque : n'hésitez pas à cuisiner avec de bonnes quantités d'huile végétale. Modérez fortement votre consommation de légumes verts car ils sont presque acaloriques.

Aubergine : plante potagère annuelle cultivée surtout dans les régions méditerranéennes. Légume vert.
Confite : ★★★
Conservée en saumure : ★★
Conservée sous vide : ★★
Consommation crue
Cuisson à la milanaise avec beurre doux : ★★
Cuisson à la milanaise avec beurre salé : ★★
Cuisson à la milanaise avec huile végétale : ★★★
Cuisson à la milanaise avec margarine végétale non salée : ★★
Cuisson à la milanaise avec margarine végétale salée : ★★
Cuisson à la milanaise avec saindoux ou graisse d'oie ou de canard : ★★
Cuisson à la milanaise sans matière grasse : ★
Cuisson à l'étouffée avec beurre doux : ★★
Cuisson à l'étouffée avec beurre salé : ★★
Cuisson à l'étouffée avec huile végétale : ★★★
Cuisson à l'étouffée avec margarine végétale non salée : ★★
Cuisson à l'étouffée avec margarine végétale salée : ★★
Cuisson à l'étouffée avec saindoux ou graisse d'oie ou de canard : ★★

Cuisson à l'étouffée sans matière grasse : ★
Cuisson au court bouillon : ★
Cuisson en beignet : ★★★
Cuisson en braisé avec beurre doux : ★★
Cuisson en braisé avec beurre salé : ★★
Cuisson en braisé avec huile végétale : ★★★
Cuisson en braisé avec margarine végétale non salée : ★★
Cuisson en braisé avec margarine végétale salée : ★★
Cuisson en braisé avec saindoux ou graisse d'oie ou de canard : ★★
Cuisson en braisé sans matière grasse : ★
Cuisson en friture : ★★
Cuisson en meunière avec beurre doux : ★★
Cuisson en meunière avec beurre salé : ★★
Cuisson en meunière avec huile végétale : ★★★
Cuisson en meunière avec margarine végétale non salée : ★★
Cuisson en meunière avec margarine végétale salée : ★★
Cuisson en meunière avec saindoux ou graisse d'oie ou de canard : ★★
Cuisson en meunière sans matière grasse : ★
Cuisson en sauté (idem poêlée).
Cuisson vapeur : ★
Grillée : ★
Pierrade : ★
Poêlée avec beurre doux : ★★
Poêlée avec beurre salé : ★★
Poêlée avec huile végétale : ★★★
Poêlée avec margarine végétale non salée : ★★
Poêlée avec margarine végétale salée : ★★
Poêlée avec saindoux ou graisse d'oie ou de canard : ★★
Poêlée sans matière grasse : ★
Potage crème : ★★★★
Potage nature sans matière grasse ajoutée
Potage velouté : ★★
Surgelée : ★★

Remarque : n'hésitez pas à cuisiner avec de bonnes quantités d'huile végétale. Modérez fortement votre consommation de légumes verts car ils sont presque acaloriques.

Autruche (viande d')

Autruche (viande d') : oiseau de grande taille d'Afrique et du Proche-Orient.

Conservée par le sel : ★★
Conservée sous vide : ★★
Consommation crue
Cuisson à la milanaise avec beurre doux : ★★★
Cuisson à la milanaise avec beurre salé : ★★★
Cuisson à la milanaise avec huile végétale : ★★★★
Cuisson à la milanaise avec margarine végétale non salée : ★★★
Cuisson à la milanaise avec margarine végétale salée : ★★★
Cuisson à la milanaise avec saindoux ou graisse d'oie ou de canard : ★★★
Cuisson à la milanaise sans matière grasse : ★
Cuisson à l'étouffée avec beurre doux : ★★★
Cuisson à l'étouffée avec beurre salé : ★★★
Cuisson à l'étouffée avec huile végétale : ★★★★
Cuisson à l'étouffée avec margarine végétale non salée : ★★★
Cuisson à l'étouffée avec margarine végétale salée : ★★★
Cuisson à l'étouffée avec saindoux ou graisse d'oie ou de canard : ★★★
Cuisson à l'étouffée sans matière grasse : ★
Cuisson au court bouillon : ★
Cuisson en braisé avec beurre doux : ★★★
Cuisson en braisé avec beurre salé : ★★★
Cuisson en braisé avec huile végétale : ★★★★
Cuisson en braisé avec margarine végétale non salée : ★★★
Cuisson en braisé avec margarine végétale salée : ★★★
Cuisson en braisé avec saindoux ou graisse d'oie ou de canard : ★★★
Cuisson en braisé sans matière grasse : ★
Cuisson en friture : ★★★
Cuisson en meunière avec beurre doux : ★★★
Cuisson en meunière avec beurre salé : ★★★
Cuisson en meunière avec huile végétale : ★★★★
Cuisson en meunière avec margarine végétale non salée : ★★★
Cuisson en meunière avec margarine végétale salée : ★★★
Cuisson en meunière avec saindoux ou graisse d'oie ou de canard : ★★★
Cuisson en meunière sans matière grasse : ★

Cuisson en ragoût avec beurre doux : ★★★
Cuisson en ragoût avec beurre salé : ★★★
Cuisson en ragoût avec huile végétale : ★★★★
Cuisson en ragoût avec margarine végétale non salée : ★★★
Cuisson en ragoût avec margarine végétale salée : ★★★
Cuisson en ragoût avec saindoux ou graisse d'oie ou de canard :
★★★
Cuisson en sauté (idem poêlée).
Cuisson rôtie à la broche : ★
Cuisson rôtie au four avec beurre doux : ★★★
Cuisson rôtie au four avec beurre salé : ★★★
Cuisson rôtie au four avec huile végétale : ★★★
Cuisson rôtie au four avec margarine végétale non salée : ★★★
Cuisson rôtie au four avec margarine végétale salée : ★★★
*Cuisson rôtie au four avec saindoux ou graisse d'oie ou de
canard :* ★★★
Cuisson rôtie au four sans matière grasse ajoutée : ★★★
Cuisson vapeur : ★
Grillée : ★
Pierrade : ★
Poêlée avec beurre doux : ★★★
Poêlée avec beurre salé : ★★★
Poêlée avec huile végétale : ★★★★
Poêlée avec margarine végétale non salée : ★★★
Poêlée avec margarine végétale salée : ★★★
Poêlée avec saindoux ou graisse d'oie ou de canard : ★★★
Poêlée sans matière grasse : ★
Salée et fumée : ★★
Séchée : ★★
Surgelée : ★★
**Remarque : n'hésitez pas à cuisiner avec de bonnes
quantités d'huile végétale.**

Azerole : petit fruit rouge ressemblant à une cerise très riche en
vitamine C.
Consommation crue
En confiture : ★★★
En confiture allégée en sucre : ★★
En confiture sans sucre : ★

$\mathcal{B}$

Baby-beef : voir « Bœuf (viande de) ».

Bacon : voir « Porc (viande de) » section *Salée et fumée*.

Bambou (pousses de) : jeunes pousses de bambou comestibles. Légume vert.
Conservées en saumure : ★★
Conservées sous vide : ★★
Consommation crues
Cuisson à l'étouffée avec beurre doux : ★★
Cuisson à l'étouffée avec beurre salé : ★★
Cuisson à l'étouffée avec huile végétale : ★★★
Cuisson à l'étouffée avec margarine végétale non salée : ★★
Cuisson à l'étouffée avec margarine végétale salée : ★★
Cuisson à l'étouffée avec saindoux ou graisse d'oie ou de canard : ★★
Cuisson à l'étouffée sans matière grasse : ★
Cuisson au court bouillon : ★
Cuisson en friture : ★★
Cuisson en papillote : ★
Cuisson en ragoût avec beurre doux : ★★
Cuisson en ragoût avec beurre salé : ★★
Cuisson en ragoût avec huile végétale : ★★★
Cuisson en ragoût avec margarine végétale non salée : ★★
Cuisson en ragoût avec margarine végétale salée : ★★
Cuisson en ragoût avec saindoux ou graisse d'oie ou de canard : ★★
Cuisson en sauté (idem poêlées).
Cuisson vapeur : ★
Poêlées avec beurre doux : ★★
Poêlées avec beurre salé : ★★
Poêlées avec huile végétale : ★★★
Poêlées avec margarine végétale non salée : ★★
Poêlées avec margarine végétale salée : ★★
Poêlées avec saindoux ou graisse d'oie ou de canard : ★★

Poêlées sans matière grasse : ★
Potage crème : ★ ★ ★ ★
Potage nature sans matière grasse ajoutée
Potage velouté : ★ ★
Surgelées : ★ ★
Remarque : n'hésitez pas à cuisiner avec de bonnes quantités d'huile végétale. Modérez fortement votre consommation de légumes verts car ils sont presque acaloriques.

Banane plantain : fruit tropical issu du bananier riche en amidon qui se consomme cuit. Fruit exotique cuisiné comme un légume vert.
Conservée en saumure : ★ ★
Conservée sous vide : ★ ★
Consommation crue
Cuisson à la milanaise avec beurre doux : ★ ★
Cuisson à la milanaise avec beurre salé : ★ ★
Cuisson à la milanaise avec huile végétale : ★ ★ ★
Cuisson à la milanaise avec margarine végétale non salée : ★ ★
Cuisson à la milanaise avec margarine végétale salée : ★ ★
Cuisson à la milanaise avec saindoux ou graisse d'oie ou de canard : ★ ★
Cuisson à la milanaise sans matière grasse : ★
Cuisson à l'étouffée avec beurre doux : ★ ★
Cuisson à l'étouffée avec beurre salé : ★ ★
Cuisson à l'étouffée avec huile végétale : ★ ★ ★
Cuisson à l'étouffée avec margarine végétale non salée : ★ ★
Cuisson à l'étouffée avec margarine végétale salée : ★ ★
Cuisson à l'étouffée avec saindoux ou graisse d'oie ou de canard : ★ ★
Cuisson à l'étouffée sans matière grasse : ★
Cuisson au court bouillon : ★
Cuisson en braisé avec beurre doux : ★ ★
Cuisson en braisé avec beurre salé : ★ ★
Cuisson en braisé avec huile végétale : ★ ★ ★
Cuisson en braisé avec margarine végétale non salée : ★ ★
Cuisson en braisé avec margarine végétale salée : ★ ★
Cuisson en braisé avec saindoux ou graisse d'oie ou de canard : ★ ★

Banane plantain - Banane tigrée

Cuisson en braisé sans matière grasse : ★
Cuisson en friture : ★★
Cuisson en papillote : ★
Cuisson en meunière avec beurre doux : ★★
Cuisson en meunière avec beurre salé : ★★
Cuisson en meunière avec huile végétale : ★★★
Cuisson en meunière avec margarine végétale non salée : ★★
Cuisson en meunière avec margarine végétale salée : ★★
Cuisson en meunière avec saindoux ou graisse d'oie ou de canard : ★★
Cuisson en meunière sans matière grasse : ★
Cuisson en ragoût avec beurre doux : ★★
Cuisson en ragoût avec beurre salé : ★★
Cuisson en ragoût avec huile végétale : ★★★
Cuisson en ragoût avec margarine végétale non salée : ★★
Cuisson en ragoût avec margarine végétale salée : ★★
Cuisson en ragoût avec saindoux ou graisse d'oie ou de canard : ★★
Cuisson en sauté (idem poêlée).
Cuisson vapeur : ★
Poêlée avec beurre doux : ★★
Poêlée avec beurre salé : ★★
Poêlée avec huile végétale : ★★★
Poêlée avec margarine végétale non salée : ★★
Poêlée avec margarine végétale salée : ★★
Poêlée avec saindoux ou graisse d'oie ou de canard : ★★
Poêlée sans matière grasse : ★
Potage crème : ★★★★
Potage nature sans matière grasse ajoutée
Potage velouté : ★★
Surgelée : ★★
Remarque : n'hésitez pas à cuisiner avec de bonnes quantités d'huile végétale.

Banane tigrée : fruit tropical issu du bananier riche en amidon avant sa pleine maturité. Fruit exotique.
A l'anglaise : ★★★★
Au sirop : ★★★★
Au sirop léger : ★★★
Confite : ★★★★

Conserve au naturel : ★★
Conservée dans l'alcool : ★★★
Conservée sous vide : ★★
Consommation crue : ★★
En beignet : ★★★
En compote (avec sucre ajouté) : ★★
En compote sans sucre ajouté : ★★
En confiture : ★★★★
En confiture allégée en sucre : ★★★
En confiture sans sucre : ★
Flambée : ★★★
Fraîchement récoltée : ★★
Pochée sans sucre : ★
Séchée : ★★★★
Surgelée : ★★

Bar : poisson marin à chair blanche.
Conservé par le sel : ★★
Conservé sous vide : ★★
Consommation cru
Cuisson à la milanaise avec beurre doux : ★★★
Cuisson à la milanaise avec beurre salé : ★★★
Cuisson à la milanaise avec huile végétale : ★★★★
Cuisson à la milanaise avec margarine végétale non salée : ★★★
Cuisson à la milanaise avec margarine végétale salée : ★★★
Cuisson à la milanaise avec saindoux ou graisse d'oie ou de canard : ★★★
Cuisson à la milanaise sans matière grasse : ★
Cuisson à l'étouffée avec beurre doux : ★★★
Cuisson à l'étouffée avec beurre salé : ★★★
Cuisson à l'étouffée avec huile végétale : ★★★★
Cuisson à l'étouffée avec margarine végétale non salée : ★★★
Cuisson à l'étouffée avec margarine végétale salée : ★★★
Cuisson à l'étouffée avec saindoux ou graisse d'oie ou de canard : ★★★
Cuisson à l'étouffée sans matière grasse : ★
Cuisson au court bouillon : ★
Cuisson en braisé avec beurre doux : ★★★
Cuisson en braisé avec beurre salé : ★★★

Bar

Cuisson en braisé avec huile végétale : ★★★★
Cuisson en braisé avec margarine végétale non salée : ★★★
Cuisson en braisé avec margarine végétale salée : ★★★
Cuisson en braisé avec saindoux ou graisse d'oie ou de canard : ★★★
Cuisson en braisé sans matière grasse : ★
Cuisson en friture : ★★★
Cuisson en meunière avec beurre doux : ★★★
Cuisson en meunière avec beurre salé : ★★★
Cuisson en meunière avec huile végétale : ★★★★
Cuisson en meunière avec margarine végétale non salée : ★★★
Cuisson en meunière avec margarine végétale salée : ★★★
Cuisson en meunière avec saindoux ou graisse d'oie ou de canard : ★★★
Cuisson en meunière sans matière grasse : ★
Cuisson en sauté (idem poêlé).
Cuisson rôti à la broche : ★
Cuisson rôti au four avec beurre doux : ★★★
Cuisson rôti au four avec beurre salé : ★★★
Cuisson rôti au four avec huile végétale : ★★★
Cuisson rôti au four avec margarine végétale non salée : ★★★
Cuisson rôti au four avec margarine végétale salée : ★★★
Cuisson rôti au four avec saindoux ou graisse d'oie ou de canard : ★★★
Cuisson rôti au four sans matière grasse ajoutée : ★★★
Cuisson vapeur : ★
Grillé : ★
Pierrade : ★
Poêlé avec beurre doux : ★★★
Poêlé avec beurre salé : ★★★
Poêlé avec huile végétale : ★★★★
Poêlé avec margarine végétale non salée : ★★★
Poêlé avec margarine végétale salée : ★★★
Poêlé avec saindoux ou graisse d'oie ou de canard : ★★★
Poêlé sans matière grasse : ★
Salé et fumé : ★★
Séché : ★★
Surgelé : ★★
Remarque : n'hésitez pas à cuisiner avec de bonnes quantités d'huile végétale.

Barbeau : poisson d'eau douce à chair blanche.
Conservé par le sel : ✦✦
Conservé sous vide : ✦✦
Consommation cru
Cuisson à la milanaise avec beurre doux : ✦✦✦
Cuisson à la milanaise avec beurre salé : ✦✦✦
Cuisson à la milanaise avec huile végétale : ✦✦✦✦
Cuisson à la milanaise avec margarine végétale non salée : ✦✦✦
Cuisson à la milanaise avec margarine végétale salée : ✦✦✦
Cuisson à la milanaise avec saindoux ou graisse d'oie ou de canard : ✦✦✦
Cuisson à la milanaise sans matière grasse : ✦
Cuisson à l'étouffée avec beurre doux : ✦✦✦
Cuisson à l'étouffée avec beurre salé : ✦✦✦
Cuisson à l'étouffée avec huile végétale : ✦✦✦✦
Cuisson à l'étouffée avec margarine végétale non salée : ✦✦✦
Cuisson à l'étouffée avec margarine végétale salée : ✦✦✦
Cuisson à l'étouffée avec saindoux ou graisse d'oie ou de canard : ✦✦✦
Cuisson à l'étouffée sans matière grasse : ✦
Cuisson au court bouillon : ✦
Cuisson en braisé avec beurre doux : ✦✦✦
Cuisson en braisé avec beurre salé : ✦✦✦
Cuisson en braisé avec huile végétale : ✦✦✦✦
Cuisson en braisé avec margarine végétale non salée : ✦✦✦
Cuisson en braisé avec margarine végétale salée : ✦✦✦
Cuisson en braisé avec saindoux ou graisse d'oie ou de canard : ✦✦✦
Cuisson en braisé sans matière grasse : ✦
Cuisson en friture : ✦✦✦
Cuisson en meunière avec beurre doux : ✦✦✦
Cuisson en meunière avec beurre salé : ✦✦✦
Cuisson en meunière avec huile végétale : ✦✦✦✦
Cuisson en meunière avec margarine végétale non salée : ✦✦✦
Cuisson en meunière avec margarine végétale salée : ✦✦✦
Cuisson en meunière avec saindoux ou graisse d'oie ou de canard : ✦✦✦
Cuisson en meunière sans matière grasse : ✦
Cuisson en sauté (idem poêlé).

Cuisson rôti au four avec beurre doux : ★★★
Cuisson rôti au four avec beurre salé : ★★★
Cuisson rôti au four avec huile végétale : ★★★
Cuisson rôti au four avec margarine végétale non salée : ★★★
Cuisson rôti au four avec margarine végétale salée : ★★★
Cuisson rôti au four avec saindoux ou graisse d'oie ou de canard : ★★★
Cuisson rôti au four sans matière grasse ajoutée : ★★★
Cuisson vapeur : ★
Grillé : ★
Pierrade : ★
Poêlé avec beurre doux : ★★★
Poêlé avec beurre salé : ★★★
Poêlé avec huile végétale : ★★★★
Poêlé avec margarine végétale non salée : ★★★
Poêlé avec margarine végétale salée : ★★★
Poêlé avec saindoux ou graisse d'oie ou de canard : ★★★
Poêlé sans matière grasse : ★
Salé et fumé : ★★
Séché : ★★
Surgelé : ★★

Remarque : n'hésitez pas à cuisiner avec de bonnes quantités d'huile végétale.

Barbue : poisson marin à chair blanche.
Conservé par le sel : ★★
Conservé sous vide : ★★
Consommation cru
Cuisson à la milanaise avec beurre doux : ★★★
Cuisson à la milanaise avec beurre salé : ★★★
Cuisson à la milanaise avec huile végétale : ★★★★
Cuisson à la milanaise avec margarine végétale non salée : ★★★
Cuisson à la milanaise avec margarine végétale salée : ★★★
Cuisson à la milanaise avec saindoux ou graisse d'oie ou de canard : ★★★
Cuisson à la milanaise sans matière grasse : ★
Cuisson à l'étouffée avec beurre doux : ★★★
Cuisson à l'étouffée avec beurre salé : ★★★
Cuisson à l'étouffée avec huile végétale : ★★★★

Cuisson à l'étouffée avec margarine végétale non salée : ★★★
Cuisson à l'étouffée avec margarine végétale salée : ★★★
Cuisson à l'étouffée avec saindoux ou graisse d'oie ou de canard : ★★★
Cuisson à l'étouffée sans matière grasse : ★
Cuisson au court bouillon : ★
Cuisson en braisé avec beurre doux : ★★★
Cuisson en braisé avec beurre salé : ★★★
Cuisson en braisé avec huile végétale : ★★★★
Cuisson en braisé avec margarine végétale non salée : ★★★
Cuisson en braisé avec margarine végétale salée : ★★★
Cuisson en braisé avec saindoux ou graisse d'oie ou de canard : ★★★
Cuisson en braisé sans matière grasse : ★
Cuisson en friture : ★★★
Cuisson en meunière avec beurre doux : ★★★
Cuisson en meunière avec beurre salé : ★★★
Cuisson en meunière avec huile végétale : ★★★★
Cuisson en meunière avec margarine végétale non salée : ★★★
Cuisson en meunière avec margarine végétale salée : ★★★
Cuisson en meunière avec saindoux ou graisse d'oie ou de canard : ★★★
Cuisson en meunière sans matière grasse : ★
Cuisson en sauté (idem poêlé).
Cuisson rôti au four avec beurre doux : ★★★
Cuisson rôti au four avec beurre salé : ★★★
Cuisson rôti au four avec huile végétale : ★★★
Cuisson rôti au four avec margarine végétale non salée : ★★★
Cuisson rôti au four avec margarine végétale salée : ★★★
Cuisson rôti au four avec saindoux ou graisse d'oie ou de canard : ★★★
Cuisson rôti au four sans matière grasse ajoutée : ★★★
Cuisson vapeur : ★
Grillé : ★
Pierrade : ★
Poêlé avec beurre doux : ★★★
Poêlé avec beurre salé : ★★★
Poêlé avec huile végétale : ★★★★
Poêlé avec margarine végétale non salée : ★★★
Poêlé avec margarine végétale salée : ★★★

Barbue - Barracuda

Poêlé avec saindoux ou graisse d'oie ou de canard : ★★★
Poêlé sans matière grasse : ★
Salé et fumé : ★★
Séché : ★★
Surgelé : ★★
Remarque : n'hésitez pas à cuisiner avec de bonnes quantités d'huile végétale.

Barracuda : poisson marin à chair blanche.
Conservé par le sel : ★★
Conservé sous vide : ★★
Consommation cru
Cuisson à la milanaise avec beurre doux : ★★★
Cuisson à la milanaise avec beurre salé : ★★★
Cuisson à la milanaise avec huile végétale : ★★★★
Cuisson à la milanaise avec margarine végétale non salée : ★★★
Cuisson à la milanaise avec margarine végétale salée : ★★★
Cuisson à la milanaise avec saindoux ou graisse d'oie ou de canard : ★★★
Cuisson à la milanaise sans matière grasse : ★
Cuisson à l'étouffée avec beurre doux : ★★★
Cuisson à l'étouffée avec beurre salé : ★★★
Cuisson à l'étouffée avec huile végétale : ★★★★
Cuisson à l'étouffée avec margarine végétale non salée : ★★★
Cuisson à l'étouffée avec margarine végétale salée : ★★★
Cuisson à l'étouffée avec saindoux ou graisse d'oie ou de canard : ★★★
Cuisson à l'étouffée sans matière grasse : ★
Cuisson au court bouillon : ★
Cuisson en braisé avec beurre doux : ★★★
Cuisson en braisé avec beurre salé : ★★★
Cuisson en braisé avec huile végétale : ★★★★
Cuisson en braisé avec margarine végétale non salée : ★★★
Cuisson en braisé avec margarine végétale salée : ★★★
Cuisson en braisé avec saindoux ou graisse d'oie ou de canard : ★★★
Cuisson en braisé sans matière grasse : ★
Cuisson en friture : ★★★
Cuisson en meunière avec beurre doux : ★★★

Cuisson en meunière avec beurre salé : ★★★
Cuisson en meunière avec huile végétale : ★★★★
Cuisson en meunière avec margarine végétale non salée : ★★★
Cuisson en meunière avec margarine végétale salée : ★★★
Cuisson en meunière avec saindoux ou graisse d'oie ou de canard : ★★★
Cuisson en meunière sans matière grasse : ★
Cuisson en sauté (idem poêlé).
Cuisson rôti à la broche : ★
Cuisson rôti au four avec beurre doux : ★★★
Cuisson rôti au four avec beurre salé : ★★★
Cuisson rôti au four avec huile végétale : ★★★
Cuisson rôti au four avec margarine végétale non salée : ★★★
Cuisson rôti au four avec margarine végétale salée : ★★★
Cuisson rôti au four avec saindoux ou graisse d'oie ou de canard : ★★★
Cuisson rôti au four sans matière grasse ajoutée : ★★★
Cuisson vapeur : ★
Grillé : ★
Pierrade : ★
Poêlé avec beurre doux : ★★★
Poêlé avec beurre salé : ★★★
Poêlé avec huile végétale : ★★★★
Poêlé avec margarine végétale non salée : ★★★
Poêlé avec margarine végétale salée : ★★★
Poêlé avec saindoux ou graisse d'oie ou de canard : ★★★
Poêlé sans matière grasse : ★
Salé et fumé : ★★
Séché : ★★
Surgelé : ★★
Remarque : n'hésitez pas à cuisiner avec de bonnes quantités d'huile végétale.

Basilic : plante aromatique et condimentaire.
Conservé sous vide : ★★
Consommation cru : ★★
Consommation cuit : ★★
Déshydraté : ★★
Fraîchement récolté : ★★
Surgelé : ★★

Bavette - Bette

Bavette : voir « Bœuf (viande de) ».

Bette : plante potagère dont on consomme notamment les côtes, mais également les feuilles. Légume vert.
Conservée en saumure : ★★
Conservée sous vide : ★★
Consommation crue
Cuisson à l'étouffée avec beurre doux : ★★
Cuisson à l'étouffée avec beurre salé : ★★
Cuisson à l'étouffée avec huile végétale : ★★★
Cuisson à l'étouffée avec margarine végétale non salée : ★★
Cuisson à l'étouffée avec margarine végétale salée : ★★
Cuisson à l'étouffée avec saindoux ou graisse d'oie ou de canard : ★★
Cuisson à l'étouffée sans matière grasse : ★
Cuisson au court bouillon : ★
Cuisson en braisé avec beurre doux : ★★
Cuisson en braisé avec beurre salé : ★★
Cuisson en braisé avec huile végétale : ★★★
Cuisson en braisé avec margarine végétale non salée : ★★
Cuisson en braisé avec margarine végétale salée : ★★
Cuisson en braisé avec saindoux ou graisse d'oie ou de canard : ★★
Cuisson en braisé sans matière grasse : ★
Cuisson en friture : ★★
Cuisson en papillote : ★
Cuisson en sauté (idem poêlée).
Cuisson vapeur : ★
Poêlée avec beurre doux : ★★
Poêlée avec beurre salé : ★★
Poêlée avec huile végétale : ★★★
Poêlée avec margarine végétale non salée : ★★
Poêlée avec margarine végétale salée : ★★
Poêlée avec saindoux ou graisse d'oie ou de canard : ★★
Poêlée sans matière grasse : ★
Potage crème : ★★★★
Potage nature sans matière grasse ajoutée
Potage velouté : ★★
Surgelée : ★★

Remarque : n'hésitez pas à cuisiner avec de bonnes quantités d'huile végétale. Modérez fortement votre consommation de légumes verts car ils sont presque acaloriques.

Betterave : plante potagère dont on consomme la racine charnue. Légume vert.
Conservée en saumure : ★★
Conservée sous vide : ★★
Consommation crue : ★★
Cuisson à la milanaise avec beurre doux : ★★
Cuisson à la milanaise avec beurre salé : ★★
Cuisson à la milanaise avec huile végétale : ★★★
Cuisson à la milanaise avec margarine végétale non salée : ★★
Cuisson à la milanaise avec margarine végétale salée : ★★
Cuisson à la milanaise avec saindoux ou graisse d'oie ou de canard : ★★
Cuisson à la milanaise sans matière grasse : ★
Cuisson à l'étouffée avec beurre doux : ★★
Cuisson à l'étouffée avec beurre salé : ★★
Cuisson à l'étouffée avec huile végétale : ★★★
Cuisson à l'étouffée avec margarine végétale non salée : ★★
Cuisson à l'étouffée avec margarine végétale salée : ★★
Cuisson à l'étouffée avec saindoux ou graisse d'oie ou de canard : ★★
Cuisson à l'étouffée sans matière grasse : ★
Cuisson au court bouillon : ★
Cuisson en braisé avec beurre doux : ★★
Cuisson en braisé avec beurre salé : ★★
Cuisson en braisé avec huile végétale : ★★★
Cuisson en braisé avec margarine végétale non salée : ★★
Cuisson en braisé avec margarine végétale salée : ★★
Cuisson en braisé avec saindoux ou graisse d'oie ou de canard : ★★
Cuisson en braisé sans matière grasse : ★
Cuisson en friture : ★★
Cuisson en meunière avec beurre doux : ★★
Cuisson en meunière avec beurre salé : ★★
Cuisson en meunière avec huile végétale : ★★★
Cuisson en meunière avec margarine végétale non salée : ★★

Betterave - Biche (viande de)

Cuisson en meunière avec margarine végétale salée : ★★
Cuisson en meunière avec saindoux ou graisse d'oie ou de canard : ★★
Cuisson en meunière sans matière grasse : ★
Cuisson en papillote : ★
Cuisson en ragoût avec beurre doux : ★★
Cuisson en ragoût avec beurre salé : ★★
Cuisson en ragoût avec huile végétale : ★★★
Cuisson en ragoût avec margarine végétale non salée : ★★
Cuisson en ragoût avec margarine végétale salée : ★★
Cuisson en ragoût avec saindoux ou graisse d'oie ou de canard : ★★
Cuisson en sauté (idem poêlée).
Cuisson vapeur : ★
Poêlée avec beurre doux : ★★
Poêlée avec beurre salé : ★★
Poêlée avec huile végétale : ★★★
Poêlée avec margarine végétale non salée : ★★
Poêlée avec margarine végétale salée : ★★
Poêlée avec saindoux ou graisse d'oie ou de canard : ★★
Poêlée sans matière grasse : ★
Potage crème : ★★★★
Potage nature sans matière grasse ajoutée
Potage velouté : ★★
Surgelée : ★★

Remarque : n'hésitez pas à cuisiner avec de bonnes quantités d'huile végétale. Modérez fortement votre consommation de légumes verts car ils sont presque acaloriques.

Biche (viande de) : femelle du cerf. Viande rouge. Gibier.
Conservée par le sel : ★★
Conservée sous vide : ★★
Consommation crue
Cuisson à la milanaise avec beurre doux : ★★★
Cuisson à la milanaise avec beurre salé : ★★★
Cuisson à la milanaise avec huile végétale : ★★★★
Cuisson à la milanaise avec margarine végétale non salée : ★★★
Cuisson à la milanaise avec margarine végétale salée : ★★★

Cuisson à la milanaise avec saindoux ou graisse d'oie ou de canard : ★★★
Cuisson à la milanaise sans matière grasse : ★
Cuisson à l'étouffée avec beurre doux : ★★★
Cuisson à l'étouffée avec beurre salé : ★★★
Cuisson à l'étouffée avec huile végétale : ★★★★
Cuisson à l'étouffée avec margarine végétale non salée : ★★★
Cuisson à l'étouffée avec margarine végétale salée : ★★★
Cuisson à l'étouffée avec saindoux ou graisse d'oie ou de canard : ★★★
Cuisson à l'étouffée sans matière grasse : ★
Cuisson au court bouillon : ★
Cuisson en braisé avec beurre doux : ★★★
Cuisson en braisé avec beurre salé : ★★★
Cuisson en braisé avec huile végétale : ★★★★
Cuisson en braisé avec margarine végétale non salée : ★★★
Cuisson en braisé avec margarine végétale salée : ★★★
Cuisson en braisé avec saindoux ou graisse d'oie ou de canard : ★★★
Cuisson en braisé sans matière grasse : ★
Cuisson en friture : ★★★
Cuisson en meunière avec beurre doux : ★★★
Cuisson en meunière avec beurre salé : ★★★
Cuisson en meunière avec huile végétale : ★★★★
Cuisson en meunière avec margarine végétale non salée : ★★★
Cuisson en meunière avec margarine végétale salée : ★★★
Cuisson en meunière avec saindoux ou graisse d'oie ou de canard : ★★★
Cuisson en meunière sans matière grasse : ★
Cuisson en ragoût avec beurre doux : ★★★
Cuisson en ragoût avec beurre salé : ★★★
Cuisson en ragoût avec huile végétale : ★★★★
Cuisson en ragoût avec margarine végétale non salée : ★★★
Cuisson en ragoût avec margarine végétale salée : ★★★
Cuisson en ragoût avec saindoux ou graisse d'oie ou de canard : ★★★
Cuisson en sauté (idem poêlée).
Cuisson rôtie à la broche : ★
Cuisson rôtie au four avec beurre doux : ★★★
Cuisson rôtie au four avec beurre salé : ★★★

Cuisson rôtie au four avec huile végétale : ★★★
Cuisson rôtie au four avec margarine végétale non salée : ★★★
Cuisson rôtie au four avec margarine végétale salée : ★★★
Cuisson rôtie au four avec saindoux ou graisse d'oie ou de canard : ★★★
Cuisson rôtie au four sans matière grasse ajoutée : ★★★
Cuisson vapeur : ★
Faisandée : ★★
Grillée : ★
Pierrade : ★
Poêlée avec beurre doux : ★★★
Poêlée avec beurre salé : ★★★
Poêlée avec huile végétale : ★★★★
Poêlée avec margarine végétale non salée : ★★★
Poêlée avec margarine végétale salée : ★★★
Poêlée avec saindoux ou graisse d'oie ou de canard : ★★★
Poêlée sans matière grasse : ★
Salée et fumée : ★★
Séchée : ★★
Surgelée : ★★
Remarque : n'hésitez pas à cuisiner avec de bonnes quantités d'huile végétale.

Bifteck : voir « Bœuf (viande de) ».

Bigorneau : mollusque comestible.
Conservé en saumure : ★★
Conservé sous vide : ★★
Consommation cru
Cuisson à l'étouffée avec beurre doux : ★★★
Cuisson à l'étouffée avec beurre salé : ★★★
Cuisson à l'étouffée avec huile végétale : ★★★★
Cuisson à l'étouffée avec margarine végétale non salée : ★★★
Cuisson à l'étouffée avec margarine végétale salée : ★★★
Cuisson à l'étouffée avec saindoux ou graisse d'oie ou de canard : ★★★
Cuisson à l'étouffée sans matière grasse : ★
Cuisson au court bouillon : ★
Cuisson en braisé avec beurre doux : ★★★
Cuisson en braisé avec beurre salé : ★★★

Cuisson en braisé avec huile végétale : ★★★★
Cuisson en braisé avec margarine végétale non salée : ★★★
Cuisson en braisé avec margarine végétale salée : ★★★
Cuisson en braisé avec saindoux ou graisse d'oie ou de canard :
★★★
Cuisson en braisé sans matière grasse : ★
Cuisson en friture : ★★★
Cuisson en ragoût avec beurre doux : ★★★
Cuisson en ragoût avec beurre salé : ★★★
Cuisson en ragoût avec huile végétale : ★★★★
Cuisson en ragoût avec margarine végétale non salée : ★★★
Cuisson en ragoût avec margarine végétale salée : ★★★
Cuisson en ragoût avec saindoux ou graisse d'oie ou de canard :
★★★
Cuisson en sauté (idem poêlé).
Cuisson vapeur : ★
Grillé : ★
Pierrade : ★
Poêlé avec beurre doux : ★★★
Poêlé avec beurre salé : ★★★
Poêlé avec huile végétale : ★★★★
Poêlé avec margarine végétale non salée : ★★★
Poêlé avec margarine végétale salée : ★★★
Poêlé avec saindoux ou graisse d'oie ou de canard : ★★★
Poêlé sans matière grasse : ★
Surgelé : ★★
Remarque : n'hésitez pas à cuisiner avec de bonnes quantités d'huile végétale.

Bison : voir « Bœuf (viande de) ».

Black-Bass : poisson gras d'eau douce.
Conservé par le sel : ★★
Conservé sous vide : ★★
Consommation cru
Cuisson à la milanaise avec beurre doux : ★★★
Cuisson à la milanaise avec beurre salé : ★★★
Cuisson à la milanaise avec huile végétale : ★★★★
Cuisson à la milanaise avec margarine végétale non salée :
★★★

Cuisson à la milanaise avec margarine végétale salée : ★★★
Cuisson à la milanaise avec saindoux ou graisse d'oie ou de canard : ★★★
Cuisson à la milanaise sans matière grasse : ★
Cuisson à l'étouffée avec beurre doux : ★★★
Cuisson à l'étouffée avec beurre salé : ★★★
Cuisson à l'étouffée avec huile végétale : ★★★★
Cuisson à l'étouffée avec margarine végétale non salée : ★★★
Cuisson à l'étouffée avec margarine végétale salée : ★★★
Cuisson à l'étouffée avec saindoux ou graisse d'oie ou de canard : ★★★
Cuisson à l'étouffée sans matière grasse : ★
Cuisson au court bouillon : ★
Cuisson en braisé avec beurre doux : ★★★
Cuisson en braisé avec beurre salé : ★★★
Cuisson en braisé avec huile végétale : ★★★★
Cuisson en braisé avec margarine végétale non salée : ★★★
Cuisson en braisé avec margarine végétale salée : ★★★
Cuisson en braisé avec saindoux ou graisse d'oie ou de canard : ★★★
Cuisson en braisé sans matière grasse : ★
Cuisson en friture : ★★★
Cuisson en meunière avec beurre doux : ★★★
Cuisson en meunière avec beurre salé : ★★★
Cuisson en meunière avec huile végétale : ★★★★
Cuisson en meunière avec margarine végétale non salée : ★★★
Cuisson en meunière avec margarine végétale salée : ★★★
Cuisson en meunière avec saindoux ou graisse d'oie ou de canard : ★★★
Cuisson en meunière sans matière grasse : ★
Cuisson en sauté (idem poêlé).
Cuisson rôti à la broche : ★
Cuisson rôti au four avec beurre doux : ★★★
Cuisson rôti au four avec beurre salé : ★★★
Cuisson rôti au four avec huile végétale : ★★★
Cuisson rôti au four avec margarine végétale non salée : ★★★
Cuisson rôti au four avec margarine végétale salée : ★★★
Cuisson rôti au four avec saindoux ou graisse d'oie ou de canard : ★★★
Cuisson rôti au four sans matière grasse ajoutée : ★★★

Cuisson vapeur : ★
Grillé : ★
Pierrade : ★
Poêlé avec beurre doux : ★★★
Poêlé avec beurre salé : ★★★
Poêlé avec huile végétale : ★★★★
Poêlé avec margarine végétale non salée : ★★★
Poêlé avec margarine végétale salée : ★★★
Poêlé avec saindoux ou graisse d'oie ou de canard : ★★★
Poêlé sans matière grasse : ★
Salé et fumé : ★★
Séché : ★★
Surgelé : ★★
Remarque : n'hésitez pas à cuisiner avec de bonnes quantités d'huile végétale.

Blette : voir « Bette ».

Bœuf (viande de) : animal de l'espèce bovine. Viande rouge.
Conservée par le sel : ★★
Conservée sous vide : ★★
Consommation crue
Cuisson à la milanaise avec beurre doux : ★★★
Cuisson à la milanaise avec beurre salé : ★★★
Cuisson à la milanaise avec huile végétale : ★★★★
Cuisson à la milanaise avec margarine végétale non salée : ★★★
Cuisson à la milanaise avec margarine végétale salée : ★★★
Cuisson à la milanaise avec saindoux ou graisse d'oie ou de canard : ★★★
Cuisson à la milanaise sans matière grasse : ★
Cuisson à l'étouffée avec beurre doux : ★★★
Cuisson à l'étouffée avec beurre salé : ★★★
Cuisson à l'étouffée avec huile végétale : ★★★★
Cuisson à l'étouffée avec margarine végétale non salée : ★★★
Cuisson à l'étouffée avec margarine végétale salée : ★★★
Cuisson à l'étouffée avec saindoux ou graisse d'oie ou de canard : ★★★
Cuisson à l'étouffée sans matière grasse : ★
Cuisson au court bouillon : ★

Bœuf (viande de)

Cuisson en braisé avec beurre doux : ★★★
Cuisson en braisé avec beurre salé : ★★★
Cuisson en braisé avec huile végétale : ★★★★
Cuisson en braisé avec margarine végétale non salée : ★★★
Cuisson en braisé avec margarine végétale salée : ★★★
Cuisson en braisé avec saindoux ou graisse d'oie ou de canard : ★★★
Cuisson en braisé sans matière grasse : ★
Cuisson en friture : ★★★
Cuisson en meunière avec beurre doux : ★★★
Cuisson en meunière avec beurre salé : ★★★
Cuisson en meunière avec huile végétale : ★★★★
Cuisson en meunière avec margarine végétale non salée : ★★★
Cuisson en meunière avec margarine végétale salée : ★★★
Cuisson en meunière avec saindoux ou graisse d'oie ou de canard : ★★★
Cuisson en meunière sans matière grasse : ★
Cuisson en ragoût avec beurre doux : ★★★
Cuisson en ragoût avec beurre salé : ★★★
Cuisson en ragoût avec huile végétale : ★★★★
Cuisson en ragoût avec margarine végétale non salée : ★★★
Cuisson en ragoût avec margarine végétale salée : ★★★
Cuisson en ragoût avec saindoux ou graisse d'oie ou de canard : ★★★
Cuisson en sauté (idem poêlée).
Cuisson rôtie à la broche : ★
Cuisson rôtie au four avec beurre doux : ★★★
Cuisson rôtie au four avec beurre salé : ★★★
Cuisson rôtie au four avec huile végétale : ★★★
Cuisson rôtie au four avec margarine végétale non salée : ★★★
Cuisson rôtie au four avec margarine végétale salée : ★★★
Cuisson rôtie au four avec saindoux ou graisse d'oie ou de canard : ★★★
Cuisson rôtie au four sans matière grasse ajoutée : ★★★
Cuisson vapeur : ★
Grillée : ★
Pierrade : ★
Poêlée avec beurre doux : ★★★
Poêlée avec beurre salé : ★★★
Poêlée avec huile végétale : ★★★★

Poêlée avec margarine végétale non salée : ★★★
Poêlée avec margarine végétale salée : ★★★
Poêlée avec saindoux ou graisse d'oie ou de canard : ★★★
Poêlée sans matière grasse : ★
Salée et fumée : ★★
Séchée : ★★
Surgelée : ★★
Remarque : n'hésitez pas à cuisiner avec de bonnes quantités d'huile végétale.

Bogue : poisson marin à chair blanche.
Conservée par le sel : ★★
Conservée sous vide : ★★
Consommation crue
Cuisson à la milanaise avec beurre doux : ★★★
Cuisson à la milanaise avec beurre salé : ★★★
Cuisson à la milanaise avec huile végétale : ★★★★
Cuisson à la milanaise avec margarine végétale non salée : ★★★
Cuisson à la milanaise avec margarine végétale salée : ★★★
Cuisson à la milanaise avec saindoux ou graisse d'oie ou de canard : ★★★
Cuisson à la milanaise sans matière grasse : ★
Cuisson à l'étouffée avec beurre doux : ★★★
Cuisson à l'étouffée avec beurre salé : ★★★
Cuisson à l'étouffée avec huile végétale : ★★★★
Cuisson à l'étouffée avec margarine végétale non salée : ★★★
Cuisson à l'étouffée avec margarine végétale salée : ★★★
Cuisson à l'étouffée avec saindoux ou graisse d'oie ou de canard : ★★★
Cuisson à l'étouffée sans matière grasse : ★
Cuisson au court bouillon : ★
Cuisson en braisé avec beurre doux : ★★★
Cuisson en braisé avec beurre salé : ★★★
Cuisson en braisé avec huile végétale : ★★★★
Cuisson en braisé avec margarine végétale non salée : ★★★
Cuisson en braisé avec margarine végétale salée : ★★★
Cuisson en braisé avec saindoux ou graisse d'oie ou de canard : ★★★
Cuisson en braisé sans matière grasse : ★

Bogue

Cuisson en friture : ★★★
Cuisson en meunière avec beurre doux : ★★★
Cuisson en meunière avec beurre salé : ★★★
Cuisson en meunière avec huile végétale : ★★★★
Cuisson en meunière avec margarine végétale non salée : ★★★
Cuisson en meunière avec margarine végétale salée : ★★★
Cuisson en meunière avec saindoux ou graisse d'oie ou de canard : ★★★
Cuisson en meunière sans matière grasse : ★
Cuisson en ragoût avec beurre doux : ★★★
Cuisson en ragoût avec beurre salé : ★★★
Cuisson en ragoût avec huile végétale : ★★★★
Cuisson en ragoût avec margarine végétale non salée : ★★★
Cuisson en ragoût avec margarine végétale salée : ★★★
Cuisson en ragoût avec saindoux ou graisse d'oie ou de canard : ★★★
Cuisson en sauté (idem poêlée).
Cuisson rôtie à la broche : ★
Cuisson rôtie au four avec beurre doux : ★★★
Cuisson rôtie au four avec beurre salé : ★★★
Cuisson rôtie au four avec huile végétale : ★★★
Cuisson rôtie au four avec margarine végétale non salée : ★★★
Cuisson rôtie au four avec margarine végétale salée : ★★★
Cuisson rôtie au four avec saindoux ou graisse d'oie ou de canard : ★★★
Cuisson rôtie au four sans matière grasse ajoutée : ★★★
Cuisson vapeur : ★
Grillée : ★
Pierrade : ★
Poêlée avec beurre doux : ★★★
Poêlée avec beurre salé : ★★★
Poêlée avec huile végétale : ★★★★
Poêlée avec margarine végétale non salée : ★★★
Poêlée avec margarine végétale salée : ★★★
Poêlée avec saindoux ou graisse d'oie ou de canard : ★★★
Poêlée sans matière grasse : ★
Salée et fumée : ★★
Séchée : ★★
Surgelée : ★★

Remarque : n'hésitez pas à cuisiner avec de bonnes quantités d'huile végétale.

Bolet : voir « Champignon ».

Bonite : poisson gras marin.
Conservée par le sel : ★★
Conservée sous vide : ★★
Consommation crue
Cuisson à la milanaise avec beurre doux : ★★★
Cuisson à la milanaise avec beurre salé : ★★★
Cuisson à la milanaise avec huile végétale : ★★★★
Cuisson à la milanaise avec margarine végétale non salée : ★★★
Cuisson à la milanaise avec margarine végétale salée : ★★★
Cuisson à la milanaise avec saindoux ou graisse d'oie ou de canard : ★★★
Cuisson à la milanaise sans matière grasse : ★
Cuisson à l'étouffée avec beurre doux : ★★★
Cuisson à l'étouffée avec beurre salé : ★★★
Cuisson à l'étouffée avec huile végétale : ★★★★
Cuisson à l'étouffée avec margarine végétale non salée : ★★★
Cuisson à l'étouffée avec margarine végétale salée : ★★★
Cuisson à l'étouffée avec saindoux ou graisse d'oie ou de canard : ★★★
Cuisson à l'étouffée sans matière grasse : ★
Cuisson au court bouillon : ★
Cuisson en braisé avec beurre doux : ★★★
Cuisson en braisé avec beurre salé : ★★★
Cuisson en braisé avec huile végétale : ★★★★
Cuisson en braisé avec margarine végétale non salée : ★★★
Cuisson en braisé avec margarine végétale salée : ★★★
Cuisson en braisé avec saindoux ou graisse d'oie ou de canard : ★★★
Cuisson en braisé sans matière grasse : ★
Cuisson en friture : ★★★
Cuisson en meunière avec beurre doux : ★★★
Cuisson en meunière avec beurre salé : ★★★
Cuisson en meunière avec huile végétale : ★★★★
Cuisson en meunière avec margarine végétale non salée : ★★★

Cuisson en meunière avec margarine végétale salée : ★★★
Cuisson en meunière avec saindoux ou graisse d'oie ou de canard : ★★★
Cuisson en meunière sans matière grasse : ★
Cuisson en sauté (idem poêlée).
Cuisson rôtie à la broche : ★
Cuisson rôtie au four avec beurre doux : ★★★
Cuisson rôtie au four avec beurre salé : ★★★
Cuisson rôtie au four avec huile végétale : ★★★
Cuisson rôtie au four avec margarine végétale non salée : ★★★
Cuisson rôtie au four avec margarine végétale salée : ★★★
Cuisson rôtie au four avec saindoux ou graisse d'oie ou de canard : ★★★
Cuisson rôtie au four sans matière grasse ajoutée : ★★★
Cuisson vapeur : ★
Grillée : ★
Pierrade : ★
Poêlée avec beurre doux : ★★★
Poêlée avec beurre salé : ★★★
Poêlée avec huile végétale : ★★★★
Poêlée avec margarine végétale non salée : ★★★
Poêlée avec margarine végétale salée : ★★★
Poêlée avec saindoux ou graisse d'oie ou de canard : ★★★
Poêlée sans matière grasse : ★
Salée et fumée : ★★
Séchée : ★★
Surgelée : ★★
Remarque : n'hésitez pas à cuisiner avec de bonnes quantités d'huile végétale.

Bouffi : voir « Hareng » section : *Salé et fumé.*

Bouquet : voir « Crevette ».

Bourguignon (bœuf) : voir « Bœuf (viande de) » section : *Cuisson en ragoût.*

Brème : poisson d'eau douce à chair blanche.
Conservée par le sel : ★★
Conservée sous vide : ★★

Consommation crue
Cuisson à la milanaise avec beurre doux : ★★★
Cuisson à la milanaise avec beurre salé : ★★★
Cuisson à la milanaise avec huile végétale : ★★★★
Cuisson à la milanaise avec margarine végétale non salée : ★★★
Cuisson à la milanaise avec margarine végétale salée : ★★★
Cuisson à la milanaise avec saindoux ou graisse d'oie ou de canard : ★★★
Cuisson à la milanaise sans matière grasse : ★
Cuisson à l'étouffée avec beurre doux : ★★★
Cuisson à l'étouffée avec beurre salé : ★★★
Cuisson à l'étouffée avec huile végétale : ★★★★
Cuisson à l'étouffée avec margarine végétale non salée : ★★★
Cuisson à l'étouffée avec margarine végétale salée : ★★★
Cuisson à l'étouffée avec saindoux ou graisse d'oie ou de canard : ★★★
Cuisson à l'étouffée sans matière grasse : ★
Cuisson au court bouillon : ★
Cuisson en braisé avec beurre doux : ★★★
Cuisson en braisé avec beurre salé : ★★★
Cuisson en braisé avec huile végétale : ★★★★
Cuisson en braisé avec margarine végétale non salée : ★★★
Cuisson en braisé avec margarine végétale salée : ★★★
Cuisson en braisé avec saindoux ou graisse d'oie ou de canard : ★★★
Cuisson en braisé sans matière grasse : ★
Cuisson en friture : ★★★
Cuisson en meunière avec beurre doux : ★★★
Cuisson en meunière avec beurre salé : ★★★
Cuisson en meunière avec huile végétale : ★★★★
Cuisson en meunière avec margarine végétale non salée : ★★★
Cuisson en meunière avec margarine végétale salée : ★★★
Cuisson en meunière avec saindoux ou graisse d'oie ou de canard : ★★★
Cuisson en meunière sans matière grasse : ★
Cuisson en sauté (idem poêlée).
Cuisson rôtie à la broche : ★
Cuisson rôtie au four avec beurre doux : ★★★
Cuisson rôtie au four avec beurre salé : ★★★

Cuisson rôtie au four avec huile végétale : ★★★
Cuisson rôtie au four avec margarine végétale non salée : ★★★
Cuisson rôtie au four avec margarine végétale salée : ★★★
Cuisson rôtie au four avec saindoux ou graisse d'oie ou de canard : ★★★
Cuisson rôtie au four sans matière grasse ajoutée : ★★★
Cuisson vapeur : ★
Grillée : ★
Pierrade : ★
Poêlée avec beurre doux : ★★★
Poêlée avec beurre salé : ★★★
Poêlée avec huile végétale : ★★★★
Poêlée avec margarine végétale non salée : ★★★
Poêlée avec margarine végétale salée : ★★★
Poêlée avec saindoux ou graisse d'oie ou de canard : ★★★
Poêlée sans matière grasse : ★
Salée et fumée : ★★
Séchée : ★★
Surgelée : ★★
Remarque : n'hésitez pas à cuisiner avec de bonnes quantités d'huile végétale.

Brochet : poisson d'eau douce à chair blanche.
Conservé par le sel : ★★
Conservé sous vide : ★★
Consommation cru
Cuisson à la milanaise avec beurre doux : ★★★
Cuisson à la milanaise avec beurre salé : ★★★
Cuisson à la milanaise avec huile végétale : ★★★★
Cuisson à la milanaise avec margarine végétale non salée : ★★★
Cuisson à la milanaise avec margarine végétale salée : ★★★
Cuisson à la milanaise avec saindoux ou graisse d'oie ou de canard : ★★★
Cuisson à la milanaise sans matière grasse : ★
Cuisson à l'étouffée avec beurre doux : ★★★
Cuisson à l'étouffée avec beurre salé : ★★★
Cuisson à l'étouffée avec huile végétale : ★★★★
Cuisson à l'étouffée avec margarine végétale non salée : ★★★
Cuisson à l'étouffée avec margarine végétale salée : ★★★

Cuisson à l'étouffée avec saindoux ou graisse d'oie ou de canard : ★★★

Cuisson à l'étouffée sans matière grasse : ★

Cuisson au court bouillon : ★

Cuisson en braisé avec beurre doux : ★★★

Cuisson en braisé avec beurre salé : ★★★

Cuisson en braisé avec huile végétale : ★★★★

Cuisson en braisé avec margarine végétale non salée : ★★★

Cuisson en braisé avec margarine végétale salée : ★★★

Cuisson en braisé avec saindoux ou graisse d'oie ou de canard : ★★★

Cuisson en braisé sans matière grasse : ★

Cuisson en friture : ★★★

Cuisson en meunière avec beurre doux : ★★★

Cuisson en meunière avec beurre salé : ★★★

Cuisson en meunière avec huile végétale : ★★★★

Cuisson en meunière avec margarine végétale non salée : ★★★

Cuisson en meunière avec margarine végétale salée : ★★★

Cuisson en meunière avec saindoux ou graisse d'oie ou de canard : ★★★

Cuisson en meunière sans matière grasse : ★

Cuisson en sauté (idem poêlé).

Cuisson rôti à la broche : ★

Cuisson rôti au four avec beurre doux : ★★★

Cuisson rôti au four avec beurre salé : ★★★

Cuisson rôti au four avec huile végétale : ★★★

Cuisson rôti au four avec margarine végétale non salée : ★★★

Cuisson rôti au four avec margarine végétale salée : ★★★

Cuisson rôti au four avec saindoux ou graisse d'oie ou de canard : ★★★

Cuisson rôti au four sans matière grasse ajoutée : ★★★

Cuisson vapeur : ★

Grillé : ★

Pierrade : ★

Poêlé avec beurre doux : ★★★

Poêlé avec beurre salé : ★★★

Poêlé avec huile végétale : ★★★★

Poêlé avec margarine végétale non salée : ★★★

Poêlé avec margarine végétale salée : ★★★

Poêlé avec saindoux ou graisse d'oie ou de canard : ★★★

Brochet - Cabillaud

Poêlé sans matière grasse : ★
Salé et fumé : ★★
Séché : ★★
Surgelé : ★★
Remarque : n'hésitez pas à cuisiner avec de bonnes quantités d'huile végétale.

Brugnon : fruit du brugnonier.
A l'anglaise : ★★★★
Au sirop : ★★★★
Au sirop léger : ★★★
Confit : ★★★★
Conserve au naturel : ★★
Conservé dans l'alcool : ★★★
Conservé sous vide : ★★
Consommation cru : ★★
En beignet : ★★★
En compote (avec sucre ajouté) : ★★
En compote sans sucre ajouté : ★★
En confiture : ★★★★
En confiture allégée en sucre : ★★★
En confiture sans sucre : ★
Flambé (brugnon poché) : ★★★
Fraîchement récolté : ★★
Poché sans sucre : ★
Séché : ★★★★
Surgelé : ★★

Buffle : voir « Bœuf (viande de) ».

Bulot : voir « Bigorneau ».

C

Cabillaud : poisson marin à chair blanche.
Conservé par le sel : ★★

Conservé sous vide : ★★
Consommation cru
Cuisson à la milanaise avec beurre doux : ★★★
Cuisson à la milanaise avec beurre salé : ★★★
Cuisson à la milanaise avec huile végétale : ★★★★
Cuisson à la milanaise avec margarine végétale non salée : ★★★
Cuisson à la milanaise avec margarine végétale salée : ★★★
Cuisson à la milanaise avec saindoux ou graisse d'oie ou de canard : ★★★
Cuisson à la milanaise sans matière grasse : ★
Cuisson à l'étouffée avec beurre doux : ★★★
Cuisson à l'étouffée avec beurre salé : ★★★
Cuisson à l'étouffée avec huile végétale : ★★★★
Cuisson à l'étouffée avec margarine végétale non salée : ★★★
Cuisson à l'étouffée avec margarine végétale salée : ★★★
Cuisson à l'étouffée avec saindoux ou graisse d'oie ou de canard : ★★★
Cuisson à l'étouffée sans matière grasse : ★
Cuisson au court bouillon : ★
Cuisson en braisé avec beurre doux : ★★★
Cuisson en braisé avec beurre salé : ★★★
Cuisson en braisé avec huile végétale : ★★★★
Cuisson en braisé avec margarine végétale non salée : ★★★
Cuisson en braisé avec margarine végétale salée : ★★★
Cuisson en braisé avec saindoux ou graisse d'oie ou de canard : ★★★
Cuisson en braisé sans matière grasse : ★
Cuisson en friture : ★★★
Cuisson en meunière avec beurre doux : ★★★
Cuisson en meunière avec beurre salé : ★★★
Cuisson en meunière avec huile végétale : ★★★★
Cuisson en meunière avec margarine végétale non salée : ★★★
Cuisson en meunière avec margarine végétale salée : ★★★
Cuisson en meunière avec saindoux ou graisse d'oie ou de canard : ★★★
Cuisson en meunière sans matière grasse : ★
Cuisson en sauté (idem poêlé).
Cuisson rôti à la broche : ★
Cuisson rôti au four avec beurre doux : ★★★

Cuisson rôti au four avec beurre salé : ★★★
Cuisson rôti au four avec huile végétale : ★★★
Cuisson rôti au four avec margarine végétale non salée : ★★★
Cuisson rôti au four avec margarine végétale salée : ★★★
Cuisson rôti au four avec saindoux ou graisse d'oie ou de canard : ★★★
Cuisson rôti au four sans matière grasse ajoutée : ★★★
Cuisson vapeur : ★
Grillé : ★
Pierrade : ★
Poêlé avec beurre doux : ★★★
Poêlé avec beurre salé : ★★★
Poêlé avec huile végétale : ★★★★
Poêlé avec margarine végétale non salée : ★★★
Poêlé avec margarine végétale salée : ★★★
Poêlé avec saindoux ou graisse d'oie ou de canard : ★★★
Poêlé sans matière grasse : ★
Salé et fumé : ★★
Séché : ★★
Surgelé : ★★
Remarque : n'hésitez pas à cuisiner avec de bonnes quantités d'huile végétale.

Cabot : voir « Chevaine ».

Caille : petit oiseau migrateur voisin de la perdrix. Gibier.
Conservée par le sel : ★★
Conservée sous vide : ★★
Consommation crue
Cuisson à la milanaise avec beurre doux : ★★★
Cuisson à la milanaise avec beurre salé : ★★★
Cuisson à la milanaise avec huile végétale : ★★★★
Cuisson à la milanaise avec margarine végétale non salée : ★★★
Cuisson à la milanaise avec margarine végétale salée : ★★★
Cuisson à la milanaise avec saindoux ou graisse d'oie ou de canard : ★★★
Cuisson à la milanaise sans matière grasse : ★
Cuisson à l'étouffée avec beurre doux : ★★★
Cuisson à l'étouffée avec beurre salé : ★★★

Cuisson à l'étouffée avec huile végétale : ★★★★

Cuisson à l'étouffée avec margarine végétale non salée : ★★★

Cuisson à l'étouffée avec margarine végétale salée : ★★★

Cuisson à l'étouffée avec saindoux ou graisse d'oie ou de canard : ★★★

Cuisson à l'étouffée sans matière grasse : ★

Cuisson au court bouillon : ★

Cuisson en braisé avec beurre doux : ★★★

Cuisson en braisé avec beurre salé : ★★★

Cuisson en braisé avec huile végétale : ★★★★

Cuisson en braisé avec margarine végétale non salée : ★★★

Cuisson en braisé avec margarine végétale salée : ★★★

Cuisson en braisé avec saindoux ou graisse d'oie ou de canard : ★★★

Cuisson en braisé sans matière grasse : ★

Cuisson en friture : ★★★

Cuisson en meunière avec beurre doux : ★★★

Cuisson en meunière avec beurre salé : ★★★

Cuisson en meunière avec huile végétale : ★★★★

Cuisson en meunière avec margarine végétale non salée : ★★★

Cuisson en meunière avec margarine végétale salée : ★★★

Cuisson en meunière avec saindoux ou graisse d'oie ou de canard : ★★★

Cuisson en meunière sans matière grasse : ★

Cuisson en ragoût avec beurre doux : ★★★

Cuisson en ragoût avec beurre salé : ★★★

Cuisson en ragoût avec huile végétale : ★★★★

Cuisson en ragoût avec margarine végétale non salée : ★★★

Cuisson en ragoût avec margarine végétale salée : ★★★

Cuisson en ragoût avec saindoux ou graisse d'oie ou de canard : ★★★

Cuisson en sauté (idem poêlée).

Cuisson rôtie au four avec beurre doux : ★★★

Cuisson rôtie au four avec beurre salé : ★★★

Cuisson rôtie au four avec huile végétale : ★★★

Cuisson rôtie au four avec margarine végétale non salée : ★★★

Cuisson rôtie au four avec margarine végétale salée : ★★★

Cuisson rôtie au four avec saindoux ou graisse d'oie ou de canard : ★★★

Cuisson rôtie au four sans matière grasse ajoutée : ★★★

Cuisson vapeur : ★
Faisandée : ★★
Grillée : ★
Pierrade : ★
Poêlée avec beurre doux : ★★★
Poêlée avec beurre salé : ★★★
Poêlée avec huile végétale : ★★★★
Poêlée avec margarine végétale non salée : ★★★
Poêlée avec margarine végétale salée : ★★★
Poêlée avec saindoux ou graisse d'oie ou de canard : ★★★
Poêlée sans matière grasse : ★
Salée et fumée : ★★
Séchée : ★★
Surgelée : ★★

Remarque : n'hésitez pas à cuisiner avec de bonnes quantités d'huile végétale.

Calamar : mollusque marin, dont l'encornet est très apprécié pour sa chair.
Conservé en saumure : ★★
Conservé sous vide : ★★
Consommation cru
Cuisson à la milanaise avec beurre doux : ★★★
Cuisson à la milanaise avec beurre salé : ★★★
Cuisson à la milanaise avec huile végétale : ★★★★
Cuisson à la milanaise avec margarine végétale non salée : ★★★
Cuisson à la milanaise avec margarine végétale salée : ★★★
Cuisson à la milanaise avec saindoux ou graisse d'oie ou de canard : ★★★
Cuisson à la milanaise sans matière grasse : ★
Cuisson à l'étouffée avec beurre doux : ★★★
Cuisson à l'étouffée avec beurre salé : ★★★
Cuisson à l'étouffée avec huile végétale : ★★★★
Cuisson à l'étouffée avec margarine végétale non salée : ★★★
Cuisson à l'étouffée avec margarine végétale salée : ★★★
Cuisson à l'étouffée avec saindoux ou graisse d'oie ou de canard : ★★★
Cuisson à l'étouffée sans matière grasse : ★
Cuisson au court bouillon : ★

Cuisson en beignet : ★★★
Cuisson en braisé avec beurre doux : ★★★
Cuisson en braisé avec beurre salé : ★★★
Cuisson en braisé avec huile végétale : ★★★★
Cuisson en braisé avec margarine végétale non salée : ★★★
Cuisson en braisé avec margarine végétale salée : ★★★
Cuisson en braisé avec saindoux ou graisse d'oie ou de canard : ★★★
Cuisson en braisé sans matière grasse : ★
Cuisson en friture : ★★★
Cuisson en meunière avec beurre doux : ★★★
Cuisson en meunière avec beurre salé : ★★★
Cuisson en meunière avec huile végétale : ★★★★
Cuisson en meunière avec margarine végétale non salée : ★★★
Cuisson en meunière avec margarine végétale salée : ★★★
Cuisson en meunière avec saindoux ou graisse d'oie ou de canard : ★★★
Cuisson en meunière sans matière grasse : ★
Cuisson en ragoût avec beurre doux : ★★★
Cuisson en ragoût avec beurre salé : ★★★
Cuisson en ragoût avec huile végétale : ★★★★
Cuisson en ragoût avec margarine végétale non salée : ★★★
Cuisson en ragoût avec margarine végétale salée : ★★★
Cuisson en ragoût avec saindoux ou graisse d'oie ou de canard : ★★★
Cuisson en sauté (idem poêlé).
Cuisson rôti au four avec beurre doux : ★★★
Cuisson rôti au four avec beurre salé : ★★★
Cuisson rôti au four avec huile végétale : ★★★
Cuisson rôti au four avec margarine végétale non salée : ★★★
Cuisson rôti au four avec margarine végétale salée : ★★★
Cuisson rôti au four avec saindoux ou graisse d'oie ou de canard : ★★★
Cuisson rôti au four sans matière grasse ajoutée : ★★★
Cuisson vapeur : ★
Grillé : ★
Pierrade : ★
Poêlé avec beurre doux : ★★★
Poêlé avec beurre salé : ★★★
Poêlé avec huile végétale : ★★★★

Calamar - Canard (viande de)

Poêlé avec margarine végétale non salée : ★★★
Poêlé avec margarine végétale salée : ★★★
Poêlé avec saindoux ou graisse d'oie ou de canard : ★★★
Poêlé sans matière grasse : ★
Salé et fumé : ★★
Séché : ★★
Surgelé : ★★

Remarque : n'hésitez pas à cuisiner avec de bonnes quantités d'huile végétale.

Canard (viande de) : oiseau palmipède comestible. Volaille.
Conservée par le sel : ★★
Conservée sous vide : ★★
Consommation crue
Cuisson à la milanaise avec beurre doux : ★★★
Cuisson à la milanaise avec beurre salé : ★★★
Cuisson à la milanaise avec huile végétale : ★★★★
Cuisson à la milanaise avec margarine végétale non salée : ★★★
Cuisson à la milanaise avec margarine végétale salée : ★★★
Cuisson à la milanaise avec saindoux ou graisse d'oie ou de canard : ★★★
Cuisson à la milanaise sans matière grasse : ★
Cuisson à l'étouffée avec beurre doux : ★★★
Cuisson à l'étouffée avec beurre salé : ★★★
Cuisson à l'étouffée avec huile végétale : ★★★★
Cuisson à l'étouffée avec margarine végétale non salée : ★★★
Cuisson à l'étouffée avec margarine végétale salée : ★★★
Cuisson à l'étouffée avec saindoux ou graisse d'oie ou de canard : ★★★
Cuisson à l'étouffée sans matière grasse : ★
Cuisson au court bouillon : ★
Cuisson en braisé avec beurre doux : ★★★
Cuisson en braisé avec beurre salé : ★★★
Cuisson en braisé avec huile végétale : ★★★★
Cuisson en braisé avec margarine végétale non salée : ★★★
Cuisson en braisé avec margarine végétale salée : ★★★
Cuisson en braisé avec saindoux ou graisse d'oie ou de canard : ★★★
Cuisson en braisé sans matière grasse : ★

Cuisson en friture : ★★★
Cuisson en meunière avec beurre doux : ★★★
Cuisson en meunière avec beurre salé : ★★★
Cuisson en meunière avec huile végétale : ★★★★
Cuisson en meunière avec margarine végétale non salée : ★★★
Cuisson en meunière avec margarine végétale salée : ★★★
Cuisson en meunière avec saindoux ou graisse d'oie ou de canard : ★★★
Cuisson en meunière sans matière grasse : ★
Cuisson en ragoût avec beurre doux : ★★★
Cuisson en ragoût avec beurre salé : ★★★
Cuisson en ragoût avec huile végétale : ★★★★
Cuisson en ragoût avec margarine végétale non salée : ★★★
Cuisson en ragoût avec margarine végétale salée : ★★★
Cuisson en ragoût avec saindoux ou graisse d'oie ou de canard : ★★★
Cuisson en sauté (idem poêlée).
Cuisson rôtie à la broche : ★
Cuisson rôtie au four avec beurre doux : ★★★
Cuisson rôtie au four avec beurre salé : ★★★
Cuisson rôtie au four avec huile végétale : ★★★
Cuisson rôtie au four avec margarine végétale non salée : ★★★
Cuisson rôtie au four avec margarine végétale salée : ★★★
Cuisson rôtie au four avec saindoux ou graisse d'oie ou de canard : ★★★
Cuisson rôtie au four sans matière grasse ajoutée : ★★★
Cuisson vapeur : ★
Grillée : ★
Pierrade : ★
Poêlée avec beurre doux : ★★★
Poêlée avec beurre salé : ★★★
Poêlée avec huile végétale : ★★★★
Poêlée avec margarine végétale non salée : ★★★
Poêlée avec margarine végétale salée : ★★★
Poêlée avec saindoux ou graisse d'oie ou de canard : ★★★
Poêlée sans matière grasse : ★
Salée et fumée : ★★
Séchée : ★★
Surgelée : ★★

Canard sauvage (viande de)

Remarque : n'hésitez pas à cuisiner avec de bonnes quantités d'huile végétale.

Canard sauvage (viande de) : oiseau palmipède comestible sauvage. Volaille. Gibier.
Conservée par le sel : ★★
Conservée sous vide : ★★
Consommation crue
Cuisson à la milanaise avec beurre doux : ★★★
Cuisson à la milanaise avec beurre salé : ★★★
Cuisson à la milanaise avec huile végétale : ★★★★
Cuisson à la milanaise avec margarine végétale non salée : ★★★
Cuisson à la milanaise avec margarine végétale salée : ★★★
Cuisson à la milanaise avec saindoux ou graisse d'oie ou de canard : ★★★
Cuisson à la milanaise sans matière grasse : ★
Cuisson à l'étouffée avec beurre doux : ★★★
Cuisson à l'étouffée avec beurre salé : ★★★
Cuisson à l'étouffée avec huile végétale : ★★★★
Cuisson à l'étouffée avec margarine végétale non salée : ★★★
Cuisson à l'étouffée avec margarine végétale salée : ★★★
Cuisson à l'étouffée avec saindoux ou graisse d'oie ou de canard : ★★★
Cuisson à l'étouffée sans matière grasse : ★
Cuisson au court bouillon : ★
Cuisson en braisé avec beurre doux : ★★★
Cuisson en braisé avec beurre salé : ★★★
Cuisson en braisé avec huile végétale : ★★★★
Cuisson en braisé avec margarine végétale non salée : ★★★
Cuisson en braisé avec margarine végétale salée : ★★★
Cuisson en braisé avec saindoux ou graisse d'oie ou de canard : ★★★
Cuisson en braisé sans matière grasse : ★
Cuisson en friture : ★★★
Cuisson en meunière avec beurre doux : ★★★
Cuisson en meunière avec beurre salé : ★★★
Cuisson en meunière avec huile végétale : ★★★★
Cuisson en meunière avec margarine végétale non salée : ★★★
Cuisson en meunière avec margarine végétale salée : ★★★

Canard sauvage (viande de) - Cane, canette

Cuisson en meunière avec saindoux ou graisse d'oie ou de canard : ★★★
Cuisson en meunière sans matière grasse : ★
Cuisson en ragoût avec beurre doux : ★★★
Cuisson en ragoût avec beurre salé : ★★★
Cuisson en ragoût avec huile végétale : ★★★★
Cuisson en ragoût avec margarine végétale non salée : ★★★
Cuisson en ragoût avec margarine végétale salée : ★★★
Cuisson en ragoût avec saindoux ou graisse d'oie ou de canard : ★★★
Cuisson en sauté (idem poêlée).
Cuisson rôtie à la broche : ★
Cuisson rôtie au four avec beurre doux : ★★★
Cuisson rôtie au four avec beurre salé : ★★★
Cuisson rôtie au four avec huile végétale : ★★★
Cuisson rôtie au four avec margarine végétale non salée : ★★★
Cuisson rôtie au four avec margarine végétale salée : ★★★
Cuisson rôtie au four avec saindoux ou graisse d'oie ou de canard : ★★★
Cuisson rôtie au four sans matière grasse ajoutée : ★★★
Cuisson vapeur : ★
Faisandée : ★★
Grillée : ★
Pierrade : ★
Poêlée avec beurre doux : ★★★
Poêlée avec beurre salé : ★★★
Poêlée avec huile végétale : ★★★★
Poêlée avec margarine végétale non salée : ★★★
Poêlée avec margarine végétale salée : ★★★
Poêlée avec saindoux ou graisse d'oie ou de canard : ★★★
Poêlée sans matière grasse : ★
Salée et fumée : ★★
Séchée : ★★
Surgelée : ★★

Remarque : n'hésitez pas à cuisiner avec de bonnes quantités d'huile végétale.

Cane, canette : voir « Canard (viande de) ».

Canneberge : baie rouge ressemblant à l'airelle. Fruit rouge.
A l'anglaise : ★★★★
Au sirop : ★★★★
Au sirop léger : ★★★
Confite : ★★★★
Conserve au naturel : ★★
Conservée dans l'alcool : ★★★
Conservée sous vide : ★★
Consommation crue : ★★
En beignet : ★★★
En compote (avec sucre ajouté) : ★★
En compote sans sucre ajouté : ★★
En confiture : ★★★★
En confiture allégée en sucre : ★★★
En confiture sans sucre : ★
Fraîchement récoltée : ★★
Pochée sans sucre : ★
Séchée : ★★★★
Surgelée : ★★

Capelan : poisson marin à chair blanche.
Conservé par le sel : ★★
Conservé sous vide : ★★
Consommation cru
Cuisson à la milanaise avec beurre doux : ★★★
Cuisson à la milanaise avec beurre salé : ★★★
Cuisson à la milanaise avec huile végétale : ★★★★
Cuisson à la milanaise avec margarine végétale non salée : ★★★
Cuisson à la milanaise avec margarine végétale salée : ★★★
Cuisson à la milanaise avec saindoux ou graisse d'oie ou de canard : ★★★
Cuisson à la milanaise sans matière grasse : ★
Cuisson à l'étouffée avec beurre doux : ★★★
Cuisson à l'étouffée avec beurre salé : ★★★
Cuisson à l'étouffée avec huile végétale : ★★★★
Cuisson à l'étouffée avec margarine végétale non salée : ★★★
Cuisson à l'étouffée avec margarine végétale salée : ★★★
Cuisson à l'étouffée avec saindoux ou graisse d'oie ou de canard : ★★★

Cuisson à l'étouffée sans matière grasse : ★
Cuisson au court bouillon : ★
Cuisson en braisé avec beurre doux : ★★★
Cuisson en braisé avec beurre salé : ★★★
Cuisson en braisé avec huile végétale : ★★★★
Cuisson en braisé avec margarine végétale non salée : ★★★
Cuisson en braisé avec margarine végétale salée : ★★★
Cuisson en braisé avec saindoux ou graisse d'oie ou de canard : ★★★
Cuisson en braisé sans matière grasse : ★
Cuisson en friture : ★★★
Cuisson en meunière avec beurre doux : ★★★
Cuisson en meunière avec beurre salé : ★★★
Cuisson en meunière avec huile végétale : ★★★★
Cuisson en meunière avec margarine végétale non salée : ★★★
Cuisson en meunière avec margarine végétale salée : ★★★
Cuisson en meunière avec saindoux ou graisse d'oie ou de canard : ★★★
Cuisson en meunière sans matière grasse : ★
Cuisson en sauté (idem poêlé).
Cuisson rôti à la broche : ★
Cuisson rôti au four avec beurre doux : ★★★
Cuisson rôti au four avec beurre salé : ★★★
Cuisson rôti au four avec huile végétale : ★★★
Cuisson rôti au four avec margarine végétale non salée : ★★★
Cuisson rôti au four avec margarine végétale salée : ★★★
Cuisson rôti au four avec saindoux ou graisse d'oie ou de canard : ★★★
Cuisson rôti au four sans matière grasse ajoutée : ★★★
Cuisson vapeur : ★
Grillé : ★
Pierrade : ★
Poêlé avec beurre doux : ★★★
Poêlé avec beurre salé : ★★★
Poêlé avec huile végétale : ★★★★
Poêlé avec margarine végétale non salée : ★★★
Poêlé avec margarine végétale salée : ★★★
Poêlé avec saindoux ou graisse d'oie ou de canard : ★★★
Poêlé sans matière grasse : ★
Salé et fumé : ★★

Séché : ★★
Surgelé : ★★
Remarque : n'hésitez pas à cuisiner avec de bonnes quantités d'huile végétale.

Capitaine : poisson marin à chair blanche.
Conservé par le sel : ★★
Conservé sous vide : ★★
Consommation cru
Cuisson à la milanaise avec beurre doux : ★★★
Cuisson à la milanaise avec beurre salé : ★★★
Cuisson à la milanaise avec huile végétale : ★★★★
Cuisson à la milanaise avec margarine végétale non salée : ★★★
Cuisson à la milanaise avec margarine végétale salée : ★★★
Cuisson à la milanaise avec saindoux ou graisse d'oie ou de canard : ★★★
Cuisson à la milanaise sans matière grasse : ★
Cuisson à l'étouffée avec beurre doux : ★★★
Cuisson à l'étouffée avec beurre salé : ★★★
Cuisson à l'étouffée avec huile végétale : ★★★★
Cuisson à l'étouffée avec margarine végétale non salée : ★★★
Cuisson à l'étouffée avec margarine végétale salée : ★★★
Cuisson à l'étouffée avec saindoux ou graisse d'oie ou de canard : ★★★
Cuisson à l'étouffée sans matière grasse : ★
Cuisson au court bouillon : ★
Cuisson en braisé avec beurre doux : ★★★
Cuisson en braisé avec beurre salé : ★★★
Cuisson en braisé avec huile végétale : ★★★★
Cuisson en braisé avec margarine végétale non salée : ★★★
Cuisson en braisé avec margarine végétale salée : ★★★
Cuisson en braisé avec saindoux ou graisse d'oie ou de canard : ★★★
Cuisson en braisé sans matière grasse : ★
Cuisson en friture : ★★★
Cuisson en meunière avec beurre doux : ★★★
Cuisson en meunière avec beurre salé : ★★★
Cuisson en meunière avec huile végétale : ★★★★
Cuisson en meunière avec margarine végétale non salée : ★★★

Cuisson en meunière avec margarine végétale salée : ★★★
Cuisson en meunière avec saindoux ou graisse d'oie ou de canard : ★★★
Cuisson en meunière sans matière grasse : ★
Cuisson en sauté (idem poêlé).
Cuisson rôti à la broche : ★
Cuisson rôti au four avec beurre doux : ★★★
Cuisson rôti au four avec beurre salé : ★★★
Cuisson rôti au four avec huile végétale : ★★★
Cuisson rôti au four avec margarine végétale non salée : ★★★
Cuisson rôti au four avec margarine végétale salée : ★★★
Cuisson rôti au four avec saindoux ou graisse d'oie ou de canard : ★★★
Cuisson rôti au four sans matière grasse ajoutée : ★★★
Cuisson vapeur : ★
Grillé : ★
Pierrade : ★
Poêlé avec beurre doux : ★★★
Poêlé avec beurre salé : ★★★
Poêlé avec huile végétale : ★★★★
Poêlé avec margarine végétale non salée : ★★★
Poêlé avec margarine végétale salée : ★★★
Poêlé avec saindoux ou graisse d'oie ou de canard : ★★★
Poêlé sans matière grasse : ★
Salé et fumé : ★★
Séché : ★★
Surgelé : ★★
Remarque : n'hésitez pas à cuisiner avec de bonnes quantités d'huile végétale.

Carambole : fruit à chair juteuse et acidulée. Fruit exotique.
A l'anglaise : ★★★★
Au sirop : ★★★★
Au sirop léger : ★★★
Confite : ★★★★
Conserve au naturel : ★★
Conservée dans l'alcool : ★★★
Conservée sous vide : ★★
Consommation crue : ★★
En beignet : ★★★

En compote (avec sucre ajouté) : ★★
En compote sans sucre ajouté : ★★
En confiture : ★★★★
En confiture allégée en sucre : ★★★
En confiture sans sucre : ★
Fraîchement récoltée : ★★
Pochée sans sucre : ★
Séchée : ★★★★
Surgelée : ★★

Carbonnade : voir « Bœuf (viande de) » section *Cuisson à l'étouffée.*

Cardine : voir « Turbot ».

Cardon : plante potagère dont on consomme la base charnue des feuilles. Légume vert.
Conservé en saumure : ★★
Conservé sous vide : ★★
Consommation cru
Cuisson à l'étouffée avec beurre doux : ★★
Cuisson à l'étouffée avec beurre salé : ★★
Cuisson à l'étouffée avec huile végétale : ★★★
Cuisson à l'étouffée avec margarine végétale non salée : ★★
Cuisson à l'étouffée avec margarine végétale salée : ★★
Cuisson à l'étouffée avec saindoux ou graisse d'oie ou de canard : ★★
Cuisson à l'étouffée sans matière grasse : ★
Cuisson au court bouillon : ★
Cuisson en braisé avec beurre doux : ★★
Cuisson en braisé avec beurre salé : ★★
Cuisson en braisé avec huile végétale : ★★★
Cuisson en braisé avec margarine végétale non salée : ★★
Cuisson en braisé avec margarine végétale salée : ★★
Cuisson en braisé avec saindoux ou graisse d'oie ou de canard : ★★
Cuisson en braisé sans matière grasse : ★
Cuisson en friture : ★★
Cuisson en papillote : ★
Cuisson en ragoût avec beurre doux : ★★

Cuisson en ragoût avec beurre salé : ★★
Cuisson en ragoût avec huile végétale : ★★★
Cuisson en ragoût avec margarine végétale non salée : ★★
Cuisson en ragoût avec margarine végétale salée : ★★
Cuisson en ragoût avec saindoux ou graisse d'oie ou de canard :
★★
Cuisson en sauté (idem poêlé).
Cuisson vapeur : ★
Poêlé avec beurre doux : ★★
Poêlé avec beurre salé : ★★
Poêlé avec huile végétale : ★★★
Poêlé avec margarine végétale non salée : ★★
Poêlé avec margarine végétale salée : ★★
Poêlé avec saindoux ou graisse d'oie ou de canard : ★★
Poêlé sans matière grasse : ★
Potage crème : ★★★★
Potage nature sans matière grasse ajoutée
Potage velouté : ★★
Surgelé : ★★
Remarque : n'hésitez pas à cuisiner avec de bonnes quantités d'huile végétale. Modérez fortement votre consommation de légumes verts car ils sont presque acaloriques.

Carotte : plante potagère cultivée pour sa racine comestible. Légume vert.
Conservée en saumure : ★★
Conservée sous vide : ★★
Consommation crue : ★★
Cuisson à l'étouffée avec beurre doux : ★★
Cuisson à l'étouffée avec beurre salé : ★★
Cuisson à l'étouffée avec huile végétale : ★★★
Cuisson à l'étouffée avec margarine végétale non salée : ★★
Cuisson à l'étouffée avec margarine végétale salée : ★★
Cuisson à l'étouffée avec saindoux ou graisse d'oie ou de canard : ★★
Cuisson à l'étouffée sans matière grasse : ★
Cuisson au court bouillon : ★
Cuisson en braisé avec beurre doux : ★★
Cuisson en braisé avec beurre salé : ★★

Cuisson en braisé avec huile végétale : ★★★
Cuisson en braisé avec margarine végétale non salée : ★★
Cuisson en braisé avec margarine végétale salée : ★★
Cuisson en braisé avec saindoux ou graisse d'oie ou de canard :
★★
Cuisson en braisé sans matière grasse : ★
Cuisson en friture : ★★
Cuisson en papillote : ★
Cuisson en ragoût avec beurre doux : ★★
Cuisson en ragoût avec beurre salé : ★★
Cuisson en ragoût avec huile végétale : ★★★
Cuisson en ragoût avec margarine végétale non salée : ★★
Cuisson en ragoût avec margarine végétale salée : ★★
Cuisson en ragoût avec saindoux ou graisse d'oie ou de canard :
★★
Cuisson en sauté (idem poêlée).
Cuisson vapeur : ★
Poêlée avec beurre doux : ★★
Poêlée avec beurre salé : ★★
Poêlée avec huile végétale : ★★★
Poêlée avec margarine végétale non salée : ★★
Poêlée avec margarine végétale salée : ★★
Poêlée avec saindoux ou graisse d'oie ou de canard : ★★
Poêlée sans matière grasse : ★
Potage crème : ★★★★
Potage nature sans matière grasse ajoutée
Potage velouté : ★★
Surgelée : ★★
Remarque : n'hésitez pas à cuisiner avec de bonnes quantités d'huile végétale. Modérez fortement votre consommation de légumes verts car ils sont presque acaloriques.

Carpe : poisson d'eau douce à chair blanche.
Conservée par le sel : ★★
Conservée sous vide : ★★
Consommation crue
Cuisson à la milanaise avec beurre doux : ★★★
Cuisson à la milanaise avec beurre salé : ★★★
Cuisson à la milanaise avec huile végétale : ★★★★

Cuisson à la milanaise avec margarine végétale non salée : ★★★

Cuisson à la milanaise avec margarine végétale salée : ★★★

Cuisson à la milanaise avec saindoux ou graisse d'oie ou de canard : ★★★

Cuisson à la milanaise sans matière grasse : ★

Cuisson à l'étouffée avec beurre doux : ★★★

Cuisson à l'étouffée avec beurre salé : ★★★

Cuisson à l'étouffée avec huile végétale : ★★★★

Cuisson à l'étouffée avec margarine végétale non salée : ★★★

Cuisson à l'étouffée avec margarine végétale salée : ★★★

Cuisson à l'étouffée avec saindoux ou graisse d'oie ou de canard : ★★★

Cuisson à l'étouffée sans matière grasse : ★

Cuisson au court bouillon : ★

Cuisson en braisé avec beurre doux : ★★★

Cuisson en braisé avec beurre salé : ★★★

Cuisson en braisé avec huile végétale : ★★★★

Cuisson en braisé avec margarine végétale non salée : ★★★

Cuisson en braisé avec margarine végétale salée : ★★★

Cuisson en braisé avec saindoux ou graisse d'oie ou de canard : ★★★

Cuisson en braisé sans matière grasse : ★

Cuisson en friture : ★★★

Cuisson en meunière avec beurre doux : ★★★

Cuisson en meunière avec beurre salé : ★★★

Cuisson en meunière avec huile végétale : ★★★★

Cuisson en meunière avec margarine végétale non salée : ★★★

Cuisson en meunière avec margarine végétale salée : ★★★

Cuisson en meunière avec saindoux ou graisse d'oie ou de canard : ★★★

Cuisson en meunière sans matière grasse : ★

Cuisson en sauté (idem poêlée).

Cuisson rôtie à la broche : ★

Cuisson rôtie au four avec beurre doux : ★★★

Cuisson rôtie au four avec beurre salé : ★★★

Cuisson rôtie au four avec huile végétale : ★★★

Cuisson rôtie au four avec margarine végétale non salée : ★★★

Cuisson rôtie au four avec margarine végétale salée : ★★★

Cuisson rôtie au four avec saindoux ou graisse d'oie ou de canard : ★★★
Cuisson rôtie au four sans matière grasse ajoutée : ★★★
Cuisson vapeur : ★
Grillée : ★
Pierrade : ★
Poêlée avec beurre doux : ★★★
Poêlée avec beurre salé : ★★★
Poêlée avec huile végétale : ★★★★
Poêlée avec margarine végétale non salée : ★★★
Poêlée avec margarine végétale salée : ★★★
Poêlée avec saindoux ou graisse d'oie ou de canard : ★★★
Poêlée sans matière grasse : ★
Salée et fumée : ★★
Séchée : ★★
Surgelée : ★★
Remarque : n'hésitez pas à cuisiner avec de bonnes quantités d'huile végétale.

Carré de porc : voir « Porc (viande de) ».

Carré de veau : voir « Veau (viande de) ».

Carrelet : poisson marin plat à chair blanche.
Conservé par le sel : ★★
Conservé sous vide : ★★
Consommation cru
Cuisson à la milanaise avec beurre doux : ★★★
Cuisson à la milanaise avec beurre salé : ★★★
Cuisson à la milanaise avec huile végétale : ★★★★
Cuisson à la milanaise avec margarine végétale non salée : ★★★
Cuisson à la milanaise avec margarine végétale salée : ★★★
Cuisson à la milanaise avec saindoux ou graisse d'oie ou de canard : ★★★
Cuisson à la milanaise sans matière grasse : ★
Cuisson à l'étouffée avec beurre doux : ★★★
Cuisson à l'étouffée avec beurre salé : ★★★
Cuisson à l'étouffée avec huile végétale : ★★★★
Cuisson à l'étouffée avec margarine végétale non salée : ★★★

Cuisson à l'étouffée avec margarine végétale salée : ★★★
Cuisson à l'étouffée avec saindoux ou graisse d'oie ou de canard : ★★★
Cuisson à l'étouffée sans matière grasse : ★
Cuisson au court bouillon : ★
Cuisson en braisé avec beurre doux : ★★★
Cuisson en braisé avec beurre salé : ★★★
Cuisson en braisé avec huile végétale : ★★★★
Cuisson en braisé avec margarine végétale non salée : ★★★
Cuisson en braisé avec margarine végétale salée : ★★★
Cuisson en braisé avec saindoux ou graisse d'oie ou de canard : ★★★
Cuisson en braisé sans matière grasse : ★
Cuisson en friture : ★★★
Cuisson en meunière avec beurre doux : ★★★
Cuisson en meunière avec beurre salé : ★★★
Cuisson en meunière avec huile végétale : ★★★★
Cuisson en meunière avec margarine végétale non salée : ★★★
Cuisson en meunière avec margarine végétale salée : ★★★
Cuisson en meunière avec saindoux ou graisse d'oie ou de canard : ★★★
Cuisson en meunière sans matière grasse : ★
Cuisson en sauté (idem poêlé).
Cuisson rôti au four avec beurre doux : ★★★
Cuisson rôti au four avec beurre salé : ★★★
Cuisson rôti au four avec huile végétale : ★★★
Cuisson rôti au four avec margarine végétale non salée : ★★★
Cuisson rôti au four avec margarine végétale salée : ★★★
Cuisson rôti au four avec saindoux ou graisse d'oie ou de canard : ★★★
Cuisson rôti au four sans matière grasse ajoutée : ★★★
Cuisson vapeur : ★
Grillé : ★
Pierrade : ★
Poêlé avec beurre doux : ★★★
Poêlé avec beurre salé : ★★★
Poêlé avec huile végétale : ★★★★
Poêlé avec margarine végétale non salée : ★★★
Poêlé avec margarine végétale salée : ★★★
Poêlé avec saindoux ou graisse d'oie ou de canard : ★★★

Poêlé sans matière grasse : ★
Salé et fumé : ★★
Séché : ★★
Surgelé : ★★
Remarque : n'hésitez pas à cuisiner avec de bonnes quantités d'huile végétale.

Cassis : fruit, petite baie noire.
A l'anglaise :
A l'anglaise : ★★★★
Au sirop : ★★★★
Au sirop léger : ★★★
Confit : ★★★★
Conserve au naturel : ★★
Conservé dans l'alcool : ★★★
Conservé sous vide : ★★
Consommation cru : ★★
En beignet : ★★★
En compote (avec sucre ajouté) : ★★
En compote sans sucre ajouté : ★★
En confiture : ★★★★
En confiture allégée en sucre : ★★★
En confiture sans sucre : ★
Fraîchement récolté : ★★
Poché sans sucre : ★
Séché : ★★★★
Surgelé : ★★

Céleri à couper : voir « Céleri branche ».

Céleri branche : plante potagère dont on consomme les côtes des pétioles. Légume vert.
Conservé en saumure : ★★
Conservé sous vide : ★★
Consommation cru : ★★
Cuisson à l'étouffée avec beurre doux : ★★
Cuisson à l'étouffée avec beurre salé : ★★
Cuisson à l'étouffée avec huile végétale : ★★★
Cuisson à l'étouffée avec margarine végétale non salée : ★★
Cuisson à l'étouffée avec margarine végétale salée : ★★

Cuisson à l'étouffée avec saindoux ou graisse d'oie ou de canard : ★★
Cuisson à l'étouffée sans matière grasse : ★
Cuisson au court bouillon : ★
Cuisson en braisé avec beurre doux : ★★
Cuisson en braisé avec beurre salé : ★★
Cuisson en braisé avec huile végétale : ★★★
Cuisson en braisé avec margarine végétale non salée : ★★
Cuisson en braisé avec margarine végétale salée : ★★
Cuisson en braisé avec saindoux ou graisse d'oie ou de canard : ★★
Cuisson en braisé sans matière grasse : ★
Cuisson en friture : ★★
Cuisson en papillote : ★
Cuisson en sauté (idem poêlé).
Cuisson vapeur : ★
Déshydraté : ★★
Pierrade : ★
Poêlé avec beurre doux : ★★
Poêlé avec beurre salé : ★★
Poêlé avec huile végétale : ★★★
Poêlé avec margarine végétale non salée : ★★
Poêlé avec margarine végétale salée : ★★
Poêlé avec saindoux ou graisse d'oie ou de canard : ★★
Poêlé sans matière grasse : ★
Potage crème : ★★★★
Potage nature sans matière grasse ajoutée
Potage velouté : ★★
Surgelé : ★★

Remarque : n'hésitez pas à cuisiner avec de bonnes quantités d'huile végétale. Modérez fortement votre consommation de légumes verts car ils sont presque acaloriques.

Céleri-rave : plante potagère, variété de céleri dont on consomme la base charnue. Légume vert.
Conservé en saumure : ★★
Conservé sous vide : ★★
Consommation cru : ★★
Cuisson à l'étouffée avec beurre doux : ★★

Céleri-rave

Cuisson à l'étouffée avec beurre salé : ★★
Cuisson à l'étouffée avec huile végétale : ★★★
Cuisson à l'étouffée avec margarine végétale non salée : ★★
Cuisson à l'étouffée avec margarine végétale salée : ★★
Cuisson à l'étouffée avec saindoux ou graisse d'oie ou de canard : ★★
Cuisson à l'étouffée sans matière grasse : ★
Cuisson au court bouillon : ★
Cuisson en braisé avec beurre doux : ★★
Cuisson en braisé avec beurre salé : ★★
Cuisson en braisé avec huile végétale : ★★★
Cuisson en braisé avec margarine végétale non salée : ★★
Cuisson en braisé avec margarine végétale salée : ★★
Cuisson en braisé avec saindoux ou graisse d'oie ou de canard : ★★
Cuisson en braisé sans matière grasse : ★
Cuisson en friture : ★★
Cuisson en papillote : ★
Cuisson en ragoût avec beurre doux : ★★
Cuisson en ragoût avec beurre salé : ★★
Cuisson en ragoût avec huile végétale : ★★★
Cuisson en ragoût avec margarine végétale non salée : ★★
Cuisson en ragoût avec margarine végétale salée : ★★
Cuisson en ragoût avec saindoux ou graisse d'oie ou de canard : ★★
Cuisson en sauté (idem poêlé).
Cuisson vapeur : ★
Déshydraté : ★★
Poêlé avec beurre doux : ★★
Poêlé avec beurre salé : ★★
Poêlé avec huile végétale : ★★★
Poêlé avec margarine végétale non salée : ★★
Poêlé avec margarine végétale salée : ★★
Poêlé avec saindoux ou graisse d'oie ou de canard : ★★
Poêlé sans matière grasse : ★
Potage crème : ★★★★
Potage nature sans matière grasse ajoutée
Potage velouté : ★★
Surgelé : ★★

Remarque : n'hésitez pas à cuisiner avec de bonnes quantités d'huile végétale. Modérez fortement votre consommation de légumes verts car ils sont presque acaloriques.

Cèpe : voir « Champignon ».

Cerf (viande de) : viande rouge, gibier.
Conservée par le sel : ★★
Conservée sous vide : ★★
Consommation crue
Cuisson à la milanaise avec beurre doux : ★★★
Cuisson à la milanaise avec beurre salé : ★★★
Cuisson à la milanaise avec huile végétale : ★★★★
Cuisson à la milanaise avec margarine végétale non salée : ★★★
Cuisson à la milanaise avec margarine végétale salée : ★★★
Cuisson à la milanaise avec saindoux ou graisse d'oie ou de canard : ★★★
Cuisson à la milanaise sans matière grasse : ★
Cuisson à l'étouffée avec beurre doux : ★★★
Cuisson à l'étouffée avec beurre salé : ★★★
Cuisson à l'étouffée avec huile végétale : ★★★★
Cuisson à l'étouffée avec margarine végétale non salée : ★★★
Cuisson à l'étouffée avec margarine végétale salée : ★★★
Cuisson à l'étouffée avec saindoux ou graisse d'oie ou de canard : ★★★
Cuisson à l'étouffée sans matière grasse : ★
Cuisson au court bouillon : ★
Cuisson en braisé avec beurre doux : ★★★
Cuisson en braisé avec beurre salé : ★★★
Cuisson en braisé avec huile végétale : ★★★★
Cuisson en braisé avec margarine végétale non salée : ★★★
Cuisson en braisé avec margarine végétale salée : ★★★
Cuisson en braisé avec saindoux ou graisse d'oie ou de canard : ★★★
Cuisson en braisé sans matière grasse : ★
Cuisson en friture : ★★★
Cuisson en meunière avec beurre doux : ★★★
Cuisson en meunière avec beurre salé : ★★★

Cerf (viande de)

Cuisson en meunière avec huile végétale : ★★★★
Cuisson en meunière avec margarine végétale non salée : ★★★
Cuisson en meunière avec margarine végétale salée : ★★★
Cuisson en meunière avec saindoux ou graisse d'oie ou de canard : ★★★
Cuisson en meunière sans matière grasse : ★
Cuisson en ragoût avec beurre doux : ★★★
Cuisson en ragoût avec beurre salé : ★★★
Cuisson en ragoût avec huile végétale : ★★★★
Cuisson en ragoût avec margarine végétale non salée : ★★★
Cuisson en ragoût avec margarine végétale salée : ★★★
Cuisson en ragoût avec saindoux ou graisse d'oie ou de canard : ★★★
Cuisson en sauté (idem poêlée).
Cuisson rôtie à la broche : ★
Cuisson rôtie au four avec beurre doux : ★★★
Cuisson rôtie au four avec beurre salé : ★★★
Cuisson rôtie au four avec huile végétale : ★★★
Cuisson rôtie au four avec margarine végétale non salée : ★★★
Cuisson rôtie au four avec margarine végétale salée : ★★★
Cuisson rôtie au four avec saindoux ou graisse d'oie ou de canard : ★★★
Cuisson rôtie au four sans matière grasse ajoutée : ★★★
Cuisson vapeur : ★
Faisandée : ★★
Grillée : ★
Pierrade : ★
Poêlée avec beurre doux : ★★★
Poêlée avec beurre salé : ★★★
Poêlée avec huile végétale : ★★★★
Poêlée avec margarine végétale non salée : ★★★
Poêlée avec margarine végétale salée : ★★★
Poêlée avec saindoux ou graisse d'oie ou de canard : ★★★
Poêlée sans matière grasse : ★
Salée et fumée : ★★
Séchée : ★★
Surgelée : ★★
Remarque : n'hésitez pas à cuisiner avec de bonnes quantités d'huile végétale.

Cerfeuil : feuille d'une plante aromatique servant de condiment. Légume vert.
Conservé sous vide : ★★
Consommation cru : ★★
Consommation cuit : ★★
Déshydraté : ★★
Fraîchement récolté : ★★
Surgelé : ★★

Cerfeuil tubéreux : variété de cerfeuil dont on consomme la racine. Légume vert.
Conservé en saumure : ★★
Conservé sous vide : ★★
Consommation cru : ★★
Cuisson à l'étouffée avec beurre doux : ★★
Cuisson à l'étouffée avec beurre salé : ★★
Cuisson à l'étouffée avec huile végétale : ★★★
Cuisson à l'étouffée avec margarine végétale non salée : ★★
Cuisson à l'étouffée avec margarine végétale salée : ★★
Cuisson à l'étouffée avec saindoux ou graisse d'oie ou de canard : ★★
Cuisson à l'étouffée sans matière grasse : ★
Cuisson au court bouillon : ★
Cuisson en braisé avec beurre doux : ★★
Cuisson en braisé avec beurre salé : ★★
Cuisson en braisé avec huile végétale : ★★★
Cuisson en braisé avec margarine végétale non salée : ★★
Cuisson en braisé avec margarine végétale salée : ★★
Cuisson en braisé avec saindoux ou graisse d'oie ou de canard : ★★
Cuisson en braisé sans matière grasse : ★
Cuisson en friture : ★★
Cuisson en papillote : ★
Cuisson en ragoût avec beurre doux : ★★
Cuisson en ragoût avec beurre salé : ★★
Cuisson en ragoût avec huile végétale : ★★★
Cuisson en ragoût avec margarine végétale non salée : ★★
Cuisson en ragoût avec margarine végétale salée : ★★
Cuisson en ragoût avec saindoux ou graisse d'oie ou de canard : ★★

Cerfeuil tubéreux - Cerise

Cuisson en sauté (idem poêlé).
Cuisson vapeur : ★
Poêlé avec beurre doux : ★★
Poêlé avec beurre salé : ★★
Poêlé avec huile végétale : ★★★
Poêlé avec margarine végétale non salée : ★★
Poêlé avec margarine végétale salée : ★★
Poêlé avec saindoux ou graisse d'oie ou de canard : ★★
Poêlé sans matière grasse : ★
Potage crème : ★★★★
Potage nature sans matière grasse ajoutée
Potage velouté : ★★
Surgelé : ★★
Remarque : n'hésitez pas à cuisiner avec de bonnes quantités d'huile végétale. Modérez fortement votre consommation de légumes verts car ils sont presque acaloriques.

Cerise : fruit du cerisier.
A l'anglaise : ★★★★
Au sirop : ★★★★
Au sirop léger : ★★★
Confite : ★★★★
Conserve au naturel : ★★
Conservée dans l'alcool : ★★★
Conservée sous vide : ★★
Consommation crue : ★★
En beignet : ★★★
En compote (avec sucre ajouté) : ★★
En compote sans sucre ajouté : ★★
En confiture : ★★★★
En confiture allégée en sucre : ★★★
En confiture sans sucre : ★
Flambée (cerise pochée) : ★★★
Fraîchement récoltée : ★★
Pochée sans sucre : ★
Séchée : ★★★★
Surgelée : ★★

Cervelle : cerveau de certains animaux destiné à la consommation.
Conservée sous vide : ★★
Consommation crue
Cuisson à la milanaise avec beurre doux : ★★★
Cuisson à la milanaise avec beurre salé : ★★★
Cuisson à la milanaise avec huile végétale : ★★★★
Cuisson à la milanaise avec margarine végétale non salée : ★★★
Cuisson à la milanaise avec margarine végétale salée : ★★★
Cuisson à la milanaise avec saindoux ou graisse d'oie ou de canard : ★★★
Cuisson à la milanaise sans matière grasse : ★
Cuisson à l'étouffée avec beurre doux : ★★★
Cuisson à l'étouffée avec beurre salé : ★★★
Cuisson à l'étouffée avec huile végétale : ★★★★
Cuisson à l'étouffée avec margarine végétale non salée : ★★★
Cuisson à l'étouffée avec margarine végétale salée : ★★★
Cuisson à l'étouffée avec saindoux ou graisse d'oie ou de canard : ★★★
Cuisson à l'étouffée sans matière grasse : ★
Cuisson au court bouillon : ★
Cuisson en beignet : ★★★
Cuisson en braisé avec beurre doux : ★★★
Cuisson en braisé avec beurre salé : ★★★
Cuisson en braisé avec huile végétale : ★★★★
Cuisson en braisé avec margarine végétale non salée : ★★★
Cuisson en braisé avec margarine végétale salée : ★★★
Cuisson en braisé avec saindoux ou graisse d'oie ou de canard : ★★★
Cuisson en braisé sans matière grasse : ★
Cuisson en friture : ★★★
Cuisson en meunière avec beurre doux : ★★★
Cuisson en meunière avec beurre salé : ★★★
Cuisson en meunière avec huile végétale : ★★★★
Cuisson en meunière avec margarine végétale non salée : ★★★
Cuisson en meunière avec margarine végétale salée : ★★★
Cuisson en meunière avec saindoux ou graisse d'oie ou de canard : ★★★
Cuisson en meunière sans matière grasse : ★

Cuisson en sauté (idem poêlée).
Cuisson vapeur : ★
Pierrade : ★
Poêlée avec beurre doux : ★★★
Poêlée avec beurre salé : ★★★
Poêlée avec huile végétale : ★★★★
Poêlée avec margarine végétale non salée : ★★★
Poêlée avec margarine végétale salée : ★★★
Poêlée avec saindoux ou graisse d'oie ou de canard : ★★★
Poêlée sans matière grasse : ★
Surgelée : ★★
Remarque : n'hésitez pas à cuisiner avec de bonnes quantités d'huile végétale.

Céteau : voir « Sole ».

Chabot : poisson d'eau douce à chair blanche.
Conservé dans la saumure : ★★
Conservé dans l'huile : ★★★
Conservé par le sel : ★★
Conservé sous vide : ★★
Consommation cru
Cuisson à la milanaise avec beurre doux : ★★★
Cuisson à la milanaise avec beurre salé : ★★★
Cuisson à la milanaise avec huile végétale : ★★★★
Cuisson à la milanaise avec margarine végétale non salée : ★★★
Cuisson à la milanaise avec margarine végétale salée : ★★★
Cuisson à la milanaise avec saindoux ou graisse d'oie ou de canard : ★★★
Cuisson à la milanaise sans matière grasse : ★
Cuisson en beignet : ★★★
Cuisson en friture : ★★★
Cuisson en sauté (idem poêlé).
Pierrade : ★
Poêlé avec beurre doux : ★★★
Poêlé avec beurre salé : ★★★
Poêlé avec huile végétale : ★★★★
Poêlé avec margarine végétale non salée : ★★★
Poêlé avec margarine végétale salée : ★★★

Poêlé avec saindoux ou graisse d'oie ou de canard : ★★★
Poêlé sans matière grasse : ★
Salé et fumé : ★★
Séché : ★★
Surgelé : ★★
Remarque : n'hésitez pas à cuisiner avec de bonnes quantités d'huile végétale.

Champignon : cryptogame sans chlorophylle. Seulement quelques centaines d'entre eux sur plus de 50000 sont comestibles. Légume vert.
Conservé en saumure : ★★
Conservé sous vide : ★★
Consommation cru (uniquement le champignon de Paris) : ★★
Cuisson à l'étouffée avec beurre doux : ★★
Cuisson à l'étouffée avec beurre salé : ★★
Cuisson à l'étouffée avec huile végétale : ★★★
Cuisson à l'étouffée avec margarine végétale non salée : ★★
Cuisson à l'étouffée avec margarine végétale salée : ★★
Cuisson à l'étouffée avec saindoux ou graisse d'oie ou de canard : ★★
Cuisson à l'étouffée sans matière grasse : ★
Cuisson au court bouillon : ★
Cuisson en beignet : ★★★
Cuisson en braisé avec beurre doux : ★★
Cuisson en braisé avec beurre salé : ★★
Cuisson en braisé avec huile végétale : ★★★
Cuisson en braisé avec margarine végétale non salée : ★★
Cuisson en braisé avec margarine végétale salée : ★★
Cuisson en braisé avec saindoux ou graisse d'oie ou de canard : ★★
Cuisson en braisé sans matière grasse : ★
Cuisson en friture : ★★
Cuisson en papillote : ★
Cuisson en ragoût avec beurre doux : ★★
Cuisson en ragoût avec beurre salé : ★★
Cuisson en ragoût avec huile végétale : ★★★
Cuisson en ragoût avec margarine végétale non salée : ★★
Cuisson en ragoût avec margarine végétale salée : ★★

Champignon - Châtaigne

Cuisson en ragoût avec saindoux ou graisse d'oie ou de canard : ★★
Cuisson en sauté (idem poêlé).
Cuisson vapeur : ★
Grillé : ★
Pierrade : ★
Poêlé avec beurre doux : ★★
Poêlé avec beurre salé : ★★
Poêlé avec huile végétale : ★★★
Poêlé avec margarine végétale non salée : ★★
Poêlé avec margarine végétale salée : ★★
Poêlé avec saindoux ou graisse d'oie ou de canard : ★★
Poêlé sans matière grasse : ★
Potage crème : ★★★★
Potage nature sans matière grasse ajoutée
Potage velouté : ★★
Séché : ★★
Surgelé : ★★

Remarque : n'hésitez pas à cuisiner avec de bonnes quantités d'huile végétale. Modérez fortement votre consommation de légumes verts car ils sont presque acaloriques.

Champignon de Paris : voir « Champignon ».

Chanterelle : voir « Champignon ».

Chapon : voir « Poulet ».

Châtaigne : fruit du châtaigner, riche en amidon. Féculent.
A l'anglaise : ★★★★
Confite : ★★★★
Conserve au naturel : ★★
Conservée sous vide : ★★
Consommation crue
Grillée : ★★
En confiture : ★★★★
En confiture allégée en sucre : ★★
En confiture sans sucre : ★
Fraîchement récoltée : ★★

Pochée sans sucre : ★★
Potage crème : ★★★★
Potage nature sans matière grasse ajoutée
Potage velouté : ★★
Surgelée : ★★

Chateaubriand : voir « Bœuf (viande de) ».

Chatrou : voir « Poulpe ».

Chevaine : poisson d'eau douce à chair blanche.
Conservé par le sel : ★★
Conservé sous vide : ★★
Consommation cru
Cuisson à la milanaise avec beurre doux : ★★★
Cuisson à la milanaise avec beurre salé : ★★★
Cuisson à la milanaise avec huile végétale : ★★★★
Cuisson à la milanaise avec margarine végétale non salée : ★★★
Cuisson à la milanaise avec margarine végétale salée : ★★★
Cuisson à la milanaise avec saindoux ou graisse d'oie ou de canard : ★★★
Cuisson à la milanaise sans matière grasse : ★
Cuisson à l'étouffée avec beurre doux : ★★★
Cuisson à l'étouffée avec beurre salé : ★★★
Cuisson à l'étouffée avec huile végétale : ★★★★
Cuisson à l'étouffée avec margarine végétale non salée : ★★★
Cuisson à l'étouffée avec margarine végétale salée : ★★★
Cuisson à l'étouffée avec saindoux ou graisse d'oie ou de canard : ★★★
Cuisson à l'étouffée sans matière grasse : ★
Cuisson au court bouillon : ★
Cuisson en braisé avec beurre doux : ★★★
Cuisson en braisé avec beurre salé : ★★★
Cuisson en braisé avec huile végétale : ★★★★
Cuisson en braisé avec margarine végétale non salée : ★★★
Cuisson en braisé avec margarine végétale salée : ★★★
Cuisson en braisé avec saindoux ou graisse d'oie ou de canard : ★★★
Cuisson en braisé sans matière grasse : ★

Chevaine - Cheval (viande de)

Cuisson en friture : ★★★
Cuisson en meunière avec beurre doux : ★★★
Cuisson en meunière avec beurre salé : ★★★
Cuisson en meunière avec huile végétale : ★★★★
Cuisson en meunière avec margarine végétale non salée : ★★★
Cuisson en meunière avec margarine végétale salée : ★★★
Cuisson en meunière avec saindoux ou graisse d'oie ou de canard : ★★★
Cuisson en meunière sans matière grasse : ★
Cuisson en sauté (idem poêlé).
Cuisson rôti à la broche : ★
Cuisson rôti au four avec beurre doux : ★★★
Cuisson rôti au four avec beurre salé : ★★★
Cuisson rôti au four avec huile végétale : ★★★
Cuisson rôti au four avec margarine végétale non salée : ★★★
Cuisson rôti au four avec margarine végétale salée : ★★★
Cuisson rôti au four avec saindoux ou graisse d'oie ou de canard : ★★★
Cuisson rôti au four sans matière grasse ajoutée : ★★★
Cuisson vapeur : ★
Grillé : ★
Pierrade : ★
Poêlé avec beurre doux : ★★★
Poêlé avec beurre salé : ★★★
Poêlé avec huile végétale : ★★★★
Poêlé avec margarine végétale non salée : ★★★
Poêlé avec margarine végétale salée : ★★★
Poêlé avec saindoux ou graisse d'oie ou de canard : ★★★
Poêlé sans matière grasse : ★
Salé et fumé : ★★
Séché : ★★
Surgelé : ★★
Remarque : n'hésitez pas à cuisiner avec de bonnes quantités d'huile végétale.

Cheval (viande de) : viande rouge, viande de boucherie.
Conservée par le sel : ★★
Conservée sous vide : ★★
Consommation crue
Cuisson à la milanaise avec beurre doux : ★★★

Cuisson à la milanaise avec beurre salé : ★★★
Cuisson à la milanaise avec huile végétale : ★★★★
Cuisson à la milanaise avec margarine végétale non salée : ★★★
Cuisson à la milanaise avec margarine végétale salée : ★★★
Cuisson à la milanaise avec saindoux ou graisse d'oie ou de canard : ★★★
Cuisson à la milanaise sans matière grasse : ★
Cuisson à l'étouffée avec beurre doux : ★★★
Cuisson à l'étouffée avec beurre salé : ★★★
Cuisson à l'étouffée avec huile végétale : ★★★★
Cuisson à l'étouffée avec margarine végétale non salée : ★★★
Cuisson à l'étouffée avec margarine végétale salée : ★★★
Cuisson à l'étouffée avec saindoux ou graisse d'oie ou de canard : ★★★
Cuisson à l'étouffée sans matière grasse : ★
Cuisson au court bouillon : ★
Cuisson en braisé avec beurre doux : ★★★
Cuisson en braisé avec beurre salé : ★★★
Cuisson en braisé avec huile végétale : ★★★★
Cuisson en braisé avec margarine végétale non salée : ★★★
Cuisson en braisé avec margarine végétale salée : ★★★
Cuisson en braisé avec saindoux ou graisse d'oie ou de canard : ★★★
Cuisson en braisé sans matière grasse : ★
Cuisson en friture : ★★★
Cuisson en meunière avec beurre doux : ★★★
Cuisson en meunière avec beurre salé : ★★★
Cuisson en meunière avec huile végétale : ★★★★
Cuisson en meunière avec margarine végétale non salée : ★★★
Cuisson en meunière avec margarine végétale salée : ★★★
Cuisson en meunière avec saindoux ou graisse d'oie ou de canard : ★★★
Cuisson en meunière sans matière grasse : ★
Cuisson en ragoût avec beurre doux : ★★★
Cuisson en ragoût avec beurre salé : ★★★
Cuisson en ragoût avec huile végétale : ★★★★
Cuisson en ragoût avec margarine végétale non salée : ★★★
Cuisson en ragoût avec margarine végétale salée : ★★★

Cuisson en ragoût avec saindoux ou graisse d'oie ou de canard : ★★★
Cuisson en sauté (idem poêlée).
Cuisson rôtie à la broche : ★
Cuisson rôtie au four avec beurre doux : ★★★
Cuisson rôtie au four avec beurre salé : ★★★
Cuisson rôtie au four avec huile végétale : ★★★
Cuisson rôtie au four avec margarine végétale non salée : ★★★
Cuisson rôtie au four avec margarine végétale salée : ★★★
Cuisson rôtie au four avec saindoux ou graisse d'oie ou de canard : ★★★
Cuisson rôtie au four sans matière grasse ajoutée : ★★★
Cuisson vapeur : ★
Grillée : ★
Pierrade : ★
Poêlée avec beurre doux : ★★★
Poêlée avec beurre salé : ★★★
Poêlée avec huile végétale : ★★★★
Poêlée avec margarine végétale non salée : ★★★
Poêlée avec margarine végétale salée : ★★★
Poêlée avec saindoux ou graisse d'oie ou de canard : ★★★
Poêlée sans matière grasse : ★
Salée et fumée : ★★
Séchée : ★★
Surgelée : ★★
Remarque : n'hésitez pas à cuisiner avec de bonnes quantités d'huile végétale.

Chevreuil (viande de) : viande rouge et gibier.
Conservée par le sel : ★★
Conservée sous vide : ★★
Consommation crue
Cuisson à la milanaise avec beurre doux : ★★★
Cuisson à la milanaise avec beurre salé : ★★★
Cuisson à la milanaise avec huile végétale : ★★★★
Cuisson à la milanaise avec margarine végétale non salée : ★★★
Cuisson à la milanaise avec margarine végétale salée : ★★★
Cuisson à la milanaise avec saindoux ou graisse d'oie ou de canard : ★★★

Cuisson à la milanaise sans matière grasse : ★
Cuisson à l'étouffée avec beurre doux : ★★★
Cuisson à l'étouffée avec beurre salé : ★★★
Cuisson à l'étouffée avec huile végétale : ★★★★
Cuisson à l'étouffée avec margarine végétale non salée : ★★★
Cuisson à l'étouffée avec margarine végétale salée : ★★★
Cuisson à l'étouffée avec saindoux ou graisse d'oie ou de canard : ★★★
Cuisson à l'étouffée sans matière grasse : ★
Cuisson au court bouillon : ★
Cuisson en braisé avec beurre doux : ★★★
Cuisson en braisé avec beurre salé : ★★★
Cuisson en braisé avec huile végétale : ★★★★
Cuisson en braisé avec margarine végétale non salée : ★★★
Cuisson en braisé avec margarine végétale salée : ★★★
Cuisson en braisé avec saindoux ou graisse d'oie ou de canard : ★★★
Cuisson en braisé sans matière grasse : ★
Cuisson en friture : ★★★
Cuisson en meunière avec beurre doux : ★★★
Cuisson en meunière avec beurre salé : ★★★
Cuisson en meunière avec huile végétale : ★★★★
Cuisson en meunière avec margarine végétale non salée : ★★★
Cuisson en meunière avec margarine végétale salée : ★★★
Cuisson en meunière avec saindoux ou graisse d'oie ou de canard : ★★★
Cuisson en meunière sans matière grasse : ★
Cuisson en ragoût avec beurre doux : ★★★
Cuisson en ragoût avec beurre salé : ★★★
Cuisson en ragoût avec huile végétale : ★★★★
Cuisson en ragoût avec margarine végétale non salée : ★★★
Cuisson en ragoût avec margarine végétale salée : ★★★
Cuisson en ragoût avec saindoux ou graisse d'oie ou de canard : ★★★
Cuisson en sauté (idem poêlée).
Cuisson rôtie à la broche : ★
Cuisson rôtie au four avec beurre doux : ★★★
Cuisson rôtie au four avec beurre salé : ★★★
Cuisson rôtie au four avec huile végétale : ★★★
Cuisson rôtie au four avec margarine végétale non salée : ★★★

Cuisson rôtie au four avec margarine végétale salée : ★★★
Cuisson rôtie au four avec saindoux ou graisse d'oie ou de canard : ★★★
Cuisson rôtie au four sans matière grasse ajoutée : ★★★
Cuisson vapeur : ★
Faisandée : ★★
Grillée : ★
Pierrade : ★
Poêlée avec beurre doux : ★★★
Poêlée avec beurre salé : ★★★
Poêlée avec huile végétale : ★★★★
Poêlée avec margarine végétale non salée : ★★★
Poêlée avec margarine végétale salée : ★★★
Poêlée avec saindoux ou graisse d'oie ou de canard : ★★★
Poêlée sans matière grasse : ★
Salée et fumée : ★★
Séchée : ★★
Surgelée : ★★
Remarque : n'hésitez pas à cuisiner avec de bonnes quantités d'huile végétale.

Chinchard : poisson gras marin.
Conservé par le sel : ★★
Conservé sous vide : ★★
Consommation cru
Cuisson à la milanaise avec beurre doux : ★★★
Cuisson à la milanaise avec beurre salé : ★★★
Cuisson à la milanaise avec huile végétale : ★★★★
Cuisson à la milanaise avec margarine végétale non salée : ★★★
Cuisson à la milanaise avec margarine végétale salée : ★★★
Cuisson à la milanaise avec saindoux ou graisse d'oie ou de canard : ★★★
Cuisson à la milanaise sans matière grasse : ★
Cuisson à l'étouffée avec beurre doux : ★★★
Cuisson à l'étouffée avec beurre salé : ★★★
Cuisson à l'étouffée avec huile végétale : ★★★★
Cuisson à l'étouffée avec margarine végétale non salée : ★★★
Cuisson à l'étouffée avec margarine végétale salée : ★★★

Cuisson à l'étouffée avec saindoux ou graisse d'oie ou de canard : ★★★
Cuisson à l'étouffée sans matière grasse : ★
Cuisson au court bouillon : ★
Cuisson en braisé avec beurre doux : ★★★
Cuisson en braisé avec beurre salé : ★★★
Cuisson en braisé avec huile végétale : ★★★★
Cuisson en braisé avec margarine végétale non salée : ★★★
Cuisson en braisé avec margarine végétale salée : ★★★
Cuisson en braisé avec saindoux ou graisse d'oie ou de canard : ★★★
Cuisson en braisé sans matière grasse : ★
Cuisson en friture : ★★★
Cuisson en meunière avec beurre doux : ★★★
Cuisson en meunière avec beurre salé : ★★★
Cuisson en meunière avec huile végétale : ★★★★
Cuisson en meunière avec margarine végétale non salée : ★★★
Cuisson en meunière avec margarine végétale salée : ★★★
Cuisson en meunière avec saindoux ou graisse d'oie ou de canard : ★★★
Cuisson en meunière sans matière grasse : ★
Cuisson en sauté (idem poêlé).
Cuisson rôti à la broche : ★
Cuisson rôti au four avec beurre doux : ★★★
Cuisson rôti au four avec beurre salé : ★★★
Cuisson rôti au four avec huile végétale : ★★★
Cuisson rôti au four avec margarine végétale non salée : ★★★
Cuisson rôti au four avec margarine végétale salée : ★★★
Cuisson rôti au four avec saindoux ou graisse d'oie ou de canard : ★★★
Cuisson rôti au four sans matière grasse ajoutée : ★★★
Cuisson vapeur : ★
Grillé : ★
Pierrade : ★
Poêlé avec beurre doux : ★★★
Poêlé avec beurre salé : ★★★
Poêlé avec huile végétale : ★★★★
Poêlé avec margarine végétale non salée : ★★★
Poêlé avec margarine végétale salée : ★★★
Poêlé avec saindoux ou graisse d'oie ou de canard : ★★★

Poêlé sans matière grasse : ★
Salé et fumé : ★★
Séché : ★★
Surgelé : ★★
Remarque : n'hésitez pas à cuisiner avec de bonnes quantités d'huile végétale.

Chipolata : voir « Porc (viande de)».

Chou brocoli : chou dont on consomme l'inflorescence centrale.
Conservé dans le vinaigre : ★★
Conservé en saumure : ★★
Conservé sous vide : ★★
Consommation cru
Cuisson à l'étouffée avec beurre doux : ★★
Cuisson à l'étouffée avec beurre salé : ★★
Cuisson à l'étouffée avec huile végétale : ★★★
Cuisson à l'étouffée avec margarine végétale non salée : ★★
Cuisson à l'étouffée avec margarine végétale salée : ★★
Cuisson à l'étouffée avec saindoux ou graisse d'oie ou de canard : ★★
Cuisson à l'étouffée sans matière grasse : ★
Cuisson au court bouillon : ★
Cuisson en braisé avec beurre doux : ★★
Cuisson en braisé avec beurre salé : ★★
Cuisson en braisé avec huile végétale : ★★★
Cuisson en braisé avec margarine végétale non salée : ★★
Cuisson en braisé avec margarine végétale salée : ★★
Cuisson en braisé avec saindoux ou graisse d'oie ou de canard : ★★
Cuisson en braisé sans matière grasse : ★
Cuisson en friture : ★★
Cuisson en papillote : ★★
Cuisson en sauté (idem poêlé).
Cuisson vapeur : ★
Poêlé avec beurre doux : ★★
Poêlé avec beurre salé : ★★
Poêlé avec huile végétale : ★★★
Poêlé avec margarine végétale non salée : ★★

Poêlé avec margarine végétale salée : ★★
Poêlé avec saindoux ou graisse d'oie ou de canard : ★★
Poêlé sans matière grasse : ★
Potage crème : ★★★★
Potage nature sans matière grasse ajoutée
Potage velouté : ★★
Surgelé : ★★
Remarque : n'hésitez pas à cuisiner avec de bonnes quantités d'huile végétale. Modérez fortement votre consommation de légumes verts car ils sont presque acaloriques.

Chou cabus : variété de chou à pomme lisse.
Conservé en saumure : ★★
Conservé sous vide : ★★
Consommation cru
Cuisson à l'étouffée avec beurre doux : ★★
Cuisson à l'étouffée avec beurre salé : ★★
Cuisson à l'étouffée avec huile végétale : ★★★
Cuisson à l'étouffée avec margarine végétale non salée : ★★
Cuisson à l'étouffée avec margarine végétale salée : ★★
Cuisson à l'étouffée avec saindoux ou graisse d'oie ou de canard : ★★
Cuisson à l'étouffée sans matière grasse : ★
Cuisson au court bouillon : ★
Cuisson en braisé avec beurre doux : ★★
Cuisson en braisé avec beurre salé : ★★
Cuisson en braisé avec huile végétale : ★★★
Cuisson en braisé avec margarine végétale non salée : ★★
Cuisson en braisé avec margarine végétale salée : ★★
Cuisson en braisé avec saindoux ou graisse d'oie ou de canard : ★★
Cuisson en braisé sans matière grasse : ★
Cuisson en friture : ★★
Cuisson en papillote : ★
Cuisson en ragoût avec beurre doux : ★★
Cuisson en ragoût avec beurre salé : ★★
Cuisson en ragoût avec huile végétale : ★★★
Cuisson en ragoût avec margarine végétale non salée : ★★
Cuisson en ragoût avec margarine végétale salée : ★★

Chou cabus - Chou chinois

Cuisson en ragoût avec saindoux ou graisse d'oie ou de canard :
★★
Cuisson en sauté (idem poêlé).
Cuisson vapeur : ★
Poêlé avec beurre doux : ★★
Poêlé avec beurre salé : ★★
Poêlé avec huile végétale : ★★★
Poêlé avec margarine végétale non salée : ★★
Poêlé avec margarine végétale salée : ★★
Poêlé avec saindoux ou graisse d'oie ou de canard : ★★
Poêlé sans matière grasse : ★
Potage crème : ★★★★
Potage nature sans matière grasse ajoutée
Potage velouté : ★★
Surgelé : ★★
Remarque : n'hésitez pas à cuisiner avec de bonnes quantités d'huile végétale. Modérez fortement votre consommation de légumes verts car ils sont presque acaloriques.

Chou chinois : variété de deux choux : pet saï et pet Choi.
Conservé en saumure : ★★
Conservé sous vide : ★★
Consommation cru
Cuisson à l'étouffée avec beurre doux : ★★
Cuisson à l'étouffée avec beurre salé : ★★
Cuisson à l'étouffée avec huile végétale : ★★★
Cuisson à l'étouffée avec margarine végétale non salée : ★★
Cuisson à l'étouffée avec margarine végétale salée : ★★
Cuisson à l'étouffée avec saindoux ou graisse d'oie ou de canard : ★★
Cuisson à l'étouffée sans matière grasse : ★
Cuisson au court bouillon : ★
Cuisson en braisé avec beurre doux : ★★
Cuisson en braisé avec beurre salé : ★★
Cuisson en braisé avec huile végétale : ★★★
Cuisson en braisé avec margarine végétale non salée : ★★
Cuisson en braisé avec margarine végétale salée : ★★
Cuisson en braisé avec saindoux ou graisse d'oie ou de canard :
★★

Cuisson en braisé sans matière grasse : ★
Cuisson en friture : ★★
Cuisson en papillote : ★
Cuisson en ragoût avec beurre doux : ★★
Cuisson en ragoût avec beurre salé : ★★
Cuisson en ragoût avec huile végétale : ★★★
Cuisson en ragoût avec margarine végétale non salée : ★★
Cuisson en ragoût avec margarine végétale salée : ★★
Cuisson en ragoût avec saindoux ou graisse d'oie ou de canard : ★★
Cuisson en sauté (idem poêlé).
Cuisson vapeur : ★
Poêlé avec beurre doux : ★★
Poêlé avec beurre salé : ★★
Poêlé avec huile végétale : ★★★
Poêlé avec margarine végétale non salée : ★★
Poêlé avec margarine végétale salée : ★★
Poêlé avec saindoux ou graisse d'oie ou de canard : ★★
Poêlé sans matière grasse : ★
Potage crème : ★★★★
Potage nature sans matière grasse ajoutée
Potage velouté : ★★
Surgelé : ★★

Remarque : n'hésitez pas à cuisiner avec de bonnes quantités d'huile végétale. Modérez fortement votre consommation de légumes verts car ils sont presque acaloriques.

Chou de Bruxelles : plante potagère dont on consomme uniquement les capitules qui se forment sur sa tige principale.
Conservé en saumure : ★★
Conservé sous vide : ★★
Consommation cru
Cuisson à l'étouffée avec beurre doux : ★★
Cuisson à l'étouffée avec beurre salé : ★★
Cuisson à l'étouffée avec huile végétale : ★★★
Cuisson à l'étouffée avec margarine végétale non salée : ★★
Cuisson à l'étouffée avec margarine végétale salée : ★★
Cuisson à l'étouffée avec saindoux ou graisse d'oie ou de canard : ★★

Chou de Bruxelles - Chou-fleur

Cuisson à l'étouffée sans matière grasse : ★
Cuisson au court bouillon : ★
Cuisson en braisé avec beurre doux : ★★
Cuisson en braisé avec beurre salé : ★★
Cuisson en braisé avec huile végétale : ★★★
Cuisson en braisé avec margarine végétale non salée : ★★
Cuisson en braisé avec margarine végétale salée : ★★
Cuisson en braisé avec saindoux ou graisse d'oie ou de canard : ★★
Cuisson en braisé sans matière grasse : ★
Cuisson en friture : ★★
Cuisson en papillote : ★
Cuisson en ragoût avec beurre doux : ★★
Cuisson en ragoût avec beurre salé : ★★
Cuisson en ragoût avec huile végétale : ★★★
Cuisson en ragoût avec margarine végétale non salée : ★★
Cuisson en ragoût avec margarine végétale salée : ★★
Cuisson en ragoût avec saindoux ou graisse d'oie ou de canard : ★★
Cuisson en sauté (idem poêlé).
Cuisson vapeur : ★
Poêlé avec beurre doux : ★★
Poêlé avec beurre salé : ★★
Poêlé avec huile végétale : ★★★
Poêlé avec margarine végétale non salée : ★★
Poêlé avec margarine végétale salée : ★★
Poêlé avec saindoux ou graisse d'oie ou de canard : ★★
Poêlé sans matière grasse : ★
Potage crème : ★★★★
Potage nature sans matière grasse ajoutée
Potage velouté : ★★
Surgelé : ★★

Remarque : n'hésitez pas à cuisiner avec de bonnes quantités d'huile végétale. Modérez fortement votre consommation de légumes verts car ils sont presque acaloriques.

Chou-fleur : chou dont on consomme l'inflorescence centrale.
Conservé dans le vinaigre : ★★
Conservé en saumure : ★★

Conservé sous vide : ★★
Consommation cru
Cuisson à l'étouffée avec beurre doux : ★★
Cuisson à l'étouffée avec beurre salé : ★★
Cuisson à l'étouffée avec huile végétale : ★★★
Cuisson à l'étouffée avec margarine végétale non salée : ★★
Cuisson à l'étouffée avec margarine végétale salée : ★★
Cuisson à l'étouffée avec saindoux ou graisse d'oie ou de canard : ★★
Cuisson à l'étouffée sans matière grasse : ★
Cuisson au court bouillon : ★
Cuisson en braisé avec beurre doux : ★★
Cuisson en braisé avec beurre salé : ★★
Cuisson en braisé avec huile végétale : ★★★
Cuisson en braisé avec margarine végétale non salée : ★★
Cuisson en braisé avec margarine végétale salée : ★★
Cuisson en braisé avec saindoux ou graisse d'oie ou de canard : ★★
Cuisson en braisé sans matière grasse : ★
Cuisson en friture : ★★
Cuisson en papillote : ★★
Cuisson en sauté (idem poêlé).
Cuisson vapeur : ★
Poêlé avec beurre doux : ★★
Poêlé avec beurre salé : ★★
Poêlé avec huile végétale : ★★★
Poêlé avec margarine végétale non salée : ★★
Poêlé avec margarine végétale salée : ★★
Poêlé avec saindoux ou graisse d'oie ou de canard : ★★
Poêlé sans matière grasse : ★
Potage crème : ★★★★
Potage nature sans matière grasse ajoutée
Potage velouté : ★★
Surgelé : ★★

Remarque : n'hésitez pas à cuisiner avec de bonnes quantités d'huile végétale. Modérez fortement votre consommation de légumes verts car ils sont presque acaloriques.

Chou-frisé

Chou frisé : plante potagère dont on consomme la totalité de la feuillure.

Conservé en saumure : ★★
Conservé sous vide : ★★
Consommation cru
Cuisson à l'étouffée avec beurre doux : ★★
Cuisson à l'étouffée avec beurre salé : ★★
Cuisson à l'étouffée avec huile végétale : ★★★
Cuisson à l'étouffée avec margarine végétale non salée : ★★
Cuisson à l'étouffée avec margarine végétale salée : ★★
Cuisson à l'étouffée avec saindoux ou graisse d'oie ou de canard : ★★
Cuisson à l'étouffée sans matière grasse : ★
Cuisson au court bouillon : ★
Cuisson en braisé avec beurre doux : ★★
Cuisson en braisé avec beurre salé : ★★
Cuisson en braisé avec huile végétale : ★★★
Cuisson en braisé avec margarine végétale non salée : ★★
Cuisson en braisé avec margarine végétale salée : ★★
Cuisson en braisé avec saindoux ou graisse d'oie ou de canard : ★★
Cuisson en braisé sans matière grasse : ★
Cuisson en friture : ★★
Cuisson en papillote : ★
Cuisson en ragoût avec beurre doux : ★★
Cuisson en ragoût avec beurre salé : ★★
Cuisson en ragoût avec huile végétale : ★★★
Cuisson en ragoût avec margarine végétale non salée : ★★
Cuisson en ragoût avec margarine végétale salée : ★★
Cuisson en ragoût avec saindoux ou graisse d'oie ou de canard : ★★
Cuisson en sauté (idem poêlé).
Cuisson vapeur : ★
Poêlé avec beurre doux : ★★
Poêlé avec beurre salé : ★★
Poêlé avec huile végétale : ★★★
Poêlé avec margarine végétale non salée : ★★
Poêlé avec margarine végétale salée : ★★
Poêlé avec saindoux ou graisse d'oie ou de canard : ★★
Poêlé sans matière grasse : ★

Potage crème : ★★★★
Potage nature sans matière grasse ajoutée
Potage velouté : ★★
Surgelé : ★★
Remarque : n'hésitez pas à cuisiner avec de bonnes quantités d'huile végétale. Modérez fortement votre consommation de légumes verts car ils sont presque acaloriques.

Chou kale : voir « Chou frisé ».

Chou-navet : voir « Rutabaga ».

Chou pommé (rouge, blanc, vert) : plante potagère dont on consomme la totalité de la feuillure.
Conservé en saumure : ★★
Conservé sous vide : ★★
Consommation cru : ★★
Cuisson à l'étouffée avec beurre doux : ★★
Cuisson à l'étouffée avec beurre salé : ★★
Cuisson à l'étouffée avec huile végétale : ★★★
Cuisson à l'étouffée avec margarine végétale non salée : ★★
Cuisson à l'étouffée avec margarine végétale salée : ★★
Cuisson à l'étouffée avec saindoux ou graisse d'oie ou de canard : ★★
Cuisson à l'étouffée sans matière grasse : ★
Cuisson au court bouillon : ★
Cuisson en braisé avec beurre doux : ★★
Cuisson en braisé avec beurre salé : ★★
Cuisson en braisé avec huile végétale : ★★★
Cuisson en braisé avec margarine végétale non salée : ★★
Cuisson en braisé avec margarine végétale salée : ★★
Cuisson en braisé avec saindoux ou graisse d'oie ou de canard : ★★
Cuisson en braisé sans matière grasse : ★
Cuisson en friture : ★★
Cuisson en papillote : ★
Cuisson en ragoût avec beurre doux : ★★
Cuisson en ragoût avec beurre salé : ★★
Cuisson en ragoût avec huile végétale : ★★★

Chou pommé - Chou-rave

Cuisson en ragoût avec margarine végétale non salée : ★★
Cuisson en ragoût avec margarine végétale salée : ★★
Cuisson en ragoût avec saindoux ou graisse d'oie ou de canard : ★★
Cuisson en sauté (idem poêlé).
Cuisson vapeur : ★
Fermenté (choucroute) : ★★
Poêlé avec beurre doux : ★★
Poêlé avec beurre salé : ★★
Poêlé avec huile végétale : ★★★
Poêlé avec margarine végétale non salée : ★★
Poêlé avec margarine végétale salée : ★★
Poêlé avec saindoux ou graisse d'oie ou de canard : ★★
Poêlé sans matière grasse : ★
Potage crème : ★★★★
Potage nature sans matière grasse ajoutée
Potage velouté : ★★
Surgelé : ★★

Remarque : n'hésitez pas à cuisiner avec de bonnes quantités d'huile végétale. Modérez fortement votre consommation de légumes verts car ils sont presque acaloriques.

Chou-rave : plante potagère dont on consomme le renflement de la tige.
Conservé en saumure : ★★
Conservé sous vide : ★★
Consommation cru : ★★
Cuisson à l'étouffée avec beurre doux : ★★
Cuisson à l'étouffée avec beurre salé : ★★
Cuisson à l'étouffée avec huile végétale : ★★★
Cuisson à l'étouffée avec margarine végétale non salée : ★★
Cuisson à l'étouffée avec margarine végétale salée : ★★
Cuisson à l'étouffée avec saindoux ou graisse d'oie ou de canard : ★★
Cuisson à l'étouffée sans matière grasse : ★
Cuisson au court bouillon : ★
Cuisson en braisé avec beurre doux : ★★
Cuisson en braisé avec beurre salé : ★★
Cuisson en braisé avec huile végétale : ★★★

Cuisson en braisé avec margarine végétale non salée : ★★
Cuisson en braisé avec margarine végétale salée : ★★
Cuisson en braisé avec saindoux ou graisse d'oie ou de canard :
★★
Cuisson en braisé sans matière grasse : ★
Cuisson en friture : ★★
Cuisson en papillote : ★
Cuisson en ragoût avec beurre doux : ★★
Cuisson en ragoût avec beurre salé : ★★
Cuisson en ragoût avec huile végétale : ★★★
Cuisson en ragoût avec margarine végétale non salée : ★★
Cuisson en ragoût avec margarine végétale salée : ★★
Cuisson en ragoût avec saindoux ou graisse d'oie ou de canard :
★★
Cuisson en sauté (idem poêlé).
Cuisson vapeur : ★
Poêlé avec beurre doux : ★★
Poêlé avec beurre salé : ★★
Poêlé avec huile végétale : ★★★
Poêlé avec margarine végétale non salée : ★★
Poêlé avec margarine végétale salée : ★★
Poêlé avec saindoux ou graisse d'oie ou de canard : ★★
Poêlé sans matière grasse : ★
Potage crème : ★★★★
Potage nature sans matière grasse ajoutée
Potage velouté : ★★
Surgelé : ★★
Remarque : n'hésitez pas à cuisiner avec de bonnes quantités d'huile végétale. Modérez fortement votre consommation de légumes verts car ils sont presque acaloriques.

Chou romanesco : chou dont on consomme l'inflorescence centrale.
Conservé dans le vinaigre : ★★
Conservé en saumure : ★★
Conservé sous vide : ★★
Consommation cru
Cuisson à l'étouffée avec beurre doux : ★★
Cuisson à l'étouffée avec beurre salé : ★★

Chou romanesco - Ciboule

Cuisson à l'étouffée avec huile végétale : ★★★
Cuisson à l'étouffée avec margarine végétale non salée : ★★
Cuisson à l'étouffée avec margarine végétale salée : ★★
Cuisson à l'étouffée avec saindoux ou graisse d'oie ou de canard : ★★
Cuisson à l'étouffée sans matière grasse : ★
Cuisson au court bouillon : ★
Cuisson en braisé avec beurre doux : ★★
Cuisson en braisé avec beurre salé : ★★
Cuisson en braisé avec huile végétale : ★★★
Cuisson en braisé avec margarine végétale non salée : ★★
Cuisson en braisé avec margarine végétale salée : ★★
Cuisson en braisé avec saindoux ou graisse d'oie ou de canard : ★★
Cuisson en braisé sans matière grasse : ★
Cuisson en friture : ★★
Cuisson en papillote : ★★
Cuisson en sauté (idem poêlé).
Cuisson vapeur : ★
Poêlé avec beurre doux : ★★
Poêlé avec beurre salé : ★★
Poêlé avec huile végétale : ★★★
Poêlé avec margarine végétale non salée : ★★
Poêlé avec margarine végétale salée : ★★
Poêlé avec saindoux ou graisse d'oie ou de canard : ★★
Poêlé sans matière grasse : ★
Potage crème : ★★★★
Potage nature sans matière grasse ajoutée
Potage velouté : ★★
Surgelé : ★★

Remarque : n'hésitez pas à cuisiner avec de bonnes quantités d'huile végétale. Modérez fortement votre consommation de légumes verts car ils sont presque acaloriques.

Ciboule : plante voisine de l'ail dont on consomme les feuilles ventrues.
Conservée sous vide : ★★
Consommation crue : ★★
Consommation cuite : ★★

Déshydratée : ★★
Fraîchement récoltée : ★★
Surgelée : ★★

Ciboulette : plante dont on consomme les feuilles creuses et cylindriques.
Conservée sous vide : ★★
Consommation crue : ★★
Consommation cuite : ★★
Déshydratée : ★★
Fraîchement récoltée : ★★
Surgelée : ★★

Citron : fruit du citronnier. Agrume.
A l'anglaise :
A l'anglaise : ★★★★
Au sirop : ★★★★
Au sirop léger : ★★★
Confit : ★★★★
Conserve au naturel : ★★
Conservé dans l'alcool : ★★★
Conservé sous vide : ★★
Consommation cru : ★★
En beignet : ★★★
En compote (avec sucre ajouté) : ★★
En compote sans sucre ajouté : ★★
En confiture : ★★★★
En confiture allégée en sucre : ★★★
En confiture sans sucre : ★
Fraîchement récolté : ★★
Poché sans sucre : ★
Séché : ★★★★
Surgelé : ★★

Citronnelle : graminée utilisée comme plante aromatique.
Conservée sous vide : ★★
Déshydratée : ★★
Fraîchement récoltée : ★★
Surgelée : ★★

Citrouille

Citrouille : variété de courge, très gros fruit d'automne. Légume vert.

Conservée en saumure : ★★
Conservée sous vide : ★★
Consommation crue
Cuisson à l'étouffée avec beurre doux : ★★
Cuisson à l'étouffée avec beurre salé : ★★
Cuisson à l'étouffée avec huile végétale : ★★★
Cuisson à l'étouffée avec margarine végétale non salée : ★★
Cuisson à l'étouffée avec margarine végétale salée : ★★
Cuisson à l'étouffée avec saindoux ou graisse d'oie ou de canard : ★★
Cuisson à l'étouffée sans matière grasse : ★
Cuisson au court bouillon : ★
Cuisson en braisé avec beurre doux : ★★
Cuisson en braisé avec beurre salé : ★★
Cuisson en braisé avec huile végétale : ★★★
Cuisson en braisé avec margarine végétale non salée : ★★
Cuisson en braisé avec margarine végétale salée : ★★
Cuisson en braisé avec saindoux ou graisse d'oie ou de canard : ★★
Cuisson en braisé sans matière grasse : ★
Cuisson en friture : ★★
Cuisson en papillote : ★
Cuisson en ragoût avec beurre doux : ★★
Cuisson en ragoût avec beurre salé : ★★
Cuisson en ragoût avec huile végétale : ★★★
Cuisson en ragoût avec margarine végétale non salée : ★★
Cuisson en ragoût avec margarine végétale salée : ★★
Cuisson en ragoût avec saindoux ou graisse d'oie ou de canard : ★★
Cuisson en sauté (idem poêlée).
Cuisson vapeur : ★
Poêlée avec beurre doux : ★★
Poêlée avec beurre salé : ★★
Poêlée avec huile végétale : ★★★
Poêlée avec margarine végétale non salée : ★★
Poêlée avec margarine végétale salée : ★★
Poêlée avec saindoux ou graisse d'oie ou de canard : ★★
Poêlée sans matière grasse : ★

Potage crème : ★★★★
Potage nature sans matière grasse ajoutée
Potage velouté : ★★
Surgelée : ★★
Remarque : n'hésitez pas à cuisiner avec de bonnes quantités d'huile végétale. Modérez fortement votre consommation de légumes verts car ils sont presque acaloriques.

Cive : voir « Ciboule ».

Civette : voir « Ciboulette ».

Clam : voir « Palourde ».

Clavaire doré : voir « Champignon ».

Clémentine : fruit issu du clémentinier. Agrume.
A l'anglaise : ★★★★
Au sirop : ★★★★
Au sirop léger : ★★★
Confite : ★★★★
Conserve au naturel : ★★
Conservée dans l'alcool : ★★★
Conservée sous vide : ★★
Consommation crue : ★★
En beignet : ★★★
En compote (avec sucre ajouté) : ★★
En compote sans sucre ajouté : ★★
En confiture : ★★★★
En confiture allégée en sucre : ★★★
En confiture sans sucre : ★
Fraîchement récoltée : ★★
Pochée sans sucre : ★
Séchée : ★★★★
Surgelée : ★★

Clovisse : voir « Palourde ».

Cochon : voir « Porc (viande de) ».

Cœur - Cœur d'artichaut

Cœur : voir « Viande de... ».

Cœur d'artichaut : cœur de la fleur de l'artichaut comestible.
Légume vert.
Conservé en saumure : ★★
Conservé sous vide : ★★
Consommation cru
Cuisson à l'étouffée avec beurre doux : ★★
Cuisson à l'étouffée avec beurre salé : ★★
Cuisson à l'étouffée avec huile végétale : ★★★
Cuisson à l'étouffée avec margarine végétale non salée : ★★
Cuisson à l'étouffée avec margarine végétale salée : ★★
Cuisson à l'étouffée avec saindoux ou graisse d'oie ou de canard : ★★
Cuisson à l'étouffée sans matière grasse : ★
Cuisson au court bouillon : ★
Cuisson en braisé avec beurre doux : ★★
Cuisson en braisé avec beurre salé : ★★
Cuisson en braisé avec huile végétale : ★★★
Cuisson en braisé avec margarine végétale non salée : ★★
Cuisson en braisé avec margarine végétale salée : ★★
Cuisson en braisé avec saindoux ou graisse d'oie ou de canard : ★★
Cuisson en braisé sans matière grasse : ★
Cuisson en friture : ★★
Cuisson en papillote : ★
Cuisson en ragoût avec beurre doux : ★★
Cuisson en ragoût avec beurre salé : ★★
Cuisson en ragoût avec huile végétale : ★★★
Cuisson en ragoût avec margarine végétale non salée : ★★
Cuisson en ragoût avec margarine végétale salée : ★★
Cuisson en ragoût avec saindoux ou graisse d'oie ou de canard : ★★
Cuisson en sauté (idem poêlé).
Cuisson vapeur : ★
Poêlé avec beurre doux : ★★
Poêlé avec beurre salé : ★★
Poêlé avec huile végétale : ★★★
Poêlé avec margarine végétale non salée : ★★
Poêlé avec margarine végétale salée : ★★

Poêlé avec saindoux ou graisse d'oie ou de canard : ★★
Poêlé sans matière grasse : ★
Potage crème : ★★★★
Potage nature sans matière grasse ajoutée
Potage velouté : ★★
Surgelé : ★★
Remarque : n'hésitez pas à cuisiner avec de bonnes quantités d'huile végétale. Modérez fortement votre consommation de légumes verts car ils sont presque acaloriques.

Cœur de palmier : cœur de palmier comestible. Légume vert.
Conservé en saumure : ★★
Conservé sous vide : ★★
Consommation cru
Cuisson à l'étouffée avec beurre doux : ★★
Cuisson à l'étouffée avec beurre salé : ★★
Cuisson à l'étouffée avec huile végétale : ★★★
Cuisson à l'étouffée avec margarine végétale non salée : ★★
Cuisson à l'étouffée avec margarine végétale salée : ★★
Cuisson à l'étouffée avec saindoux ou graisse d'oie ou de canard : ★★
Cuisson à l'étouffée sans matière grasse : ★
Cuisson au court bouillon : ★
Cuisson en braisé avec beurre doux : ★★
Cuisson en braisé avec beurre salé : ★★
Cuisson en braisé avec huile végétale : ★★★
Cuisson en braisé avec margarine végétale non salée : ★★
Cuisson en braisé avec margarine végétale salée : ★★
Cuisson en braisé avec saindoux ou graisse d'oie ou de canard : ★★
Cuisson en braisé sans matière grasse : ★
Cuisson en friture : ★★
Cuisson en papillote : ★
Cuisson en ragoût avec beurre doux : ★★
Cuisson en ragoût avec beurre salé : ★★
Cuisson en ragoût avec huile végétale : ★★★
Cuisson en ragoût avec margarine végétale non salée : ★★
Cuisson en ragoût avec margarine végétale salée : ★★

Cœur de palmier - Coing

Cuisson en ragoût avec saindoux ou graisse d'oie ou de canard :
★★
Cuisson en sauté (idem poêlé).
Cuisson vapeur : ★
Poêlé avec beurre doux : ★★
Poêlé avec beurre salé : ★★
Poêlé avec huile végétale : ★★★
Poêlé avec margarine végétale non salée : ★★
Poêlé avec margarine végétale salée : ★★
Poêlé avec saindoux ou graisse d'oie ou de canard : ★★
Poêlé sans matière grasse : ★
Potage crème : ★★★★
Potage nature sans matière grasse ajoutée
Potage velouté : ★★
Surgelé : ★★
Remarque : n'hésitez pas à cuisiner avec de bonnes quantités d'huile végétale. Modérez fortement votre consommation de légumes verts car ils sont presque acaloriques.

Coing : fruit jaune du cognassier.
A l'anglaise :
A l'anglaise : ★★★★
Au sirop : ★★★★
Au sirop léger : ★★★
Confit : ★★★★
Conserve au naturel : ★★
Conservé dans l'alcool : ★★★
Conservé sous vide : ★★
Consommation cru
En beignet : ★★★
En compote (avec sucre ajouté) : ★★
En compote sans sucre ajouté : ★★
En confiture : ★★★★
En confiture allégée en sucre : ★★★
En confiture sans sucre : ★
Fraîchement récolté : ★★
Poché sans sucre : ★
Séché : ★★★★
Surgelé : ★★

Colin : poisson marin à chair blanche.

Conservé par le sel : ★★

Conservé sous vide : ★★

Consommation cru

Cuisson à la milanaise avec beurre doux : ★★★

Cuisson à la milanaise avec beurre salé : ★★★

Cuisson à la milanaise avec huile végétale : ★★★★

Cuisson à la milanaise avec margarine végétale non salée : ★★★

Cuisson à la milanaise avec margarine végétale salée : ★★★

Cuisson à la milanaise avec saindoux ou graisse d'oie ou de canard : ★★★

Cuisson à la milanaise sans matière grasse : ★

Cuisson à l'étouffée avec beurre doux : ★★★

Cuisson à l'étouffée avec beurre salé : ★★★

Cuisson à l'étouffée avec huile végétale : ★★★★

Cuisson à l'étouffée avec margarine végétale non salée : ★★★

Cuisson à l'étouffée avec margarine végétale salée : ★★★

Cuisson à l'étouffée avec saindoux ou graisse d'oie ou de canard : ★★★

Cuisson à l'étouffée sans matière grasse : ★

Cuisson au court bouillon : ★

Cuisson en braisé avec beurre doux : ★★★

Cuisson en braisé avec beurre salé : ★★★

Cuisson en braisé avec huile végétale : ★★★★

Cuisson en braisé avec margarine végétale non salée : ★★★

Cuisson en braisé avec margarine végétale salée : ★★★

Cuisson en braisé avec saindoux ou graisse d'oie ou de canard : ★★★

Cuisson en braisé sans matière grasse : ★

Cuisson en friture : ★★★

Cuisson en meunière avec beurre doux : ★★★

Cuisson en meunière avec beurre salé : ★★★

Cuisson en meunière avec huile végétale : ★★★★

Cuisson en meunière avec margarine végétale non salée : ★★★

Cuisson en meunière avec margarine végétale salée : ★★★

Cuisson en meunière avec saindoux ou graisse d'oie ou de canard : ★★★

Cuisson en meunière sans matière grasse : ★

Cuisson en sauté (idem poêlé).

Cuisson rôti à la broche : ★
Cuisson rôti au four avec beurre doux : ★★★
Cuisson rôti au four avec beurre salé : ★★★
Cuisson rôti au four avec huile végétale : ★★★
Cuisson rôti au four avec margarine végétale non salée : ★★★
Cuisson rôti au four avec margarine végétale salée : ★★★
Cuisson rôti au four avec saindoux ou graisse d'oie ou de canard : ★★★
Cuisson rôti au four sans matière grasse ajoutée : ★★★
Cuisson vapeur : ★
Grillé : ★
Pierrade : ★
Poêlé avec beurre doux : ★★★
Poêlé avec beurre salé : ★★★
Poêlé avec huile végétale : ★★★★
Poêlé avec margarine végétale non salée : ★★★
Poêlé avec margarine végétale salée : ★★★
Poêlé avec saindoux ou graisse d'oie ou de canard : ★★★
Poêlé sans matière grasse : ★
Salé et fumé : ★★
Séché : ★★
Surgelé : ★★
Remarque : n'hésitez pas à cuisiner avec de bonnes quantités d'huile végétale.

Collet d'agneau : voir « Agneau (viande de) ».

Collet de veau : voir « Veau (viande de) ».

Colvert : voir « Canard sauvage (viande de) ».

Concombre : plante potagère cultivée pour son fruit allongé.
Conservé en saumure : ★★
Conservé sous vide : ★★
Consommation cru : ★★
Cuisson à la milanaise avec beurre doux : ★★
Cuisson à la milanaise avec beurre salé : ★★
Cuisson à la milanaise avec huile végétale : ★★★
Cuisson à la milanaise avec margarine végétale non salée : ★★
Cuisson à la milanaise avec margarine végétale salée : ★★

Cuisson à la milanaise avec saindoux ou graisse d'oie ou de canard : ★★
Cuisson à la milanaise sans matière grasse : ★
Cuisson à l'étouffée avec beurre doux : ★★
Cuisson à l'étouffée avec beurre salé : ★★
Cuisson à l'étouffée avec huile végétale : ★★★
Cuisson à l'étouffée avec margarine végétale non salée : ★★
Cuisson à l'étouffée avec margarine végétale salée : ★★
Cuisson à l'étouffée avec saindoux ou graisse d'oie ou de canard : ★★
Cuisson à l'étouffée sans matière grasse : ★
Cuisson au court bouillon : ★
Cuisson en braisé avec beurre doux : ★★
Cuisson en braisé avec beurre salé : ★★
Cuisson en braisé avec huile végétale : ★★★
Cuisson en braisé avec margarine végétale non salée : ★★
Cuisson en braisé avec margarine végétale salée : ★★
Cuisson en braisé avec saindoux ou graisse d'oie ou de canard : ★★
Cuisson en braisé sans matière grasse : ★
Cuisson en friture : ★★
Cuisson en meunière avec beurre doux : ★★
Cuisson en meunière avec beurre salé : ★★
Cuisson en meunière avec huile végétale : ★★★
Cuisson en meunière avec margarine végétale non salée : ★★
Cuisson en meunière avec margarine végétale salée : ★★
Cuisson en meunière avec saindoux ou graisse d'oie ou de canard : ★★
Cuisson en meunière sans matière grasse : ★
Cuisson en papillote : ★
Cuisson en sauté (idem poêlé).
Cuisson vapeur : ★
Grillé : ★
Pierrade : ★
Poêlé avec beurre doux : ★★
Poêlé avec beurre salé : ★★
Poêlé avec huile végétale : ★★★
Poêlé avec margarine végétale non salée : ★★
Poêlé avec margarine végétale salée : ★★
Poêlé avec saindoux ou graisse d'oie ou de canard : ★★

Poêlé sans matière grasse : ★
Potage crème : ★★★★
Potage nature sans matière grasse ajoutée
Potage velouté : ★★
Surgelé : ★★
Remarque : n'hésitez pas à cuisiner avec de bonnes quantités d'huile végétale. Modérez fortement votre consommation de légumes verts car ils sont presque acaloriques.

Congre : poisson gras marin.
Conservé par le sel : ★★
Conservé sous vide : ★★
Consommation cru
Cuisson à la milanaise avec beurre doux : ★★★
Cuisson à la milanaise avec beurre salé : ★★★
Cuisson à la milanaise avec huile végétale : ★★★★
Cuisson à la milanaise avec margarine végétale non salée : ★★★
Cuisson à la milanaise avec margarine végétale salée : ★★★
Cuisson à la milanaise avec saindoux ou graisse d'oie ou de canard : ★★★
Cuisson à la milanaise sans matière grasse : ★
Cuisson à l'étouffée avec beurre doux : ★★★
Cuisson à l'étouffée avec beurre salé : ★★★
Cuisson à l'étouffée avec huile végétale : ★★★★
Cuisson à l'étouffée avec margarine végétale non salée : ★★★
Cuisson à l'étouffée avec margarine végétale salée : ★★★
Cuisson à l'étouffée avec saindoux ou graisse d'oie ou de canard : ★★★
Cuisson à l'étouffée sans matière grasse : ★
Cuisson au court bouillon : ★
Cuisson en braisé avec beurre doux : ★★★
Cuisson en braisé avec beurre salé : ★★★
Cuisson en braisé avec huile végétale : ★★★★
Cuisson en braisé avec margarine végétale non salée : ★★★
Cuisson en braisé avec margarine végétale salée : ★★★
Cuisson en braisé avec saindoux ou graisse d'oie ou de canard : ★★★
Cuisson en braisé sans matière grasse : ★

Cuisson en friture : ★★★
Cuisson en meunière avec beurre doux : ★★★
Cuisson en meunière avec beurre salé : ★★★
Cuisson en meunière avec huile végétale : ★★★★
Cuisson en meunière avec margarine végétale non salée : ★★★
Cuisson en meunière avec margarine végétale salée : ★★★
Cuisson en meunière avec saindoux ou graisse d'oie ou de canard : ★★★
Cuisson en meunière sans matière grasse : ★
Cuisson en ragoût avec beurre doux : ★★★
Cuisson en ragoût avec beurre salé : ★★★
Cuisson en ragoût avec huile végétale : ★★★★
Cuisson en ragoût avec margarine végétale non salée : ★★★
Cuisson en ragoût avec margarine végétale salée : ★★★
Cuisson en ragoût avec saindoux ou graisse d'oie ou de canard : ★★★
Cuisson en sauté (idem poêlé).
Cuisson rôti au four avec beurre doux : ★★★
Cuisson rôti au four avec beurre salé : ★★★
Cuisson rôti au four avec huile végétale : ★★★
Cuisson rôti au four avec margarine végétale non salée : ★★★
Cuisson rôti au four avec margarine végétale salée : ★★★
Cuisson rôti au four avec saindoux ou graisse d'oie ou de canard : ★★★
Cuisson rôti au four sans matière grasse ajoutée : ★★★
Cuisson vapeur : ★
Grillé : ★
Pierrade : ★
Poêlé avec beurre doux : ★★★
Poêlé avec beurre salé : ★★★
Poêlé avec huile végétale : ★★★★
Poêlé avec margarine végétale non salée : ★★★
Poêlé avec margarine végétale salée : ★★★
Poêlé avec saindoux ou graisse d'oie ou de canard : ★★★
Poêlé sans matière grasse : ★
Salé et fumé : ★★
Séché : ★★
Surgelé : ★★
Remarque : n'hésitez pas à cuisiner avec de bonnes quantités d'huile végétale.

Contre-filet : voir « Bœuf (viande de) ».

Coprin chevelu : voir « Champignon ».

Coq : voir « Poulet ».

Coque : voir « Palourde ».

Coquelet : voir « Poulet (viande de)».

Coquille saint Jacques : mollusque marin comestible.
Conservée en saumure (eau salée) : ★★
Conservée sous vide : ★★
Consommation crue
Cuisson à la milanaise avec beurre doux : ★★★
Cuisson à la milanaise avec beurre salé : ★★★
Cuisson à la milanaise avec huile végétale : ★★★★
Cuisson à la milanaise avec margarine végétale non salée : ★★★
Cuisson à la milanaise avec margarine végétale salée : ★★★
Cuisson à la milanaise avec saindoux ou graisse d'oie ou de canard : ★★★
Cuisson à la milanaise sans matière grasse : ★
Cuisson à l'étouffée avec beurre doux : ★★★
Cuisson à l'étouffée avec beurre salé : ★★★
Cuisson à l'étouffée avec huile végétale : ★★★★
Cuisson à l'étouffée avec margarine végétale non salée : ★★★
Cuisson à l'étouffée avec margarine végétale salée : ★★★
Cuisson à l'étouffée avec saindoux ou graisse d'oie ou de canard : ★★★
Cuisson à l'étouffée sans matière grasse : ★
Cuisson au court bouillon : ★
Cuisson en braisé avec beurre doux : ★★★
Cuisson en braisé avec beurre salé : ★★★
Cuisson en braisé avec huile végétale : ★★★★
Cuisson en braisé avec margarine végétale non salée : ★★★
Cuisson en braisé avec margarine végétale salée : ★★★
Cuisson en braisé avec saindoux ou graisse d'oie ou de canard : ★★★
Cuisson en braisé sans matière grasse : ★

Cuisson en friture : ★★★
Cuisson en meunière avec beurre doux : ★★★
Cuisson en meunière avec beurre salé : ★★★
Cuisson en meunière avec huile végétale : ★★★★
Cuisson en meunière avec margarine végétale non salée : ★★★
Cuisson en meunière avec margarine végétale salée : ★★★
Cuisson en meunière avec saindoux ou graisse d'oie ou de canard : ★★★
Cuisson en meunière sans matière grasse : ★
Cuisson en sauté (idem poêlée).
Cuisson vapeur : ★
Grillée en brochette : ★
Pierrade : ★
Poêlée avec beurre doux : ★★★
Poêlée avec beurre salé : ★★★
Poêlée avec huile végétale : ★★★★
Poêlée avec margarine végétale non salée : ★★★
Poêlée avec margarine végétale salée : ★★★
Poêlée avec saindoux ou graisse d'oie ou de canard : ★★★
Poêlée sans matière grasse : ★
Surgelée : ★★
Remarque : n'hésitez pas à cuisiner avec de bonnes quantités d'huile végétale.

Corail : voir « Coquille saint Jacques ».

Corégone : poisson d'eau douce à chair blanche.
Conservée par le sel : ★★
Conservée sous vide : ★★
Consommation crue
Cuisson à la milanaise avec beurre doux : ★★★
Cuisson à la milanaise avec beurre salé : ★★★
Cuisson à la milanaise avec huile végétale : ★★★★
Cuisson à la milanaise avec margarine végétale non salée : ★★★
Cuisson à la milanaise avec margarine végétale salée : ★★★
Cuisson à la milanaise avec saindoux ou graisse d'oie ou de canard : ★★★
Cuisson à la milanaise sans matière grasse : ★
Cuisson à l'étouffée avec beurre doux : ★★★

Corégone

Cuisson à l'étouffée avec beurre salé : ★★★
Cuisson à l'étouffée avec huile végétale : ★★★★
Cuisson à l'étouffée avec margarine végétale non salée : ★★★
Cuisson à l'étouffée avec margarine végétale salée : ★★★
Cuisson à l'étouffée avec saindoux ou graisse d'oie ou de canard : ★★★
Cuisson à l'étouffée sans matière grasse : ★
Cuisson au court bouillon : ★
Cuisson en braisé avec beurre doux : ★★★
Cuisson en braisé avec beurre salé : ★★★
Cuisson en braisé avec huile végétale : ★★★★
Cuisson en braisé avec margarine végétale non salée : ★★★
Cuisson en braisé avec margarine végétale salée : ★★★
Cuisson en braisé avec saindoux ou graisse d'oie ou de canard : ★★★
Cuisson en braisé sans matière grasse : ★
Cuisson en friture : ★★★
Cuisson en meunière avec beurre doux : ★★★
Cuisson en meunière avec beurre salé : ★★★
Cuisson en meunière avec huile végétale : ★★★★
Cuisson en meunière avec margarine végétale non salée : ★★★
Cuisson en meunière avec margarine végétale salée : ★★★
Cuisson en meunière avec saindoux ou graisse d'oie ou de canard : ★★★
Cuisson en meunière sans matière grasse : ★
Cuisson en sauté (idem poêlée).
Cuisson rôtie à la broche : ★
Cuisson rôtie au four avec beurre doux : ★★★
Cuisson rôtie au four avec beurre salé : ★★★
Cuisson rôtie au four avec huile végétale : ★★★
Cuisson rôtie au four avec margarine végétale non salée : ★★★
Cuisson rôtie au four avec margarine végétale salée : ★★★
Cuisson rôtie au four avec saindoux ou graisse d'oie ou de canard : ★★★
Cuisson rôtie au four sans matière grasse ajoutée : ★★★
Cuisson vapeur : ★
Grillée : ★
Pierrade : ★
Poêlée avec beurre doux : ★★★
Poêlée avec beurre salé : ★★★

Poêlée avec huile végétale : ★ ★ ★ ★
Poêlée avec margarine végétale non salée : ★ ★ ★
Poêlée avec margarine végétale salée : ★ ★ ★
Poêlée avec saindoux ou graisse d'oie ou de canard : ★ ★ ★
Poêlée sans matière grasse : ★
Salée et fumée : ★ ★
Séchée : ★ ★
Surgelée : ★ ★
Remarque : n'hésitez pas à cuisiner avec de bonnes quantités d'huile végétale.

Coriandre : plante aromatique utilisée comme condiment.
Légume vert.
Conservée sous vide : ★ ★
Consommation crue : ★ ★
Consommation cuite : ★ ★
Déshydratée : ★ ★
Fraîchement récoltée : ★ ★
Surgelée : ★ ★

Cornichon : type de concombre récolté jeune ou très jeune.
Légume vert.
Conservé dans le vinaigre : ★ ★
Conservé en saumure : ★ ★
Conservé sous vide : ★ ★
Consommation cru : ★ ★
Cuisson à l'étouffée avec beurre doux : ★ ★
Cuisson à l'étouffée avec beurre salé : ★ ★
Cuisson à l'étouffée avec huile végétale : ★ ★ ★
Cuisson à l'étouffée avec margarine végétale non salée : ★ ★
Cuisson à l'étouffée avec margarine végétale salée : ★ ★
Cuisson à l'étouffée avec saindoux ou graisse d'oie ou de canard : ★ ★
Cuisson à l'étouffée sans matière grasse : ★
Cuisson au court bouillon : ★
Cuisson en braisé avec beurre doux : ★ ★
Cuisson en braisé avec beurre salé : ★ ★
Cuisson en braisé avec huile végétale : ★ ★ ★
Cuisson en braisé avec margarine végétale non salée : ★ ★
Cuisson en braisé avec margarine végétale salée : ★ ★

Cuisson en braisé avec saindoux ou graisse d'oie ou de canard :
★★
Cuisson en braisé sans matière grasse : ★
Cuisson en friture : ★★
Cuisson en sauté (idem poêlé).
Cuisson vapeur : ★
Poêlé avec beurre doux : ★★
Poêlé avec beurre salé : ★★
Poêlé avec huile végétale : ★★★
Poêlé avec margarine végétale non salée : ★★
Poêlé avec margarine végétale salée : ★★
Poêlé avec saindoux ou graisse d'oie ou de canard : ★★
Poêlé sans matière grasse : ★
Potage crème : ★★★★
Potage nature sans matière grasse ajoutée
Potage velouté : ★★
Surgelé : ★★
Remarque : n'hésitez pas à cuisiner avec de bonnes quantités d'huile végétale. Modérez fortement votre consommation de légumes verts car ils sont presque acaloriques.

Cortinaire comestible : voir « Champignon ».

Côte d'agneau : voir « Agneau (viande d') ».

Côte de bœuf : voir « Bœuf (viande de) ».

Côte de porc : voir « Porc (viande de) ».

Côte de veau : voir « Veau (viande de) ».

Coulemelle : voir « Champignon ».

Courge : voir « Courgette ».

Courgette : variété de courge à fruit allongé ou rond. Légume vert.
Confite : ★★★
Conservée en saumure : ★★

Conservée dans le vinaigre : ★★
Conservée sous vide : ★★
Consommation crue
Cuisson à la milanaise avec beurre doux : ★★
Cuisson à la milanaise avec beurre salé : ★★
Cuisson à la milanaise avec huile végétale : ★★★
Cuisson à la milanaise avec margarine végétale non salée : ★★
Cuisson à la milanaise avec margarine végétale salée : ★★
Cuisson à la milanaise avec saindoux ou graisse d'oie ou de canard : ★★
Cuisson à la milanaise sans matière grasse : ★
Cuisson à l'étouffée avec beurre doux : ★★
Cuisson à l'étouffée avec beurre salé : ★★
Cuisson à l'étouffée avec huile végétale : ★★★
Cuisson à l'étouffée avec margarine végétale non salée : ★★
Cuisson à l'étouffée avec margarine végétale salée : ★★
Cuisson à l'étouffée avec saindoux ou graisse d'oie ou de canard : ★★
Cuisson à l'étouffée sans matière grasse : ★
Cuisson au court bouillon : ★
Cuisson en beignet : ★★★
Cuisson en braisé avec beurre doux : ★★
Cuisson en braisé avec beurre salé : ★★
Cuisson en braisé avec huile végétale : ★★★
Cuisson en braisé avec margarine végétale non salée : ★★
Cuisson en braisé avec margarine végétale salée : ★★
Cuisson en braisé avec saindoux ou graisse d'oie ou de canard : ★★
Cuisson en braisé sans matière grasse : ★
Cuisson en friture : ★★
Cuisson en meunière avec beurre doux : ★★
Cuisson en meunière avec beurre salé : ★★
Cuisson en meunière avec huile végétale : ★★★
Cuisson en meunière avec margarine végétale non salée : ★★
Cuisson en meunière avec margarine végétale salée : ★★
Cuisson en meunière avec saindoux ou graisse d'oie ou de canard : ★★
Cuisson en meunière sans matière grasse : ★
Cuisson en sauté (idem poêlée).
Cuisson vapeur : ★

Courgette - Crevette

Grillée : ★
Pierrade : ★
Poêlée avec beurre doux : ★★
Poêlée avec beurre salé : ★★
Poêlée avec huile végétale : ★★★
Poêlée avec margarine végétale non salée : ★★
Poêlée avec margarine végétale salée : ★★
Poêlée avec saindoux ou graisse d'oie ou de canard : ★★
Poêlée sans matière grasse : ★
Potage crème : ★★★★
Potage nature sans matière grasse ajoutée
Potage velouté : ★★
Surgelée : ★★

Remarque : n'hésitez pas à cuisiner avec de bonnes quantités d'huile végétale. Modérez fortement votre consommation de légumes verts car ils sont presque acaloriques.

Couteau : voir « Palourde ».

Cranberry (baie de) : voir « Canneberge ».

Craterelle : voir « Champignon ».

Crépinette : voir « Porc (viande de) ».

Crevette : petit crustacé marin.
Conservée par le sel : ★★
Conservée sous vide : ★★
Consommation crue
Cuisson à la milanaise avec beurre doux : ★★★
Cuisson à la milanaise avec beurre salé : ★★★
Cuisson à la milanaise avec huile végétale : ★★★★
Cuisson à la milanaise avec margarine végétale non salée : ★★★
Cuisson à la milanaise avec margarine végétale salée : ★★★
Cuisson à la milanaise avec saindoux ou graisse d'oie ou de canard : ★★★
Cuisson à la milanaise sans matière grasse : ★
Cuisson à l'étouffée avec beurre doux : ★★★

Cuisson à l'étouffée avec beurre salé : ★★★
Cuisson à l'étouffée avec huile végétale : ★★★★
Cuisson à l'étouffée avec margarine végétale non salée : ★★★
Cuisson à l'étouffée avec margarine végétale salée : ★★★
Cuisson à l'étouffée avec saindoux ou graisse d'oie ou de canard : ★★★
Cuisson à l'étouffée sans matière grasse : ★
Cuisson au court bouillon : ★
Cuisson en beignet : ★★★
Cuisson en braisé avec beurre doux : ★★★
Cuisson en braisé avec beurre salé : ★★★
Cuisson en braisé avec huile végétale : ★★★★
Cuisson en braisé avec margarine végétale non salée : ★★★
Cuisson en braisé avec margarine végétale salée : ★★★
Cuisson en braisé avec saindoux ou graisse d'oie ou de canard : ★★★
Cuisson en braisé sans matière grasse : ★
Cuisson en friture : ★★★
Cuisson en meunière avec beurre doux : ★★★
Cuisson en meunière avec beurre salé : ★★★
Cuisson en meunière avec huile végétale : ★★★★
Cuisson en meunière avec margarine végétale non salée : ★★★
Cuisson en meunière avec margarine végétale salée : ★★★
Cuisson en meunière avec saindoux ou graisse d'oie ou de canard : ★★★
Cuisson en meunière sans matière grasse : ★
Cuisson en ragoût avec beurre doux : ★★★
Cuisson en ragoût avec beurre salé : ★★★
Cuisson en ragoût avec huile végétale : ★★★★
Cuisson en ragoût avec margarine végétale non salée : ★★★
Cuisson en ragoût avec margarine végétale salée : ★★★
Cuisson en ragoût avec saindoux ou graisse d'oie ou de canard : ★★★
Cuisson en sauté (idem poêlée).
Cuisson vapeur : ★
Grillée : ★
Pierrade : ★
Poêlée avec beurre doux : ★★★
Poêlée avec beurre salé : ★★★
Poêlée avec huile végétale : ★★★★

Poêlée avec margarine végétale non salée : ★★★
Poêlée avec margarine végétale salée : ★★★
Poêlée avec saindoux ou graisse d'oie ou de canard : ★★★
Poêlée sans matière grasse : ★
Salée et fumée : ★★
Séchée : ★★
Surgelée : ★★
Remarque : n'hésitez pas à cuisiner avec de bonnes quantités d'huile végétale.

Crosne du Japon : plante potagère dont on consomme les rhizomes. Légume vert.
Conservé en saumure : ★★
Conservé sous vide : ★★
Consommation cru
Cuisson à l'étouffée avec beurre doux : ★★
Cuisson à l'étouffée avec beurre salé : ★★
Cuisson à l'étouffée avec huile végétale : ★★★
Cuisson à l'étouffée avec margarine végétale non salée : ★★
Cuisson à l'étouffée avec margarine végétale salée : ★★
Cuisson à l'étouffée avec saindoux ou graisse d'oie ou de canard : ★★
Cuisson à l'étouffée sans matière grasse : ★
Cuisson au court bouillon : ★
Cuisson en braisé avec beurre doux : ★★
Cuisson en braisé avec beurre salé : ★★
Cuisson en braisé avec huile végétale : ★★★
Cuisson en braisé avec margarine végétale non salée : ★★
Cuisson en braisé avec margarine végétale salée : ★★
Cuisson en braisé avec saindoux ou graisse d'oie ou de canard : ★★
Cuisson en braisé sans matière grasse : ★
Cuisson en friture : ★★
Cuisson en papillote : ★
Cuisson en ragoût avec beurre doux : ★★
Cuisson en ragoût avec beurre salé : ★★
Cuisson en ragoût avec huile végétale : ★★★
Cuisson en ragoût avec margarine végétale non salée : ★★
Cuisson en ragoût avec margarine végétale salée : ★★

Cuisson en ragoût avec saindoux ou graisse d'oie ou de canard :
★★
Cuisson en sauté (idem poêlé).
Cuisson vapeur : ★
Poêlé avec beurre doux : ★★
Poêlé avec beurre salé : ★★
Poêlé avec huile végétale : ★★★
Poêlé avec margarine végétale non salée : ★★
Poêlé avec margarine végétale salée : ★★
Poêlé avec saindoux ou graisse d'oie ou de canard : ★★
Poêlé sans matière grasse : ★
Potage crème : ★★★★
Potage nature sans matière grasse ajoutée
Potage velouté : ★★
Surgelé : ★★
Remarque : n'hésitez pas à cuisiner avec de bonnes quantités d'huile végétale.

Cuisse de grenouille : cuisse de grenouille comestible.
Conservée par le sel : ★★
Conservée sous vide : ★★
Consommation crue
Cuisson à la milanaise avec beurre doux : ★★★
Cuisson à la milanaise avec beurre salé : ★★★
Cuisson à la milanaise avec huile végétale : ★★★★
Cuisson à la milanaise avec margarine végétale non salée : ★★★
Cuisson à la milanaise avec margarine végétale salée : ★★★
Cuisson à la milanaise avec saindoux ou graisse d'oie ou de canard : ★★★
Cuisson à la milanaise sans matière grasse : ★
Cuisson à l'étouffée avec beurre doux : ★★★
Cuisson à l'étouffée avec beurre salé : ★★★
Cuisson à l'étouffée avec huile végétale : ★★★★
Cuisson à l'étouffée avec margarine végétale non salée : ★★★
Cuisson à l'étouffée avec margarine végétale salée : ★★★
Cuisson à l'étouffée avec saindoux ou graisse d'oie ou de canard : ★★★
Cuisson à l'étouffée sans matière grasse : ★
Cuisson au court bouillon : ★

Cuisse de grenouille

Cuisson en braisé avec beurre doux : ★ ★ ★
Cuisson en braisé avec beurre salé : ★ ★ ★
Cuisson en braisé avec huile végétale : ★ ★ ★ ★
Cuisson en braisé avec margarine végétale non salée : ★ ★ ★
Cuisson en braisé avec margarine végétale salée : ★ ★ ★
Cuisson en braisé avec saindoux ou graisse d'oie ou de canard :
★ ★ ★
Cuisson en braisé sans matière grasse : ★
Cuisson en friture : ★ ★ ★
Cuisson en meunière avec beurre doux : ★ ★ ★
Cuisson en meunière avec beurre salé : ★ ★ ★
Cuisson en meunière avec huile végétale : ★ ★ ★ ★
Cuisson en meunière avec margarine végétale non salée : ★ ★ ★
Cuisson en meunière avec margarine végétale salée : ★ ★ ★
*Cuisson en meunière avec saindoux ou graisse d'oie ou de
canard :* ★ ★ ★
Cuisson en meunière sans matière grasse : ★
Cuisson en ragoût avec beurre doux : ★ ★ ★
Cuisson en ragoût avec beurre salé : ★ ★ ★
Cuisson en ragoût avec huile végétale : ★ ★ ★ ★
Cuisson en ragoût avec margarine végétale non salée : ★ ★ ★
Cuisson en ragoût avec margarine végétale salée : ★ ★ ★
Cuisson en ragoût avec saindoux ou graisse d'oie ou de canard :
★ ★ ★
Cuisson en sauté (idem poêlée).
Cuisson rôtie au four avec beurre doux : ★ ★ ★
Cuisson rôtie au four avec beurre salé : ★ ★ ★
Cuisson rôtie au four avec huile végétale : ★ ★ ★
Cuisson rôtie au four avec margarine végétale non salée : ★ ★ ★
Cuisson rôtie au four avec margarine végétale salée : ★ ★ ★
*Cuisson rôtie au four avec saindoux ou graisse d'oie ou de
canard :* ★ ★ ★
Cuisson rôtie au four sans matière grasse ajoutée : ★ ★ ★
Cuisson vapeur : ★
Grillée : ★
Pierrade : ★
Poêlée avec beurre doux : ★ ★ ★
Poêlée avec beurre salé : ★ ★ ★
Poêlée avec huile végétale : ★ ★ ★ ★
Poêlée avec margarine végétale non salée : ★ ★ ★

Poêlée avec margarine végétale salée : ★ ★ ★
Poêlée avec saindoux ou graisse d'oie ou de canard : ★ ★ ★
Poêlée sans matière grasse : ★
Salée et fumée : ★ ★
Séchée : ★ ★
Surgelée : ★ ★
Remarque : n'hésitez pas à cuisiner avec de bonnes quantités d'huile végétale.

Culotte de bœuf : voir « Bœuf (viande de) ».

Culotte de veau : voir « Veau (viande de) ».

Cyprin : poisson d'eau douce à chair blanche.
Conservé par le sel : ★ ★
Conservé sous vide : ★ ★
Consommation cru
Cuisson à la milanaise avec beurre doux : ★ ★ ★
Cuisson à la milanaise avec beurre salé : ★ ★ ★
Cuisson à la milanaise avec huile végétale : ★ ★ ★ ★
Cuisson à la milanaise avec margarine végétale non salée : ★ ★ ★
Cuisson à la milanaise avec margarine végétale salée : ★ ★ ★
Cuisson à la milanaise avec saindoux ou graisse d'oie ou de canard : ★ ★ ★
Cuisson à la milanaise sans matière grasse : ★
Cuisson à l'étouffée avec beurre doux : ★ ★ ★
Cuisson à l'étouffée avec beurre salé : ★ ★ ★
Cuisson à l'étouffée avec huile végétale : ★ ★ ★ ★
Cuisson à l'étouffée avec margarine végétale non salée : ★ ★ ★
Cuisson à l'étouffée avec margarine végétale salée : ★ ★ ★
Cuisson à l'étouffée avec saindoux ou graisse d'oie ou de canard : ★ ★ ★
Cuisson à l'étouffée sans matière grasse : ★
Cuisson au court bouillon : ★
Cuisson en braisé avec beurre doux : ★ ★ ★
Cuisson en braisé avec beurre salé : ★ ★ ★
Cuisson en braisé avec huile végétale : ★ ★ ★ ★
Cuisson en braisé avec margarine végétale non salée : ★ ★ ★
Cuisson en braisé avec margarine végétale salée : ★ ★ ★

Cyprin

Cuisson en braisé avec saindoux ou graisse d'oie ou de canard : ★★★

Cuisson en braisé sans matière grasse : ★

Cuisson en friture : ★★★

Cuisson en meunière avec beurre doux : ★★★

Cuisson en meunière avec beurre salé : ★★★

Cuisson en meunière avec huile végétale : ★★★★

Cuisson en meunière avec margarine végétale non salée : ★★★

Cuisson en meunière avec margarine végétale salée : ★★★

Cuisson en meunière avec saindoux ou graisse d'oie ou de canard : ★★★

Cuisson en meunière sans matière grasse : ★

Cuisson en sauté (idem poêlé).

Cuisson rôti à la broche : ★

Cuisson rôti au four avec beurre doux : ★★★

Cuisson rôti au four avec beurre salé : ★★★

Cuisson rôti au four avec huile végétale : ★★★

Cuisson rôti au four avec margarine végétale non salée : ★★★

Cuisson rôti au four avec margarine végétale salée : ★★★

Cuisson rôti au four avec saindoux ou graisse d'oie ou de canard : ★★★

Cuisson rôti au four sans matière grasse ajoutée : ★★★

Cuisson vapeur : ★

Grillé : ★

Pierrade : ★

Poêlé avec beurre doux : ★★★

Poêlé avec beurre salé : ★★★

Poêlé avec huile végétale : ★★★★

Poêlé avec margarine végétale non salée : ★★★

Poêlé avec margarine végétale salée : ★★★

Poêlé avec saindoux ou graisse d'oie ou de canard : ★★★

Poêlé sans matière grasse : ★

Salé et fumé : ★★

Séché : ★★

Surgelé : ★★

Remarque : n'hésitez pas à cuisiner avec de bonnes quantités d'huile végétale.

$\mathcal{D}$

Daim (viande de) : gibier dont on consomme la viande. Viande rouge.

Conservée par le sel : ★★
Conservée sous vide : ★★
Consommation crue
Cuisson à la milanaise avec beurre doux : ★★★
Cuisson à la milanaise avec beurre salé : ★★★
Cuisson à la milanaise avec huile végétale : ★★★★
Cuisson à la milanaise avec margarine végétale non salée : ★★★
Cuisson à la milanaise avec margarine végétale salée : ★★★
Cuisson à la milanaise avec saindoux ou graisse d'oie ou de canard : ★★★
Cuisson à la milanaise sans matière grasse : ★
Cuisson à l'étouffée avec beurre doux : ★★★
Cuisson à l'étouffée avec beurre salé : ★★★
Cuisson à l'étouffée avec huile végétale : ★★★★
Cuisson à l'étouffée avec margarine végétale non salée : ★★★
Cuisson à l'étouffée avec margarine végétale salée : ★★★
Cuisson à l'étouffée avec saindoux ou graisse d'oie ou de canard : ★★★
Cuisson à l'étouffée sans matière grasse : ★
Cuisson au court bouillon : ★
Cuisson en braisé avec beurre doux : ★★★
Cuisson en braisé avec beurre salé : ★★★
Cuisson en braisé avec huile végétale : ★★★★
Cuisson en braisé avec margarine végétale non salée : ★★★
Cuisson en braisé avec margarine végétale salée : ★★★
Cuisson en braisé avec saindoux ou graisse d'oie ou de canard : ★★★
Cuisson en braisé sans matière grasse : ★
Cuisson en friture : ★★★
Cuisson en meunière avec beurre doux : ★★★
Cuisson en meunière avec beurre salé : ★★★
Cuisson en meunière avec huile végétale : ★★★★

Daim (viande de)

Cuisson en meunière avec margarine végétale non salée : ★★★
Cuisson en meunière avec margarine végétale salée : ★★★
Cuisson en meunière avec saindoux ou graisse d'oie ou de canard : ★★★
Cuisson en meunière sans matière grasse : ★
Cuisson en ragoût avec beurre doux : ★★★
Cuisson en ragoût avec beurre salé : ★★★
Cuisson en ragoût avec huile végétale : ★★★★
Cuisson en ragoût avec margarine végétale non salée : ★★★
Cuisson en ragoût avec margarine végétale salée : ★★★
Cuisson en ragoût avec saindoux ou graisse d'oie ou de canard : ★★★
Cuisson en sauté (idem poêlée).
Cuisson rôtie à la broche : ★
Cuisson rôtie au four avec beurre doux : ★★★
Cuisson rôtie au four avec beurre salé : ★★★
Cuisson rôtie au four avec huile végétale : ★★★
Cuisson rôtie au four avec margarine végétale non salée : ★★★
Cuisson rôtie au four avec margarine végétale salée : ★★★
Cuisson rôtie au four avec saindoux ou graisse d'oie ou de canard : ★★★
Cuisson rôtie au four sans matière grasse ajoutée : ★★★
Cuisson vapeur : ★
Faisandée : ★★
Grillée : ★
Pierrade : ★
Poêlée avec beurre doux : ★★★
Poêlée avec beurre salé : ★★★
Poêlée avec huile végétale : ★★★★
Poêlée avec margarine végétale non salée : ★★★
Poêlée avec margarine végétale salée : ★★★
Poêlée avec saindoux ou graisse d'oie ou de canard : ★★★
Poêlée sans matière grasse : ★
Salée et fumée : ★★
Séchée : ★★
Surgelée : ★★

Remarque : n'hésitez pas à cuisiner avec de bonnes quantités d'huile végétale.

Datte : fruit du dattier. Fruit exotique.
A l'anglaise : ★★★★
Au sirop : ★★★★
Au sirop léger : ★★★
Confite : ★★★★
Conserve au naturel : ★★
Conservée dans l'alcool : ★★★
Conservée sous vide : ★★
Consommation crue : ★★
En beignet : ★★★
En compote (avec sucre ajouté) : ★★
En compote sans sucre ajouté : ★★
En confiture : ★★★★
En confiture allégée en sucre : ★★★
En confiture sans sucre : ★
Fraîchement récoltée : ★★
Pochée sans sucre : ★
Séchée : ★★★★
Surgelée : ★★

Daube : voir « Bœuf (viande de) » section *Cuisson à l'étouffée.*

Daurade : poisson marin à chair blanche.
Conservée par le sel : ★★
Conservée sous vide : ★★
Consommation crue
Cuisson à la milanaise avec beurre doux : ★★★
Cuisson à la milanaise avec beurre salé : ★★★
Cuisson à la milanaise avec huile végétale : ★★★★
Cuisson à la milanaise avec margarine végétale non salée : ★★★
Cuisson à la milanaise avec margarine végétale salée : ★★★
Cuisson à la milanaise avec saindoux ou graisse d'oie ou de canard : ★★★
Cuisson à la milanaise sans matière grasse : ★
Cuisson à l'étouffée avec beurre doux : ★★★
Cuisson à l'étouffée avec beurre salé : ★★★
Cuisson à l'étouffée avec huile végétale : ★★★★
Cuisson à l'étouffée avec margarine végétale non salée : ★★★
Cuisson à l'étouffée avec margarine végétale salée : ★★★

Daurade

Cuisson à l'étouffée avec saindoux ou graisse d'oie ou de canard : ★★★
Cuisson à l'étouffée sans matière grasse : ★
Cuisson au court bouillon : ★
Cuisson en braisé avec beurre doux : ★★★
Cuisson en braisé avec beurre salé : ★★★
Cuisson en braisé avec huile végétale : ★★★★
Cuisson en braisé avec margarine végétale non salée : ★★★
Cuisson en braisé avec margarine végétale salée : ★★★
Cuisson en braisé avec saindoux ou graisse d'oie ou de canard : ★★★
Cuisson en braisé sans matière grasse : ★
Cuisson en friture : ★★★
Cuisson en meunière avec beurre doux : ★★★
Cuisson en meunière avec beurre salé : ★★★
Cuisson en meunière avec huile végétale : ★★★★
Cuisson en meunière avec margarine végétale non salée : ★★★
Cuisson en meunière avec margarine végétale salée : ★★★
Cuisson en meunière avec saindoux ou graisse d'oie ou de canard : ★★★
Cuisson en meunière sans matière grasse : ★
Cuisson en sauté (idem poêlée).
Cuisson rôtie à la broche : ★
Cuisson rôtie au four avec beurre doux : ★★★
Cuisson rôtie au four avec beurre salé : ★★★
Cuisson rôtie au four avec huile végétale : ★★★
Cuisson rôtie au four avec margarine végétale non salée : ★★★
Cuisson rôtie au four avec margarine végétale salée : ★★★
Cuisson rôtie au four avec saindoux ou graisse d'oie ou de canard : ★★★
Cuisson rôtie au four sans matière grasse ajoutée : ★★★
Cuisson vapeur : ★
Grillée : ★
Pierrade : ★
Poêlée avec beurre doux : ★★★
Poêlée avec beurre salé : ★★★
Poêlée avec huile végétale : ★★★★
Poêlée avec margarine végétale non salée : ★★★
Poêlée avec margarine végétale salée : ★★★
Poêlée avec saindoux ou graisse d'oie ou de canard : ★★★

Poêlée sans matière grasse : ★
Salée et fumée : ★★
Séchée : ★★
Surgelée : ★★
Remarque : n'hésitez pas à cuisiner avec de bonnes quantités d'huile végétale.

Dinde : volaille à chair blanche.
Conservée par le sel : ★★
Conservée sous vide : ★★
Consommation crue
Cuisson à la milanaise avec beurre doux : ★★★
Cuisson à la milanaise avec beurre salé : ★★★
Cuisson à la milanaise avec huile végétale : ★★★★
Cuisson à la milanaise avec margarine végétale non salée : ★★★
Cuisson à la milanaise avec margarine végétale salée : ★★★
Cuisson à la milanaise avec saindoux ou graisse d'oie ou de canard : ★★★
Cuisson à la milanaise sans matière grasse : ★
Cuisson à l'étouffée avec beurre doux : ★★★
Cuisson à l'étouffée avec beurre salé : ★★★
Cuisson à l'étouffée avec huile végétale : ★★★★
Cuisson à l'étouffée avec margarine végétale non salée : ★★★
Cuisson à l'étouffée avec margarine végétale salée : ★★★
Cuisson à l'étouffée avec saindoux ou graisse d'oie ou de canard : ★★★
Cuisson à l'étouffée sans matière grasse : ★
Cuisson au court bouillon : ★
Cuisson en braisé avec beurre doux : ★★★
Cuisson en braisé avec beurre salé : ★★★
Cuisson en braisé avec huile végétale : ★★★★
Cuisson en braisé avec margarine végétale non salée : ★★★
Cuisson en braisé avec margarine végétale salée : ★★★
Cuisson en braisé avec saindoux ou graisse d'oie ou de canard : ★★★
Cuisson en braisé sans matière grasse : ★
Cuisson en friture : ★★★
Cuisson en meunière avec beurre doux : ★★★
Cuisson en meunière avec beurre salé : ★★★

Dinde - Dindon

Cuisson en meunière avec huile végétale : ★★★★
Cuisson en meunière avec margarine végétale non salée : ★★★
Cuisson en meunière avec margarine végétale salée : ★★★
Cuisson en meunière avec saindoux ou graisse d'oie ou de canard : ★★★
Cuisson en meunière sans matière grasse : ★
Cuisson en ragoût avec beurre doux : ★★★
Cuisson en ragoût avec beurre salé : ★★★
Cuisson en ragoût avec huile végétale : ★★★★
Cuisson en ragoût avec margarine végétale non salée : ★★★
Cuisson en ragoût avec margarine végétale salée : ★★★
Cuisson en ragoût avec saindoux ou graisse d'oie ou de canard : ★★★
Cuisson en sauté (idem poêlée).
Cuisson rôtie à la broche : ★
Cuisson rôtie au four avec beurre doux : ★★★
Cuisson rôtie au four avec beurre salé : ★★★
Cuisson rôtie au four avec huile végétale : ★★★
Cuisson rôtie au four avec margarine végétale non salée : ★★★
Cuisson rôtie au four avec margarine végétale salée : ★★★
Cuisson rôtie au four avec saindoux ou graisse d'oie ou de canard : ★★★
Cuisson rôtie au four sans matière grasse ajoutée : ★★★
Cuisson vapeur : ★
Grillée : ★
Pierrade : ★
Poêlée avec beurre doux : ★★★
Poêlée avec beurre salé : ★★★
Poêlée avec huile végétale : ★★★★
Poêlée avec margarine végétale non salée : ★★★
Poêlée avec margarine végétale salée : ★★★
Poêlée avec saindoux ou graisse d'oie ou de canard : ★★★
Poêlée sans matière grasse : ★
Salée et fumée : ★★
Séchée : ★★
Surgelée : ★★
Remarque : n'hésitez pas à cuisiner avec de bonnes quantités d'huile végétale.

Dindon : voir « Dinde ».

Dindonneau (rôti de) : voir « Dinde ».

Dolique (gousse jeune) : plante ressemblant au haricot qui pousse dans les régions tropicales. Légume vert.
Conservée en saumure : ★★
Conservée sous vide : ★★
Consommation crue
Cuisson à l'étouffée avec beurre doux : ★★
Cuisson à l'étouffée avec beurre salé : ★★
Cuisson à l'étouffée avec huile végétale : ★★★
Cuisson à l'étouffée avec margarine végétale non salée : ★★
Cuisson à l'étouffée avec margarine végétale salée : ★★
Cuisson à l'étouffée avec saindoux ou graisse d'oie ou de canard : ★★
Cuisson à l'étouffée sans matière grasse : ★
Cuisson au court bouillon : ★
Cuisson en braisé avec beurre doux : ★★
Cuisson en braisé avec beurre salé : ★★
Cuisson en braisé avec huile végétale : ★★★
Cuisson en braisé avec margarine végétale non salée : ★★
Cuisson en braisé avec margarine végétale salée : ★★
Cuisson en braisé avec saindoux ou graisse d'oie ou de canard : ★★
Cuisson en braisé sans matière grasse : ★
Cuisson en friture : ★★
Cuisson en papillote : ★
Cuisson en ragoût avec beurre doux : ★★
Cuisson en ragoût avec beurre salé : ★★
Cuisson en ragoût avec huile végétale : ★★★
Cuisson en ragoût avec margarine végétale non salée : ★★
Cuisson en ragoût avec margarine végétale salée : ★★
Cuisson en ragoût avec saindoux ou graisse d'oie ou de canard : ★★
Cuisson en sauté (idem poêlée).
Cuisson vapeur : ★
Poêlée avec beurre doux : ★★
Poêlée avec beurre salé : ★★
Poêlée avec huile végétale : ★★★
Poêlée avec margarine végétale non salée : ★★
Poêlée avec margarine végétale salée : ★★

Poêlée avec saindoux ou graisse d'oie ou de canard : ★★
Poêlée sans matière grasse : ★
Potage crème : ★★★★
Potage nature sans matière grasse ajoutée
Potage velouté : ★★
Surgelée : ★★
Remarque : n'hésitez pas à cuisiner avec de bonnes quantités d'huile végétale. Modérez fortement votre consommation de légumes verts car ils sont presque acaloriques.

Dolique (graine) : voir « Haricot sec ».

Donax : voir « Palourde ».

Doré : poisson d'eau douce très semblable au sandre.
Conservé par le sel : ★★
Conservé sous vide : ★★
Consommation cru
Cuisson à la milanaise avec beurre doux : ★★★
Cuisson à la milanaise avec beurre salé : ★★★
Cuisson à la milanaise avec huile végétale : ★★★★
Cuisson à la milanaise avec margarine végétale non salée : ★★★
Cuisson à la milanaise avec margarine végétale salée : ★★★
Cuisson à la milanaise avec saindoux ou graisse d'oie ou de canard : ★★★
Cuisson à la milanaise sans matière grasse : ★
Cuisson à l'étouffée avec beurre doux : ★★★
Cuisson à l'étouffée avec beurre salé : ★★★
Cuisson à l'étouffée avec huile végétale : ★★★★
Cuisson à l'étouffée avec margarine végétale non salée : ★★★
Cuisson à l'étouffée avec margarine végétale salée : ★★★
Cuisson à l'étouffée avec saindoux ou graisse d'oie ou de canard : ★★★
Cuisson à l'étouffée sans matière grasse : ★
Cuisson au court bouillon : ★
Cuisson en braisé avec beurre doux : ★★★
Cuisson en braisé avec beurre salé : ★★★
Cuisson en braisé avec huile végétale : ★★★★

Cuisson en braisé avec margarine végétale non salée : ★★★
Cuisson en braisé avec margarine végétale salée : ★★★
Cuisson en braisé avec saindoux ou graisse d'oie ou de canard : ★★★
Cuisson en braisé sans matière grasse : ★
Cuisson en friture : ★★★
Cuisson en meunière avec beurre doux : ★★★
Cuisson en meunière avec beurre salé : ★★★
Cuisson en meunière avec huile végétale : ★★★★
Cuisson en meunière avec margarine végétale non salée : ★★★
Cuisson en meunière avec margarine végétale salée : ★★★
Cuisson en meunière avec saindoux ou graisse d'oie ou de canard : ★★★
Cuisson en meunière sans matière grasse : ★
Cuisson en sauté (idem poêlé).
Cuisson rôti à la broche : ★
Cuisson rôti au four avec beurre doux : ★★★
Cuisson rôti au four avec beurre salé : ★★★
Cuisson rôti au four avec huile végétale : ★★★
Cuisson rôti au four avec margarine végétale non salée : ★★★
Cuisson rôti au four avec margarine végétale salée : ★★★
Cuisson rôti au four avec saindoux ou graisse d'oie ou de canard : ★★★
Cuisson rôti au four sans matière grasse ajoutée : ★★★
Cuisson vapeur : ★
Grillé : ★
Pierrade : ★
Poêlé avec beurre doux : ★★★
Poêlé avec beurre salé : ★★★
Poêlé avec huile végétale : ★★★★
Poêlé avec margarine végétale non salée : ★★★
Poêlé avec margarine végétale salée : ★★★
Poêlé avec saindoux ou graisse d'oie ou de canard : ★★★
Poêlé sans matière grasse : ★
Salé et fumé : ★★
Séché : ★★
Surgelé : ★★
Remarque : n'hésitez pas à cuisiner avec de bonnes quantités d'huile végétale.

Dorée : voir « Saint-pierre ».

Durian : fruit exotique provenant d'Asie.
A l'anglaise :
A l'anglaise : ★★★★
Au sirop : ★★★★
Au sirop léger : ★★★
Confit : ★★★★
Conserve au naturel : ★★
Conservé dans l'alcool : ★★★
Conservé sous vide : ★★
Consommation cru : ★★
En beignet : ★★★
En compote (avec sucre ajouté) : ★★
En compote sans sucre ajouté : ★★
En confiture : ★★★★
En confiture allégée en sucre : ★★★
En confiture sans sucre : ★
Fraîchement récolté : ★★
Poché sans sucre : ★
Séché : ★★★★
Surgelé : ★★

Œ

Echalote : plante potagère voisine de l'oignon cultivée pour son bulbe. Légume vert.
Conservée dans le vinaigre : ★★
Conservée en saumure : ★★
Conservée sous vide : ★★
Consommation crue : ★★
Consommation cuite : ★★
Déshydratée : ★★
Fraîchement récoltée : ★★
Surgelée : ★★

Echine de bœuf : voir « Bœuf (viande de) ».

Echine de porc : voir « Porc (viande de) ».

Ecrevisse : crustacé d'eau douce apprécié pour sa chair.
Conservée en saumure : ★★
Conservée sous vide : ★★
Consommation crue
Cuisson à la milanaise avec beurre doux : ★★★
Cuisson à la milanaise avec beurre salé : ★★★
Cuisson à la milanaise avec huile végétale : ★★★★
Cuisson à la milanaise avec margarine végétale non salée : ★★★
Cuisson à la milanaise avec margarine végétale salée : ★★★
Cuisson à la milanaise avec saindoux ou graisse d'oie ou de canard : ★★★
Cuisson à la milanaise sans matière grasse : ★
Cuisson à l'étouffée avec beurre doux : ★★★
Cuisson à l'étouffée avec beurre salé : ★★★
Cuisson à l'étouffée avec huile végétale : ★★★★
Cuisson à l'étouffée avec margarine végétale non salée : ★★★
Cuisson à l'étouffée avec margarine végétale salée : ★★★
Cuisson à l'étouffée avec saindoux ou graisse d'oie ou de canard : ★★★
Cuisson à l'étouffée sans matière grasse : ★
Cuisson au court bouillon : ★
Cuisson en braisé avec beurre doux : ★★★
Cuisson en braisé avec beurre salé : ★★★
Cuisson en braisé avec huile végétale : ★★★★
Cuisson en braisé avec margarine végétale non salée : ★★★
Cuisson en braisé avec margarine végétale salée : ★★★
Cuisson en braisé avec saindoux ou graisse d'oie ou de canard : ★★★
Cuisson en braisé sans matière grasse : ★
Cuisson en friture : ★★★
Cuisson en meunière avec beurre doux : ★★★
Cuisson en meunière avec beurre salé : ★★★
Cuisson en meunière avec huile végétale : ★★★★
Cuisson en meunière avec margarine végétale non salée : ★★★
Cuisson en meunière avec margarine végétale salée : ★★★

Cuisson en meunière avec saindoux ou graisse d'oie ou de canard : ★★★
Cuisson en meunière sans matière grasse : ★
Cuisson en ragoût avec beurre doux : ★★★
Cuisson en ragoût avec beurre salé : ★★★
Cuisson en ragoût avec huile végétale : ★★★★
Cuisson en ragoût avec margarine végétale non salée : ★★★
Cuisson en ragoût avec margarine végétale salée : ★★★
Cuisson en ragoût avec saindoux ou graisse d'oie ou de canard : ★★★
Cuisson en sauté (idem poêlée).
Cuisson vapeur : ★
Grillée : ★
Pierrade : ★
Poêlée avec beurre doux : ★★★
Poêlée avec beurre salé : ★★★
Poêlée avec huile végétale : ★★★★
Poêlée avec margarine végétale non salée : ★★★
Poêlée avec margarine végétale salée : ★★★
Poêlée avec saindoux ou graisse d'oie ou de canard : ★★★
Poêlée sans matière grasse : ★
Surgelée : ★★
Remarque : n'hésitez pas à cuisiner avec de bonnes quantités d'huile végétale.

Eglefin : poisson marin à chair blanche.
Conservé par le sel : ★★
Conservé sous vide : ★★
Consommation cru
Cuisson à la milanaise avec beurre doux : ★★★
Cuisson à la milanaise avec beurre salé : ★★★
Cuisson à la milanaise avec huile végétale : ★★★★
Cuisson à la milanaise avec margarine végétale non salée : ★★★
Cuisson à la milanaise avec margarine végétale salée : ★★★
Cuisson à la milanaise avec saindoux ou graisse d'oie ou de canard : ★★★
Cuisson à la milanaise sans matière grasse : ★
Cuisson à l'étouffée avec beurre doux : ★★★
Cuisson à l'étouffée avec beurre salé : ★★★

Cuisson à l'étouffée avec huile végétale : ★★★★
Cuisson à l'étouffée avec margarine végétale non salée : ★★★
Cuisson à l'étouffée avec margarine végétale salée : ★★★
Cuisson à l'étouffée avec saindoux ou graisse d'oie ou de canard : ★★★
Cuisson à l'étouffée sans matière grasse : ★
Cuisson au court bouillon : ★
Cuisson en braisé avec beurre doux : ★★★
Cuisson en braisé avec beurre salé : ★★★
Cuisson en braisé avec huile végétale : ★★★★
Cuisson en braisé avec margarine végétale non salée : ★★★
Cuisson en braisé avec margarine végétale salée : ★★★
Cuisson en braisé avec saindoux ou graisse d'oie ou de canard : ★★★
Cuisson en braisé sans matière grasse : ★
Cuisson en friture : ★★★
Cuisson en meunière avec beurre doux : ★★★
Cuisson en meunière avec beurre salé : ★★★
Cuisson en meunière avec huile végétale : ★★★★
Cuisson en meunière avec margarine végétale non salée : ★★★
Cuisson en meunière avec margarine végétale salée : ★★★
Cuisson en meunière avec saindoux ou graisse d'oie ou de canard : ★★★
Cuisson en meunière sans matière grasse : ★
Cuisson en sauté (idem poêlé).
Cuisson rôti à la broche : ★
Cuisson rôti au four avec beurre doux : ★★★
Cuisson rôti au four avec beurre salé : ★★★
Cuisson rôti au four avec huile végétale : ★★★
Cuisson rôti au four avec margarine végétale non salée : ★★★
Cuisson rôti au four avec margarine végétale salée : ★★★
Cuisson rôti au four avec saindoux ou graisse d'oie ou de canard : ★★★
Cuisson rôti au four sans matière grasse ajoutée : ★★★
Cuisson vapeur : ★
Grillé : ★
Pierrade : ★
Poêlé avec beurre doux : ★★★
Poêlé avec beurre salé : ★★★
Poêlé avec huile végétale : ★★★★

Poêlé avec margarine végétale non salée : ★★★
Poêlé avec margarine végétale salée : ★★★
Poêlé avec saindoux ou graisse d'oie ou de canard : ★★★
Poêlé sans matière grasse : ★
Salé et fumé : ★★
Séché : ★★
Surgelé : ★★

Remarque : n'hésitez pas à cuisiner avec de bonnes quantités d'huile végétale.

Emissole : petit requin comestible, à chair blanche.
Conservé par le sel : ★★
Conservé sous vide : ★★
Consommation cru
Cuisson à la milanaise avec beurre doux : ★★★
Cuisson à la milanaise avec beurre salé : ★★★
Cuisson à la milanaise avec huile végétale : ★★★★
Cuisson à la milanaise avec margarine végétale non salée : ★★★
Cuisson à la milanaise avec margarine végétale salée : ★★★
Cuisson à la milanaise avec saindoux ou graisse d'oie ou de canard : ★★★
Cuisson à la milanaise sans matière grasse : ★
Cuisson à l'étouffée avec beurre doux : ★★★
Cuisson à l'étouffée avec beurre salé : ★★★
Cuisson à l'étouffée avec huile végétale : ★★★★
Cuisson à l'étouffée avec margarine végétale non salée : ★★★
Cuisson à l'étouffée avec margarine végétale salée : ★★★
Cuisson à l'étouffée avec saindoux ou graisse d'oie ou de canard : ★★★
Cuisson à l'étouffée sans matière grasse : ★
Cuisson au court bouillon : ★
Cuisson en braisé avec beurre doux : ★★★
Cuisson en braisé avec beurre salé : ★★★
Cuisson en braisé avec huile végétale : ★★★★
Cuisson en braisé avec margarine végétale non salée : ★★★
Cuisson en braisé avec margarine végétale salée : ★★★
Cuisson en braisé avec saindoux ou graisse d'oie ou de canard : ★★★
Cuisson en braisé sans matière grasse : ★

Cuisson en friture : ★★★
Cuisson en meunière avec beurre doux : ★★★
Cuisson en meunière avec beurre salé : ★★★
Cuisson en meunière avec huile végétale : ★★★★
Cuisson en meunière avec margarine végétale non salée : ★★★
Cuisson en meunière avec margarine végétale salée : ★★★
Cuisson en meunière avec saindoux ou graisse d'oie ou de canard : ★★★
Cuisson en meunière sans matière grasse : ★
Cuisson en ragoût avec beurre doux : ★★★
Cuisson en ragoût avec beurre salé : ★★★
Cuisson en ragoût avec huile végétale : ★★★★
Cuisson en ragoût avec margarine végétale non salée : ★★★
Cuisson en ragoût avec margarine végétale salée : ★★★
Cuisson en ragoût avec saindoux ou graisse d'oie ou de canard : ★★★
Cuisson en sauté (idem poêlé).
Cuisson rôti à la broche : ★
Cuisson rôti au four avec beurre doux : ★★★
Cuisson rôti au four avec beurre salé : ★★★
Cuisson rôti au four avec huile végétale : ★★★
Cuisson rôti au four avec margarine végétale non salée : ★★★
Cuisson rôti au four avec margarine végétale salée : ★★★
Cuisson rôti au four avec saindoux ou graisse d'oie ou de canard : ★★★
Cuisson rôti au four sans matière grasse ajoutée : ★★★
Cuisson vapeur : ★
Grillé : ★
Pierrade : ★
Poêlé avec beurre doux : ★★★
Poêlé avec beurre salé : ★★★
Poêlé avec huile végétale : ★★★★
Poêlé avec margarine végétale non salée : ★★★
Poêlé avec margarine végétale salée : ★★★
Poêlé avec saindoux ou graisse d'oie ou de canard : ★★★
Poêlé sans matière grasse : ★
Salé et fumé : ★★
Séché : ★★
Surgelé : ★★

Empereur

Remarque : n'hésitez pas à cuisiner avec de bonnes quantités d'huile végétale.

Empereur : poisson marin à chair blanche.
Conservé par le sel : ★★
Conservé sous vide : ★★
Consommation cru
Cuisson à la milanaise avec beurre doux : ★★★
Cuisson à la milanaise avec beurre salé : ★★★
Cuisson à la milanaise avec huile végétale : ★★★★
Cuisson à la milanaise avec margarine végétale non salée : ★★★
Cuisson à la milanaise avec margarine végétale salée : ★★★
Cuisson à la milanaise avec saindoux ou graisse d'oie ou de canard : ★★★
Cuisson à la milanaise sans matière grasse : ★
Cuisson à l'étouffée avec beurre doux : ★★★
Cuisson à l'étouffée avec beurre salé : ★★★
Cuisson à l'étouffée avec huile végétale : ★★★★
Cuisson à l'étouffée avec margarine végétale non salée : ★★★
Cuisson à l'étouffée avec margarine végétale salée : ★★★
Cuisson à l'étouffée avec saindoux ou graisse d'oie ou de canard : ★★★
Cuisson à l'étouffée sans matière grasse : ★
Cuisson au court bouillon : ★
Cuisson en braisé avec beurre doux : ★★★
Cuisson en braisé avec beurre salé : ★★★
Cuisson en braisé avec huile végétale : ★★★★
Cuisson en braisé avec margarine végétale non salée : ★★★
Cuisson en braisé avec margarine végétale salée : ★★★
Cuisson en braisé avec saindoux ou graisse d'oie ou de canard : ★★★
Cuisson en braisé sans matière grasse : ★
Cuisson en friture : ★★★
Cuisson en meunière avec beurre doux : ★★★
Cuisson en meunière avec beurre salé : ★★★
Cuisson en meunière avec huile végétale : ★★★★
Cuisson en meunière avec margarine végétale non salée : ★★★
Cuisson en meunière avec margarine végétale salée : ★★★

Cuisson en meunière avec saindoux ou graisse d'oie ou de canard : ★★★
Cuisson en meunière sans matière grasse : ★
Cuisson en sauté (idem poêlé).
Cuisson rôti à la broche : ★
Cuisson rôti au four avec beurre doux : ★★★
Cuisson rôti au four avec beurre salé : ★★★
Cuisson rôti au four avec huile végétale : ★★★
Cuisson rôti au four avec margarine végétale non salée : ★★★
Cuisson rôti au four avec margarine végétale salée : ★★★
Cuisson rôti au four avec saindoux ou graisse d'oie ou de canard : ★★★
Cuisson rôti au four sans matière grasse ajoutée : ★★★
Cuisson vapeur : ★
Grillé : ★
Pierrade : ★
Poêlé avec beurre doux : ★★★
Poêlé avec beurre salé : ★★★
Poêlé avec huile végétale : ★★★★
Poêlé avec margarine végétale non salée : ★★★
Poêlé avec margarine végétale salée : ★★★
Poêlé avec saindoux ou graisse d'oie ou de canard : ★★★
Poêlé sans matière grasse : ★
Salé et fumé : ★★
Séché : ★★
Surgelé : ★★
Remarque : n'hésitez pas à cuisiner avec de bonnes quantités d'huile végétale.

Encornet : voir « Calamar ».

Endive : bourgeon hypertrophié que l'on consomme en salade ou en légume. Légume vert.
Conservée en saumure : ★★
Conservée sous vide : ★★
Consommation crue : ★★
Cuisson à l'étouffée avec beurre doux : ★★
Cuisson à l'étouffée avec beurre salé : ★★
Cuisson à l'étouffée avec huile végétale : ★★★
Cuisson à l'étouffée avec margarine végétale non salée : ★★

Cuisson à l'étouffée avec margarine végétale salée : ★★
Cuisson à l'étouffée avec saindoux ou graisse d'oie ou de canard : ★★
Cuisson à l'étouffée sans matière grasse : ★
Cuisson au court bouillon : ★
Cuisson en braisé avec beurre doux : ★★
Cuisson en braisé avec beurre salé : ★★
Cuisson en braisé avec huile végétale : ★★★
Cuisson en braisé avec margarine végétale non salée : ★★
Cuisson en braisé avec margarine végétale salée : ★★
Cuisson en braisé avec saindoux ou graisse d'oie ou de canard : ★★
Cuisson en braisé sans matière grasse : ★
Cuisson en papillote : ★
Cuisson en sauté (idem poêlée).
Cuisson vapeur : ★
Poêlée avec beurre doux : ★★
Poêlée avec beurre salé : ★★
Poêlée avec huile végétale : ★★★
Poêlée avec margarine végétale non salée : ★★
Poêlée avec margarine végétale salée : ★★
Poêlée avec saindoux ou graisse d'oie ou de canard : ★★
Poêlée sans matière grasse : ★
Potage crème : ★★★★
Potage nature sans matière grasse ajoutée
Potage velouté : ★★
Surgelée : ★★

Remarque : n'hésitez pas à cuisiner avec de bonnes quantités d'huile végétale. Modérez fortement votre consommation de légumes verts car ils sont presque acaloriques.

Entrecôte : voir « Bœuf (viande de) ».

Epaule d'agneau : voir « Agneau (viande de) ».

Epaule de veau : voir « Veau (viande de) ».

Eperlan : poisson marin à chair blanche.
Conservé dans la saumure : ★★

Conservé dans l'huile : ★★★
Conservé par le sel : ★★
Conservé sous vide : ★★
Consommation cru
Cuisson à la milanaise avec beurre doux : ★★★
Cuisson à la milanaise avec beurre salé : ★★★
Cuisson à la milanaise avec huile végétale : ★★★★
Cuisson à la milanaise avec margarine végétale non salée : ★★★
Cuisson à la milanaise avec margarine végétale salée : ★★★
Cuisson à la milanaise avec saindoux ou graisse d'oie ou de canard : ★★★
Cuisson à la milanaise sans matière grasse : ★
Cuisson en friture : ★★★
Cuisson en sauté (idem poêlé).
Pierrade : ★
Poêlé avec beurre doux : ★★★
Poêlé avec beurre salé : ★★★
Poêlé avec huile végétale : ★★★★
Poêlé avec margarine végétale non salée : ★★★
Poêlé avec margarine végétale salée : ★★★
Poêlé avec saindoux ou graisse d'oie ou de canard : ★★★
Poêlé sans matière grasse : ★
Salé et fumé : ★★
Séché : ★★
Surgelé : ★★
Remarque : n'hésitez pas à cuisiner avec de bonnes quantités d'huile végétale.

Epigramme d'agneau : voir « Agneau (viande de) ».

Epinoche : petit poisson d'eau douce à chair blanche.
Conservée par le sel : ★★
Conservée sous vide : ★★
Consommation crue
Cuisson à la milanaise avec beurre doux : ★★★
Cuisson à la milanaise avec beurre salé : ★★★
Cuisson à la milanaise avec huile végétale : ★★★★
Cuisson à la milanaise avec margarine végétale non salée : ★★★

Epinoche - Epinochette

Cuisson à la milanaise avec margarine végétale salée : ★ ★ ★
Cuisson à la milanaise avec saindoux ou graisse d'oie ou de canard : ★ ★ ★
Cuisson à la milanaise sans matière grasse : ★
Cuisson en friture : ★ ★ ★
Cuisson en sauté (idem poêlée).
Pierrade : ★
Poêlée avec beurre doux : ★ ★ ★
Poêlée avec beurre salé : ★ ★ ★
Poêlée avec huile végétale : ★ ★ ★ ★
Poêlée avec margarine végétale non salée : ★ ★ ★
Poêlée avec margarine végétale salée : ★ ★ ★
Poêlée avec saindoux ou graisse d'oie ou de canard : ★ ★ ★
Poêlée sans matière grasse : ★
Salée et fumée : ★ ★
Séchée : ★ ★
Surgelée : ★ ★
Remarque : n'hésitez pas à cuisiner avec de bonnes quantités d'huile végétale.

Epinochette : petit poisson d'eau douce à chair blanche.
Conservée par le sel : ★ ★
Conservée sous vide : ★ ★
Consommation crue
Cuisson à la milanaise avec beurre doux : ★ ★ ★
Cuisson à la milanaise avec beurre salé : ★ ★ ★
Cuisson à la milanaise avec huile végétale : ★ ★ ★ ★
Cuisson à la milanaise avec margarine végétale non salée : ★ ★ ★
Cuisson à la milanaise avec margarine végétale salée : ★ ★ ★
Cuisson à la milanaise avec saindoux ou graisse d'oie ou de canard : ★ ★ ★
Cuisson à la milanaise sans matière grasse : ★
Cuisson en friture : ★ ★ ★
Cuisson en sauté (idem poêlée).
Pierrade : ★
Poêlée avec beurre doux : ★ ★ ★
Poêlée avec beurre salé : ★ ★ ★
Poêlée avec huile végétale : ★ ★ ★ ★
Poêlée avec margarine végétale non salée : ★ ★ ★

Poêlée avec margarine végétale salée : ★★★
Poêlée avec saindoux ou graisse d'oie ou de canard : ★★★
Poêlée sans matière grasse : ★
Salée et fumée : ★★
Séchée : ★★
Surgelée : ★★
Remarque : n'hésitez pas à cuisiner avec de bonnes quantités d'huile végétale.

Equille : petit poisson long marin à chair blanche.
Conservée par le sel : ★★
Conservée sous vide : ★★
Consommation crue
Cuisson à la milanaise avec beurre doux : ★★★
Cuisson à la milanaise avec beurre salé : ★★★
Cuisson à la milanaise avec huile végétale : ★★★★
Cuisson à la milanaise avec margarine végétale non salée : ★★★
Cuisson à la milanaise avec margarine végétale salée : ★★★
Cuisson à la milanaise avec saindoux ou graisse d'oie ou de canard : ★★★
Cuisson à la milanaise sans matière grasse : ★
Cuisson en beignet : ★★★
Cuisson en friture : ★★★
Cuisson en sauté (idem poêlée).
Pierrade : ★
Poêlée avec beurre doux : ★★★
Poêlée avec beurre salé : ★★★
Poêlée avec huile végétale : ★★★★
Poêlée avec margarine végétale non salée : ★★★
Poêlée avec margarine végétale salée : ★★★
Poêlée avec saindoux ou graisse d'oie ou de canard : ★★★
Poêlée sans matière grasse : ★
Salée et fumée : ★★
Séchée : ★★
Surgelée : ★★
Remarque : n'hésitez pas à cuisiner avec de bonnes quantités d'huile végétale.

Espadon : poisson gras des mers chaudes.
Conservé par le sel : ★★
Conservé sous vide : ★★
Consommation cru
Cuisson à la milanaise avec beurre doux : ★★★
Cuisson à la milanaise avec beurre salé : ★★★
Cuisson à la milanaise avec huile végétale : ★★★★
Cuisson à la milanaise avec margarine végétale non salée : ★★★
Cuisson à la milanaise avec margarine végétale salée : ★★★
Cuisson à la milanaise avec saindoux ou graisse d'oie ou de canard : ★★★
Cuisson à la milanaise sans matière grasse : ★
Cuisson à l'étouffée avec beurre doux : ★★★
Cuisson à l'étouffée avec beurre salé : ★★★
Cuisson à l'étouffée avec huile végétale : ★★★★
Cuisson à l'étouffée avec margarine végétale non salée : ★★★
Cuisson à l'étouffée avec margarine végétale salée : ★★★
Cuisson à l'étouffée avec saindoux ou graisse d'oie ou de canard : ★★★
Cuisson à l'étouffée sans matière grasse : ★
Cuisson au court bouillon : ★
Cuisson en braisé avec beurre doux : ★★★
Cuisson en braisé avec beurre salé : ★★★
Cuisson en braisé avec huile végétale : ★★★★
Cuisson en braisé avec margarine végétale non salée : ★★★
Cuisson en braisé avec margarine végétale salée : ★★★
Cuisson en braisé avec saindoux ou graisse d'oie ou de canard : ★★★
Cuisson en braisé sans matière grasse : ★
Cuisson en friture : ★★★
Cuisson en meunière avec beurre doux : ★★★
Cuisson en meunière avec beurre salé : ★★★
Cuisson en meunière avec huile végétale : ★★★★
Cuisson en meunière avec margarine végétale non salée : ★★★
Cuisson en meunière avec margarine végétale salée : ★★★
Cuisson en meunière avec saindoux ou graisse d'oie ou de canard : ★★★
Cuisson en meunière sans matière grasse : ★
Cuisson en ragoût avec beurre doux : ★★★

Cuisson en ragoût avec beurre salé : ★★★
Cuisson en ragoût avec huile végétale : ★★★★
Cuisson en ragoût avec margarine végétale non salée : ★★★
Cuisson en ragoût avec margarine végétale salée : ★★★
Cuisson en ragoût avec saindoux ou graisse d'oie ou de canard :
★★★
Cuisson en sauté (idem poêlé).
Cuisson rôti à la broche : ★
Cuisson rôti au four avec beurre doux : ★★★
Cuisson rôti au four avec beurre salé : ★★★
Cuisson rôti au four avec huile végétale : ★★★
Cuisson rôti au four avec margarine végétale non salée : ★★★
Cuisson rôti au four avec margarine végétale salée : ★★★
*Cuisson rôti au four avec saindoux ou graisse d'oie ou de
canard :* ★★★
Cuisson rôti au four sans matière grasse ajoutée : ★★★
Cuisson vapeur : ★
Grillé : ★
Pierrade : ★
Poêlé avec beurre doux : ★★★
Poêlé avec beurre salé : ★★★
Poêlé avec huile végétale : ★★★★
Poêlé avec margarine végétale non salée : ★★★
Poêlé avec margarine végétale salée : ★★★
Poêlé avec saindoux ou graisse d'oie ou de canard : ★★★
Poêlé sans matière grasse : ★
Salé et fumé : ★★
Séché : ★★
Surgelé : ★★
**Remarque : n'hésitez pas à cuisiner avec de bonnes
quantités d'huile végétale.**

Estragon : plante aromatique utilisée comme condiment.
Conservé sous vide : ★★
Consommation cru : ★★
Consommation cuit : ★★
Déshydraté : ★★
Fraîchement récolté : ★★
Surgelé : ★★

F

Faisan : oiseau gallinacé à chair estimée. Gibier.
Conservé par le sel : ★★
Conservé sous vide : ★★
Consommation cru
Cuisson à la milanaise avec beurre doux : ★★★
Cuisson à la milanaise avec beurre salé : ★★★
Cuisson à la milanaise avec huile végétale : ★★★★
Cuisson à la milanaise avec margarine végétale non salée : ★★★
Cuisson à la milanaise avec margarine végétale salée : ★★★
Cuisson à la milanaise avec saindoux ou graisse d'oie ou de canard : ★★★
Cuisson à la milanaise sans matière grasse : ★
Cuisson à l'étouffée avec beurre doux : ★★★
Cuisson à l'étouffée avec beurre salé : ★★★
Cuisson à l'étouffée avec huile végétale : ★★★★
Cuisson à l'étouffée avec margarine végétale non salée : ★★★
Cuisson à l'étouffée avec margarine végétale salée : ★★★
Cuisson à l'étouffée avec saindoux ou graisse d'oie ou de canard : ★★★
Cuisson à l'étouffée sans matière grasse : ★
Cuisson au court bouillon : ★
Cuisson en braisé avec beurre doux : ★★★
Cuisson en braisé avec beurre salé : ★★★
Cuisson en braisé avec huile végétale : ★★★★
Cuisson en braisé avec margarine végétale non salée : ★★★
Cuisson en braisé avec margarine végétale salée : ★★★
Cuisson en braisé avec saindoux ou graisse d'oie ou de canard : ★★★
Cuisson en braisé sans matière grasse : ★
Cuisson en friture : ★★★
Cuisson en meunière avec beurre doux : ★★★
Cuisson en meunière avec beurre salé : ★★★
Cuisson en meunière avec huile végétale : ★★★★
Cuisson en meunière avec margarine végétale non salée : ★★★

Cuisson en meunière avec margarine végétale salée : ★★★
Cuisson en meunière avec saindoux ou graisse d'oie ou de canard : ★★★
Cuisson en meunière sans matière grasse : ★
Cuisson en ragoût avec beurre doux : ★★★
Cuisson en ragoût avec beurre salé : ★★★
Cuisson en ragoût avec huile végétale : ★★★★
Cuisson en ragoût avec margarine végétale non salée : ★★★
Cuisson en ragoût avec margarine végétale salée : ★★★
Cuisson en ragoût avec saindoux ou graisse d'oie ou de canard : ★★★
Cuisson en sauté (idem poêlé).
Cuisson rôti à la broche : ★
Cuisson rôti au four avec beurre doux : ★★★
Cuisson rôti au four avec beurre salé : ★★★
Cuisson rôti au four avec huile végétale : ★★★
Cuisson rôti au four avec margarine végétale non salée : ★★★
Cuisson rôti au four avec margarine végétale salée : ★★★
Cuisson rôti au four avec saindoux ou graisse d'oie ou de canard : ★★★
Cuisson rôti au four sans matière grasse ajoutée : ★★★
Cuisson vapeur : ★
Faisandé : ★★
Grillé : ★
Pierrade : ★
Poêlé avec beurre doux : ★★★
Poêlé avec beurre salé : ★★★
Poêlé avec huile végétale : ★★★★
Poêlé avec margarine végétale non salée : ★★★
Poêlé avec margarine végétale salée : ★★★
Poêlé avec saindoux ou graisse d'oie ou de canard : ★★★
Poêlé sans matière grasse : ★
Salé et fumé : ★★
Séché : ★★
Surgelé : ★★
Remarque : n'hésitez pas à cuisiner avec de bonnes quantités d'huile végétale.

Faux-filet : voir « Bœuf (viande de) ».

Fenouil

Fenouil : plante aromatique potagère dont on consomme la base des pétioles charnus. Légume vert.
Conservé en saumure : ★★
Conservé sous vide : ★★
Consommation cru : ★★
Cuisson à la milanaise avec beurre doux : ★★
Cuisson à la milanaise avec beurre salé : ★★
Cuisson à la milanaise avec huile végétale : ★★★
Cuisson à la milanaise avec margarine végétale non salée : ★★
Cuisson à la milanaise avec margarine végétale salée : ★★
Cuisson à la milanaise avec saindoux ou graisse d'oie ou de canard : ★★
Cuisson à la milanaise sans matière grasse : ★
Cuisson à l'étouffée avec beurre doux : ★★
Cuisson à l'étouffée avec beurre salé : ★★
Cuisson à l'étouffée avec huile végétale : ★★★
Cuisson à l'étouffée avec margarine végétale non salée : ★★
Cuisson à l'étouffée avec margarine végétale salée : ★★
Cuisson à l'étouffée avec saindoux ou graisse d'oie ou de canard : ★★
Cuisson à l'étouffée sans matière grasse : ★
Cuisson au court bouillon : ★
Cuisson en braisé avec beurre doux : ★★
Cuisson en braisé avec beurre salé : ★★
Cuisson en braisé avec huile végétale : ★★★
Cuisson en braisé avec margarine végétale non salée : ★★
Cuisson en braisé avec margarine végétale salée : ★★
Cuisson en braisé avec saindoux ou graisse d'oie ou de canard : ★★
Cuisson en braisé sans matière grasse : ★
Cuisson en friture : ★★
Cuisson en meunière avec beurre doux : ★★
Cuisson en meunière avec beurre salé : ★★
Cuisson en meunière avec huile végétale : ★★★
Cuisson en meunière avec margarine végétale non salée : ★★
Cuisson en meunière avec margarine végétale salée : ★★
Cuisson en meunière avec saindoux ou graisse d'oie ou de canard : ★★
Cuisson en meunière sans matière grasse : ★
Cuisson en papillote : ★

Cuisson en ragoût avec beurre doux : ★★
Cuisson en ragoût avec beurre salé : ★★
Cuisson en ragoût avec huile végétale : ★★★
Cuisson en ragoût avec margarine végétale non salée : ★★
Cuisson en ragoût avec margarine végétale salée : ★★
Cuisson en ragoût avec saindoux ou graisse d'oie ou de canard :
★★
Cuisson en sauté (idem poêlé).
Cuisson vapeur : ★
Grillé : ★
Pierrade : ★
Poêlé avec beurre doux : ★★
Poêlé avec beurre salé : ★★
Poêlé avec huile végétale : ★★★
Poêlé avec margarine végétale non salée : ★★
Poêlé avec margarine végétale salée : ★★
Poêlé avec saindoux ou graisse d'oie ou de canard : ★★
Poêlé sans matière grasse : ★
Potage crème : ★★★★
Potage nature sans matière grasse ajoutée
Potage velouté : ★★
Surgelé : ★★
Remarque : n'hésitez pas à cuisiner avec de bonnes quantités d'huile végétale. Modérez fortement votre consommation de légumes verts car ils sont presque acaloriques.

Fève : graine d'une plante annuelle potagère. Féculent.
Conservée à l'étuvé : ★★
Conservée en saumure : ★★
Conservée sous vide : ★★
Consommation crue
Cuisson à l'étouffée avec beurre doux : ★★★
Cuisson à l'étouffée avec beurre salé : ★★★
Cuisson à l'étouffée avec huile végétale : ★★★★
Cuisson à l'étouffée avec margarine végétale non salée : ★★★
Cuisson à l'étouffée avec margarine végétale salée : ★★★
Cuisson à l'étouffée avec saindoux ou graisse d'oie ou de canard : ★★★
Cuisson à l'étouffée sans matière grasse : ★

Fève - Figue

Cuisson au court bouillon : ★
Cuisson en braisé avec beurre doux : ★★★
Cuisson en braisé avec beurre salé : ★★★
Cuisson en braisé avec huile végétale : ★★★★
Cuisson en braisé avec margarine végétale non salée : ★★★
Cuisson en braisé avec margarine végétale salée : ★★★
Cuisson en braisé avec saindoux ou graisse d'oie ou de canard : ★★★
Cuisson en braisé sans matière grasse : ★
Cuisson en ragoût avec beurre doux : ★★★
Cuisson en ragoût avec beurre salé : ★★★
Cuisson en ragoût avec huile végétale : ★★★★
Cuisson en ragoût avec margarine végétale non salée : ★★★
Cuisson en ragoût avec margarine végétale salée : ★★★
Cuisson en ragoût avec saindoux ou graisse d'oie ou de canard : ★★★
Potage crème : ★★★★
Potage nature sans matière grasse ajoutée : ★★
Potage velouté : ★★★
Surgelée : ★★
Remarque : n'hésitez pas à cuisiner avec de bonnes quantités d'huile végétale.

Figue : fruit frais du figuier.
A l'anglaise : ★★★★
Au sirop : ★★★★
Au sirop léger : ★★★
Confite : ★★★★
Conserve au naturel : ★★
Conservée dans l'alcool : ★★★
Conservée sous vide : ★★
Consommation crue : ★★
En beignet : ★★★
En compote (avec sucre ajouté) : ★★
En compote sans sucre ajouté : ★★
En confiture : ★★★★
En confiture allégée en sucre : ★★★
En confiture sans sucre : ★
Fraîchement récoltée : ★★
Pochée sans sucre : ★

Séchée : ★★★★
Surgelée : ★★

Flageolet : graine d'une légumineuse potagère. Féculent.
Conservé à l'étuvé : ★★
Conservé en saumure : ★★
Conservé sous vide : ★★
Consommation cru
Cuisson à l'étouffée avec beurre doux : ★★★
Cuisson à l'étouffée avec beurre salé : ★★★
Cuisson à l'étouffée avec huile végétale : ★★★★
Cuisson à l'étouffée avec margarine végétale non salée : ★★★
Cuisson à l'étouffée avec margarine végétale salée : ★★★
Cuisson à l'étouffée avec saindoux ou graisse d'oie ou de canard : ★★★
Cuisson à l'étouffée sans matière grasse : ★
Cuisson au court bouillon : ★
Cuisson en braisé avec beurre doux : ★★★
Cuisson en braisé avec beurre salé : ★★★
Cuisson en braisé avec huile végétale : ★★★★
Cuisson en braisé avec margarine végétale non salée : ★★★
Cuisson en braisé avec margarine végétale salée : ★★★
Cuisson en braisé avec saindoux ou graisse d'oie ou de canard : ★★★
Cuisson en braisé sans matière grasse : ★
Cuisson en ragoût avec beurre doux : ★★★
Cuisson en ragoût avec beurre salé : ★★★
Cuisson en ragoût avec huile végétale : ★★★★
Cuisson en ragoût avec margarine végétale non salée : ★★★
Cuisson en ragoût avec margarine végétale salée : ★★★
Cuisson en ragoût avec saindoux ou graisse d'oie ou de canard : ★★★
Potage crème : ★★★★
Potage nature sans matière grasse ajoutée : ★★
Potage velouté : ★★★
Sec : ★★
Surgelé : ★★
Remarque : n'hésitez pas à cuisiner avec de bonnes quantités d'huile végétale.

Flanchet (de bœuf) - Flet

Flanchet (de bœuf) : voir « Bœuf (viande de) ».

Flanchet (de veau) : voir « Veau (viande de) ».

Flet : poisson marin plat à chair blanche.
Conservé par le sel : ★★
Conservé sous vide : ★★
Consommation cru
Cuisson à la milanaise avec beurre doux : ★★★
Cuisson à la milanaise avec beurre salé : ★★★
Cuisson à la milanaise avec huile végétale : ★★★★
Cuisson à la milanaise avec margarine végétale non salée : ★★★
Cuisson à la milanaise avec margarine végétale salée : ★★★
Cuisson à la milanaise avec saindoux ou graisse d'oie ou de canard : ★★★
Cuisson à la milanaise sans matière grasse : ★
Cuisson à l'étouffée avec beurre doux : ★★★
Cuisson à l'étouffée avec beurre salé : ★★★
Cuisson à l'étouffée avec huile végétale : ★★★★
Cuisson à l'étouffée avec margarine végétale non salée : ★★★
Cuisson à l'étouffée avec margarine végétale salée : ★★★
Cuisson à l'étouffée avec saindoux ou graisse d'oie ou de canard : ★★★
Cuisson à l'étouffée sans matière grasse : ★
Cuisson au court bouillon : ★
Cuisson en braisé avec beurre doux : ★★★
Cuisson en braisé avec beurre salé : ★★★
Cuisson en braisé avec huile végétale : ★★★★
Cuisson en braisé avec margarine végétale non salée : ★★★
Cuisson en braisé avec margarine végétale salée : ★★★
Cuisson en braisé avec saindoux ou graisse d'oie ou de canard : ★★★
Cuisson en braisé sans matière grasse : ★
Cuisson en friture : ★★★
Cuisson en meunière avec beurre doux : ★★★
Cuisson en meunière avec beurre salé : ★★★
Cuisson en meunière avec huile végétale : ★★★★
Cuisson en meunière avec margarine végétale non salée : ★★★
Cuisson en meunière avec margarine végétale salée : ★★★

Cuisson en meunière avec saindoux ou graisse d'oie ou de canard : ★★★
Cuisson en meunière sans matière grasse : ★
Cuisson en sauté (idem poêlé).
Cuisson rôti au four avec beurre doux : ★★★
Cuisson rôti au four avec beurre salé : ★★★
Cuisson rôti au four avec huile végétale : ★★★
Cuisson rôti au four avec margarine végétale non salée : ★★★
Cuisson rôti au four avec margarine végétale salée : ★★★
Cuisson rôti au four avec saindoux ou graisse d'oie ou de canard : ★★★
Cuisson rôti au four sans matière grasse ajoutée : ★★★
Cuisson vapeur : ★
Grillé : ★
Pierrade : ★
Poêlé avec beurre doux : ★★★
Poêlé avec beurre salé : ★★★
Poêlé avec huile végétale : ★★★★
Poêlé avec margarine végétale non salée : ★★★
Poêlé avec margarine végétale salée : ★★★
Poêlé avec saindoux ou graisse d'oie ou de canard : ★★★
Poêlé sans matière grasse : ★
Salé et fumé : ★★
Séché : ★★
Surgelé : ★★
Remarque : n'hésitez pas à cuisiner avec de bonnes quantités d'huile végétale.

Flétan : grand poisson marin plat à chair blanche.
Conservé par le sel : ★★
Conservé sous vide : ★★
Consommation cru
Cuisson à la milanaise avec beurre doux : ★★★
Cuisson à la milanaise avec beurre salé : ★★★
Cuisson à la milanaise avec huile végétale : ★★★★
Cuisson à la milanaise avec margarine végétale non salée : ★★★
Cuisson à la milanaise avec margarine végétale salée : ★★★
Cuisson à la milanaise avec saindoux ou graisse d'oie ou de canard : ★★★

Flétan

Cuisson à la milanaise sans matière grasse : ★
Cuisson à l'étouffée avec beurre doux : ★★★
Cuisson à l'étouffée avec beurre salé : ★★★
Cuisson à l'étouffée avec huile végétale : ★★★★
Cuisson à l'étouffée avec margarine végétale non salée : ★★★
Cuisson à l'étouffée avec margarine végétale salée : ★★★
Cuisson à l'étouffée avec saindoux ou graisse d'oie ou de canard : ★★★
Cuisson à l'étouffée sans matière grasse : ★
Cuisson au court bouillon : ★
Cuisson en braisé avec beurre doux : ★★★
Cuisson en braisé avec beurre salé : ★★★
Cuisson en braisé avec huile végétale : ★★★★
Cuisson en braisé avec margarine végétale non salée : ★★★
Cuisson en braisé avec margarine végétale salée : ★★★
Cuisson en braisé avec saindoux ou graisse d'oie ou de canard : ★★★
Cuisson en braisé sans matière grasse : ★
Cuisson en friture : ★★★
Cuisson en meunière avec beurre doux : ★★★
Cuisson en meunière avec beurre salé : ★★★
Cuisson en meunière avec huile végétale : ★★★★
Cuisson en meunière avec margarine végétale non salée : ★★★
Cuisson en meunière avec margarine végétale salée : ★★★
Cuisson en meunière avec saindoux ou graisse d'oie ou de canard : ★★★
Cuisson en meunière sans matière grasse : ★
Cuisson en sauté (idem poêlé).
Cuisson rôti au four avec beurre doux : ★★★
Cuisson rôti au four avec beurre salé : ★★★
Cuisson rôti au four avec huile végétale : ★★★
Cuisson rôti au four avec margarine végétale non salée : ★★★
Cuisson rôti au four avec margarine végétale salée : ★★★
Cuisson rôti au four avec saindoux ou graisse d'oie ou de canard : ★★★
Cuisson rôti au four sans matière grasse ajoutée : ★★★
Cuisson vapeur : ★
Grillé : ★
Pierrade : ★
Poêlé avec beurre doux : ★★★

Poêlé avec beurre salé : ★★★
Poêlé avec huile végétale : ★★★★
Poêlé avec margarine végétale non salée : ★★★
Poêlé avec margarine végétale salée : ★★★
Poêlé avec saindoux ou graisse d'oie ou de canard : ★★★
Poêlé sans matière grasse : ★
Salé et fumé : ★★
Séché : ★★
Surgelé : ★★
Remarque : n'hésitez pas à cuisiner avec de bonnes quantités d'huile végétale.

Foie d'agneau : voir « Agneau (viande de) ».

Foie de bœuf : voir « Bœuf (viande de) ».

Foie de porc : voir « Porc (viande de) ».

Foie de veau : voir « Veau (viande de) ».

Fondue bourguignonne : voir « Bœuf (viande de) » section *Cuisson en friture.*

Fondue bourguignonne au vin : voir « Bœuf (viande de) » section *Cuisson au court bouillon.*

Fondue chinoise : voir « Bœuf (viande de) » section *Cuisson au court bouillon.*

Fraise : fruit charnu provenant du fraisier.
A l'anglaise : ★★★★
Au sirop : ★★★★
Au sirop léger : ★★★
Confite : ★★★★
Conserve au naturel : ★★
Conservée dans l'alcool : ★★★
Conservée sous vide : ★★
Consommation crue : ★★
En beignet : ★★★
En compote (avec sucre ajouté) : ★★

Fraise - Frites au four

En compote sans sucre ajouté : ★★
En confiture : ★★★★
En confiture allégée en sucre : ★★★
En confiture sans sucre : ★
Fraîchement récoltée : ★★
Pochée sans sucre : ★
Séchée : ★★★★
Surgelée : ★★

Framboise : fruit frais provenant du framboisier.
A l'anglaise : ★★★★
Au sirop : ★★★★
Au sirop léger : ★★★
Confite : ★★★★
Conserve au naturel : ★★
Conservée dans l'alcool : ★★★
Conservée sous vide : ★★
Consommation crue : ★★
En beignet : ★★★
En compote (avec sucre ajouté) : ★★
En compote sans sucre ajouté : ★★
En confiture : ★★★★
En confiture allégée en sucre : ★★★
En confiture sans sucre : ★
Fraîchement récoltée : ★★
Pochée sans sucre : ★
Séchée : ★★★★
Surgelée : ★★

Frites : voir « Pomme de terre » section *Cuisson en friture*.

Frites au four : voir « Pomme de terre » section *Poêlée sans matière grasse*.

G

Gamba : voir « Crevette ».

Gardon : poisson d'eau douce à chair blanche.
Conservé par le sel : ★★
Conservé sous vide : ★★
Consommation cru
Cuisson à la milanaise avec beurre doux : ★★★
Cuisson à la milanaise avec beurre salé : ★★★
Cuisson à la milanaise avec huile végétale : ★★★★
Cuisson à la milanaise avec margarine végétale non salée : ★★★
Cuisson à la milanaise avec margarine végétale salée : ★★★
Cuisson à la milanaise avec saindoux ou graisse d'oie ou de canard : ★★★
Cuisson à la milanaise sans matière grasse : ★
Cuisson à l'étouffée avec beurre doux : ★★★
Cuisson à l'étouffée avec beurre salé : ★★★
Cuisson à l'étouffée avec huile végétale : ★★★★
Cuisson à l'étouffée avec margarine végétale non salée : ★★★
Cuisson à l'étouffée avec margarine végétale salée : ★★★
Cuisson à l'étouffée avec saindoux ou graisse d'oie ou de canard : ★★★
Cuisson à l'étouffée sans matière grasse : ★
Cuisson au court bouillon : ★
Cuisson en braisé avec beurre doux : ★★★
Cuisson en braisé avec beurre salé : ★★★
Cuisson en braisé avec huile végétale : ★★★★
Cuisson en braisé avec margarine végétale non salée : ★★★
Cuisson en braisé avec margarine végétale salée : ★★★
Cuisson en braisé avec saindoux ou graisse d'oie ou de canard : ★★★
Cuisson en braisé sans matière grasse : ★
Cuisson en friture : ★★★
Cuisson en meunière avec beurre doux : ★★★
Cuisson en meunière avec beurre salé : ★★★

Cuisson en meunière avec huile végétale : ★★★★
Cuisson en meunière avec margarine végétale non salée : ★★★
Cuisson en meunière avec margarine végétale salée : ★★★
Cuisson en meunière avec saindoux ou graisse d'oie ou de canard : ★★★
Cuisson en meunière sans matière grasse : ★
Cuisson en sauté (idem poêlé).
Cuisson vapeur : ★
Grillé : ★
Pierrade : ★
Poêlé avec beurre doux : ★★★
Poêlé avec beurre salé : ★★★
Poêlé avec huile végétale : ★★★★
Poêlé avec margarine végétale non salée : ★★★
Poêlé avec margarine végétale salée : ★★★
Poêlé avec saindoux ou graisse d'oie ou de canard : ★★★
Poêlé sans matière grasse : ★
Salé et fumé : ★★
Séché : ★★
Surgelé : ★★
Remarque : n'hésitez pas à cuisiner avec de bonnes quantités d'huile végétale.

Gendarme : voir « Porc (viande de) » *section Salée et fumée.*

Germon : voir « Thon ».

Gigot : voir « Agneau (viande d') ».

Gingembre : rhizome aromatique utilisé comme condiment. Légume vert.
Confit : ★★★
Conservé en saumure : ★★
Conservé sous vide : ★★
Consommation cru
Cuisson à l'étouffée avec beurre doux : ★★
Cuisson à l'étouffée avec beurre salé : ★★
Cuisson à l'étouffée avec huile végétale : ★★★
Cuisson à l'étouffée avec margarine végétale non salée : ★★
Cuisson à l'étouffée avec margarine végétale salée : ★★

Cuisson à l'étouffée avec saindoux ou graisse d'oie ou de canard : ★★
Cuisson à l'étouffée sans matière grasse : ★
Cuisson au court bouillon : ★
Cuisson en braisé avec beurre doux : ★★
Cuisson en braisé avec beurre salé : ★★
Cuisson en braisé avec huile végétale : ★★★
Cuisson en braisé avec margarine végétale non salée : ★★
Cuisson en braisé avec margarine végétale salée : ★★
Cuisson en braisé avec saindoux ou graisse d'oie ou de canard : ★★
Cuisson en braisé sans matière grasse : ★
Cuisson en friture : ★★
Cuisson en papillote : ★
Cuisson en ragoût avec beurre doux : ★★
Cuisson en ragoût avec beurre salé : ★★
Cuisson en ragoût avec huile végétale : ★★★
Cuisson en ragoût avec margarine végétale non salée : ★★
Cuisson en ragoût avec margarine végétale salée : ★★
Cuisson en ragoût avec saindoux ou graisse d'oie ou de canard : ★★
Cuisson en sauté (idem poêlé).
Cuisson vapeur : ★
Poêlé avec beurre doux : ★★
Poêlé avec beurre salé : ★★
Poêlé avec huile végétale : ★★★
Poêlé avec margarine végétale non salée : ★★
Poêlé avec margarine végétale salée : ★★
Poêlé avec saindoux ou graisse d'oie ou de canard : ★★
Poêlé sans matière grasse : ★
Potage crème : ★★★★
Potage nature sans matière grasse ajoutée
Potage velouté : ★★
Surgelé : ★★

Remarque : n'hésitez pas à cuisiner avec de bonnes quantités d'huile végétale. Modérez fortement votre consommation de légumes verts car ils sont presque acaloriques.

Giraumon : voir « Courgette ».

Girolle - Gombo

Girolle : voir « Champignon ».

Gîte : voir « Bœuf (viande de) ».

Gîte à la noix : voir « Bœuf (viande de) ».

Gombo : légume vert tropical.
Conservé en saumure : ★★
Conservé sous vide : ★★
Consommation cru
Cuisson à l'étouffée avec beurre doux : ★★
Cuisson à l'étouffée avec beurre salé : ★★
Cuisson à l'étouffée avec huile végétale : ★★★
Cuisson à l'étouffée avec margarine végétale non salée : ★★
Cuisson à l'étouffée avec margarine végétale salée : ★★
Cuisson à l'étouffée avec saindoux ou graisse d'oie ou de canard : ★★
Cuisson à l'étouffée sans matière grasse : ★
Cuisson au court bouillon : ★
Cuisson en braisé avec beurre doux : ★★
Cuisson en braisé avec beurre salé : ★★
Cuisson en braisé avec huile végétale : ★★★
Cuisson en braisé avec margarine végétale non salée : ★★
Cuisson en braisé avec margarine végétale salée : ★★
Cuisson en braisé avec saindoux ou graisse d'oie ou de canard : ★★
Cuisson en braisé sans matière grasse : ★
Cuisson en friture : ★★
Cuisson en papillote : ★
Cuisson en ragoût avec beurre doux : ★★
Cuisson en ragoût avec beurre salé : ★★
Cuisson en ragoût avec huile végétale : ★★★
Cuisson en ragoût avec margarine végétale non salée : ★★
Cuisson en ragoût avec margarine végétale salée : ★★
Cuisson en ragoût avec saindoux ou graisse d'oie ou de canard : ★★
Cuisson en sauté (idem poêlé).
Cuisson vapeur : ★
Poêlé avec beurre doux : ★★
Poêlé avec beurre salé : ★★

Poêlé avec huile végétale : ★★★
Poêlé avec margarine végétale non salée : ★★
Poêlé avec margarine végétale salée : ★★
Poêlé avec saindoux ou graisse d'oie ou de canard : ★★
Poêlé sans matière grasse : ★
Potage crème : ★★★★
Potage nature sans matière grasse ajoutée
Potage velouté : ★★
Surgelé : ★★
Remarque : n'hésitez pas à cuisiner avec de bonnes quantités d'huile végétale. Modérez fortement votre consommation de légumes verts car ils sont presque acaloriques.

Goujon : petit poisson d'eau douce à chair blanche.
Conservé dans la saumure : ★★
Conservé dans l'huile : ★★★
Conservé par le sel : ★★
Conservé sous vide : ★★
Consommation cru
Cuisson à la milanaise avec beurre doux : ★★★
Cuisson à la milanaise avec beurre salé : ★★★
Cuisson à la milanaise avec huile végétale : ★★★★
Cuisson à la milanaise avec margarine végétale non salée : ★★★
Cuisson à la milanaise avec margarine végétale salée : ★★★
Cuisson à la milanaise avec saindoux ou graisse d'oie ou de canard : ★★★
Cuisson à la milanaise sans matière grasse : ★
Cuisson en beignet : ★★★
Cuisson en friture : ★★★
Cuisson en sauté (idem poêlé).
Pierrade : ★
Poêlé avec beurre doux : ★★★
Poêlé avec beurre salé : ★★★
Poêlé avec huile végétale : ★★★★
Poêlé avec margarine végétale non salée : ★★★
Poêlé avec margarine végétale salée : ★★★
Poêlé avec saindoux ou graisse d'oie ou de canard : ★★★
Poêlé sans matière grasse : ★

Goujon - Grémille

Salé et fumé : ★★
Séché : ★★
Surgelé : ★★
Remarque : n'hésitez pas à cuisiner avec de bonnes quantités d'huile végétale.

Goyave : fruit du goyavier. Fruit exotique.
A l'anglaise : ★★★★
Au sirop : ★★★★
Au sirop léger : ★★★
Confite : ★★★★
Conserve au naturel : ★★
Conservée dans l'alcool : ★★★
Conservée sous vide : ★★
Consommation crue : ★★
En beignet : ★★★
En compote (avec sucre ajouté) : ★★
En compote sans sucre ajouté : ★★
En confiture : ★★★★
En confiture allégée en sucre : ★★★
En confiture sans sucre : ★
Fraîchement récoltée : ★★
Pochée sans sucre : ★
Séchée : ★★★★
Surgelée : ★★

Grémille : poisson d'eau douce à chair blanche.
Conservée par le sel : ★★
Conservée sous vide : ★★
Consommation crue
Cuisson à la milanaise avec beurre doux : ★★★
Cuisson à la milanaise avec beurre salé : ★★★
Cuisson à la milanaise avec huile végétale : ★★★★
Cuisson à la milanaise avec margarine végétale non salée : ★★★
Cuisson à la milanaise avec margarine végétale salée : ★★★
Cuisson à la milanaise avec saindoux ou graisse d'oie ou de canard : ★★★
Cuisson à la milanaise sans matière grasse : ★
Cuisson en beignet : ★★★

Cuisson en friture : ★★★
Cuisson en sauté (idem poêlée).
Pierrade : ★
Poêlée avec beurre doux : ★★★
Poêlée avec beurre salé : ★★★
Poêlée avec huile végétale : ★★★★
Poêlée avec margarine végétale non salée : ★★★
Poêlée avec margarine végétale salée : ★★★
Poêlée avec saindoux ou graisse d'oie ou de canard : ★★★
Poêlée sans matière grasse : ★
Salée et fumée : ★★
Séchée : ★★
Surgelée : ★★

Grenade : fruit du grenadier. Fruit exotique.
A l'anglaise : ★★★★
Au sirop : ★★★★
Au sirop léger : ★★★
Confite : ★★★★
Conserve au naturel : ★★
Conservée dans l'alcool : ★★★
Conservée sous vide : ★★
Consommation crue : ★★
En beignet : ★★★
En compote (avec sucre ajouté) : ★★
En compote sans sucre ajouté : ★★
En confiture : ★★★★
En confiture allégée en sucre : ★★★
En confiture sans sucre : ★
Fraîchement récoltée : ★★
Pochée sans sucre : ★
Séchée : ★★★★
Surgelée : ★★

Grenadille : fruit comestible d'une passiflore. Fruit exotique.
A l'anglaise : ★★★★
Au sirop : ★★★★
Au sirop léger : ★★★
Confite : ★★★★
Conserve au naturel : ★★

Grenadille - Grondin

Conservée dans l'alcool : ★★★
Conservée sous vide : ★★
Consommation crue : ★★
En beignet : ★★★
En compote (avec sucre ajouté) : ★★
En compote sans sucre ajouté : ★★
En confiture : ★★★★
En confiture allégée en sucre : ★★★
En confiture sans sucre : ★
Fraîchement récoltée : ★★
Pochée sans sucre : ★
Séchée : ★★★★
Surgelée : ★★

Grondin : poisson marin à chair blanche.
Conservé par le sel : ★★
Conservé sous vide : ★★
Consommation cru
Cuisson à la milanaise avec beurre doux : ★★★
Cuisson à la milanaise avec beurre salé : ★★★
Cuisson à la milanaise avec huile végétale : ★★★★
Cuisson à la milanaise avec margarine végétale non salée : ★★★
Cuisson à la milanaise avec margarine végétale salée : ★★★
Cuisson à la milanaise avec saindoux ou graisse d'oie ou de canard : ★★★
Cuisson à la milanaise sans matière grasse : ★
Cuisson à l'étouffée avec beurre doux : ★★★
Cuisson à l'étouffée avec beurre salé : ★★★
Cuisson à l'étouffée avec huile végétale : ★★★★
Cuisson à l'étouffée avec margarine végétale non salée : ★★★
Cuisson à l'étouffée avec margarine végétale salée : ★★★
Cuisson à l'étouffée avec saindoux ou graisse d'oie ou de canard : ★★★
Cuisson à l'étouffée sans matière grasse : ★
Cuisson au court bouillon : ★
Cuisson en braisé avec beurre doux : ★★★
Cuisson en braisé avec beurre salé : ★★★
Cuisson en braisé avec huile végétale : ★★★★
Cuisson en braisé avec margarine végétale non salée : ★★★

Cuisson en braisé avec margarine végétale salée : ★★★
Cuisson en braisé avec saindoux ou graisse d'oie ou de canard : ★★★
Cuisson en braisé sans matière grasse : ★
Cuisson en friture : ★★★
Cuisson en meunière avec beurre doux : ★★★
Cuisson en meunière avec beurre salé : ★★★
Cuisson en meunière avec huile végétale : ★★★★
Cuisson en meunière avec margarine végétale non salée : ★★★
Cuisson en meunière avec margarine végétale salée : ★★★
Cuisson en meunière avec saindoux ou graisse d'oie ou de canard : ★★★
Cuisson en meunière sans matière grasse : ★
Cuisson en sauté (idem poêlé).
Cuisson rôti à la broche : ★
Cuisson rôti au four avec beurre doux : ★★★
Cuisson rôti au four avec beurre salé : ★★★
Cuisson rôti au four avec huile végétale : ★★★
Cuisson rôti au four avec margarine végétale non salée : ★★★
Cuisson rôti au four avec margarine végétale salée : ★★★
Cuisson rôti au four avec saindoux ou graisse d'oie ou de canard : ★★★
Cuisson rôti au four sans matière grasse ajoutée : ★★★
Cuisson vapeur : ★
Grillé : ★
Pierrade : ★
Poêlé avec beurre doux : ★★★
Poêlé avec beurre salé : ★★★
Poêlé avec huile végétale : ★★★★
Poêlé avec margarine végétale non salée : ★★★
Poêlé avec margarine végétale salée : ★★★
Poêlé avec saindoux ou graisse d'oie ou de canard : ★★★
Poêlé sans matière grasse : ★
Salé et fumé : ★★
Séché : ★★
Surgelé : ★★
Remarque : n'hésitez pas à cuisiner avec de bonnes quantités d'huile végétale.

Groseille : fruit comestible du groseillier.
A l'anglaise : ★★★★
Au sirop : ★★★★
Au sirop léger : ★★★
Confite : ★★★★
Conserve au naturel : ★★
Conservée dans l'alcool : ★★★
Conservée sous vide : ★★
Consommation crue : ★★
En beignet : ★★★
En compote (avec sucre ajouté) : ★★
En compote sans sucre ajouté : ★★
En confiture : ★★★★
En confiture allégée en sucre : ★★★
En confiture sans sucre : ★
Fraîchement récoltée : ★★
Pochée sans sucre : ★
Séchée : ★★★★
Surgelée : ★★

Gyromitre : voir « Champignon ».

H

Ha : requin comestible.
Conservé par le sel : ★★
Conservé sous vide : ★★
Consommation cru
Cuisson à la milanaise avec beurre doux : ★★★
Cuisson à la milanaise avec beurre salé : ★★★
Cuisson à la milanaise avec huile végétale : ★★★★
Cuisson à la milanaise avec margarine végétale non salée : ★★★
Cuisson à la milanaise avec margarine végétale salée : ★★★
Cuisson à la milanaise avec saindoux ou graisse d'oie ou de canard : ★★★

Cuisson à la milanaise sans matière grasse : ★
Cuisson à l'étouffée avec beurre doux : ★★★
Cuisson à l'étouffée avec beurre salé : ★★★
Cuisson à l'étouffée avec huile végétale : ★★★★
Cuisson à l'étouffée avec margarine végétale non salée : ★★★
Cuisson à l'étouffée avec margarine végétale salée : ★★★
Cuisson à l'étouffée avec saindoux ou graisse d'oie ou de canard : ★★★
Cuisson à l'étouffée sans matière grasse : ★
Cuisson au court bouillon : ★
Cuisson en braisé avec beurre doux : ★★★
Cuisson en braisé avec beurre salé : ★★★
Cuisson en braisé avec huile végétale : ★★★★
Cuisson en braisé avec margarine végétale non salée : ★★★
Cuisson en braisé avec margarine végétale salée : ★★★
Cuisson en braisé avec saindoux ou graisse d'oie ou de canard : ★★★
Cuisson en braisé sans matière grasse : ★
Cuisson en friture : ★★★
Cuisson en meunière avec beurre doux : ★★★
Cuisson en meunière avec beurre salé : ★★★
Cuisson en meunière avec huile végétale : ★★★★
Cuisson en meunière avec margarine végétale non salée : ★★★
Cuisson en meunière avec margarine végétale salée : ★★★
Cuisson en meunière avec saindoux ou graisse d'oie ou de canard : ★★★
Cuisson en meunière sans matière grasse : ★
Cuisson en ragoût avec beurre doux : ★★★
Cuisson en ragoût avec beurre salé : ★★★
Cuisson en ragoût avec huile végétale : ★★★★
Cuisson en ragoût avec margarine végétale non salée : ★★★
Cuisson en ragoût avec margarine végétale salée : ★★★
Cuisson en ragoût avec saindoux ou graisse d'oie ou de canard : ★★★
Cuisson en sauté (idem poêlé).
Cuisson rôti à la broche : ★
Cuisson rôti au four avec beurre doux : ★★★
Cuisson rôti au four avec beurre salé : ★★★
Cuisson rôti au four avec huile végétale : ★★★
Cuisson rôti au four avec margarine végétale non salée : ★★★

Cuisson rôti au four avec margarine végétale salée : ★★★
Cuisson rôti au four avec saindoux ou graisse d'oie ou de canard : ★★★
Cuisson rôti au four sans matière grasse ajoutée : ★★★
Cuisson vapeur : ★
Grillé : ★
Pierrade : ★
Poêlé avec beurre doux : ★★★
Poêlé avec beurre salé : ★★★
Poêlé avec huile végétale : ★★★★
Poêlé avec margarine végétale non salée : ★★★
Poêlé avec margarine végétale salée : ★★★
Poêlé avec saindoux ou graisse d'oie ou de canard : ★★★
Poêlé sans matière grasse : ★
Salé et fumé : ★★
Séché : ★★
Surgelé : ★★
Remarque : n'hésitez pas à cuisiner avec de bonnes quantités d'huile végétale.

Haddock : voir « Eglefin » section *Salé et fumé.*

Hampe de bœuf : voir « Bœuf (viande de) ».

Hareng : poisson gras marin.
Conservé dans le vinaigre : ★★
Conservé par le sel : ★★
Conservé sous vide : ★★
Consommation cru
Cuisson à la milanaise avec beurre doux : ★★★
Cuisson à la milanaise avec beurre salé : ★★★
Cuisson à la milanaise avec huile végétale : ★★★★
Cuisson à la milanaise avec margarine végétale non salée : ★★★
Cuisson à la milanaise avec margarine végétale salée : ★★★
Cuisson à la milanaise avec saindoux ou graisse d'oie ou de canard : ★★★
Cuisson à la milanaise sans matière grasse : ★
Cuisson à l'étouffée avec beurre doux : ★★★
Cuisson à l'étouffée avec beurre salé : ★★★

Cuisson à l'étouffée avec huile végétale : ★★★★
Cuisson à l'étouffée avec margarine végétale non salée : ★★★
Cuisson à l'étouffée avec margarine végétale salée : ★★★
Cuisson à l'étouffée avec saindoux ou graisse d'oie ou de canard : ★★★
Cuisson à l'étouffée sans matière grasse : ★
Cuisson au court bouillon : ★
Cuisson en braisé avec beurre doux : ★★★
Cuisson en braisé avec beurre salé : ★★★
Cuisson en braisé avec huile végétale : ★★★★
Cuisson en braisé avec margarine végétale non salée : ★★★
Cuisson en braisé avec margarine végétale salée : ★★★
Cuisson en braisé avec saindoux ou graisse d'oie ou de canard : ★★★
Cuisson en braisé sans matière grasse : ★
Cuisson en friture : ★★★
Cuisson en meunière avec beurre doux : ★★★
Cuisson en meunière avec beurre salé : ★★★
Cuisson en meunière avec huile végétale : ★★★★
Cuisson en meunière avec margarine végétale non salée : ★★★
Cuisson en meunière avec margarine végétale salée : ★★★
Cuisson en meunière avec saindoux ou graisse d'oie ou de canard : ★★★
Cuisson en meunière sans matière grasse : ★
Cuisson en sauté (idem poêlé).
Cuisson rôti à la broche : ★
Cuisson rôti au four avec beurre doux : ★★★
Cuisson rôti au four avec beurre salé : ★★★
Cuisson rôti au four avec huile végétale : ★★★
Cuisson rôti au four avec margarine végétale non salée : ★★★
Cuisson rôti au four avec margarine végétale salée : ★★★
Cuisson rôti au four avec saindoux ou graisse d'oie ou de canard : ★★★
Cuisson rôti au four sans matière grasse ajoutée : ★★★
Cuisson vapeur : ★
Grillé : ★
Pierrade : ★
Poêlé avec beurre doux : ★★★
Poêlé avec beurre salé : ★★★
Poêlé avec huile végétale : ★★★★

Hareng - Haricot sec

Poêlé avec margarine végétale non salée : ★★★
Poêlé avec margarine végétale salée : ★★★
Poêlé avec saindoux ou graisse d'oie ou de canard : ★★★
Poêlé sans matière grasse : ★
Salé et fumé : ★★
Séché : ★★
Surgelé : ★★
Remarque : n'hésitez pas à cuisiner avec de bonnes quantités d'huile végétale.

Hareng fumé : voir « Hareng » section *Salé et fumé*.

Hareng saur : voir « Hareng » section *Salé et fumé*.

Haricot azukis : voir « Haricot rouge ».

Haricot beurre : voir « Haricot vert ».

Haricot blanc : voir « Haricot sec ».

Haricot noir : voir « Haricot sec ».

Haricot rouge : voir « Haricot sec ».

Haricot sec : graine blanche, ou blanche et noire, rosée, rouge de haricot qui se consomme à pleine maturité. Féculent.
Conservé à l'étuvé : ★★
Conservé en saumure : ★★
Conservé sous vide : ★★
Consommation cru
Cuisson à l'étouffée avec beurre doux : ★★★
Cuisson à l'étouffée avec beurre salé : ★★★
Cuisson à l'étouffée avec huile végétale : ★★★★
Cuisson à l'étouffée avec margarine végétale non salée : ★★★
Cuisson à l'étouffée avec margarine végétale salée : ★★★
Cuisson à l'étouffée avec saindoux ou graisse d'oie ou de canard : ★★★
Cuisson à l'étouffée sans matière grasse : ★
Cuisson au court bouillon : ★
Cuisson en braisé avec beurre doux : ★★★

Cuisson en braisé avec beurre salé : ★ ★ ★
Cuisson en braisé avec huile végétale : ★ ★ ★ ★
Cuisson en braisé avec margarine végétale non salée : ★ ★ ★
Cuisson en braisé avec margarine végétale salée : ★ ★ ★
Cuisson en braisé avec saindoux ou graisse d'oie ou de canard :
★ ★ ★
Cuisson en braisé sans matière grasse : ★
Cuisson en ragoût avec beurre doux : ★ ★ ★
Cuisson en ragoût avec beurre salé : ★ ★ ★
Cuisson en ragoût avec huile végétale : ★ ★ ★ ★
Cuisson en ragoût avec margarine végétale non salée : ★ ★ ★
Cuisson en ragoût avec margarine végétale salée : ★ ★ ★
Cuisson en ragoût avec saindoux ou graisse d'oie ou de canard :
★ ★ ★
Potage crème : ★ ★ ★ ★
Potage nature sans matière grasse ajoutée : ★ ★
Potage velouté : ★ ★ ★
Sec : ★ ★
Surgelé : ★ ★
Remarque : n'hésitez pas à cuisiner avec de bonnes quantités d'huile végétale.

Haricot de lima : voir « Fève ».

Haricot Fermenté : graine verte de soja. Légume vert.
Conservé en saumure : ★ ★
Conservé sous vide : ★ ★
Consommation cru
Cuisson à l'étouffée avec beurre doux : ★ ★
Cuisson à l'étouffée avec beurre salé : ★ ★
Cuisson à l'étouffée avec huile végétale : ★ ★ ★
Cuisson à l'étouffée avec margarine végétale non salée : ★ ★
Cuisson à l'étouffée avec margarine végétale salée : ★ ★
Cuisson à l'étouffée avec saindoux ou graisse d'oie ou de canard : ★ ★
Cuisson à l'étouffée sans matière grasse : ★
Cuisson au court bouillon : ★
Cuisson en braisé avec beurre doux : ★ ★
Cuisson en braisé avec beurre salé : ★ ★
Cuisson en braisé avec huile végétale : ★ ★ ★

Haricot fermenté - Haricot vert

Cuisson en braisé avec margarine végétale non salée : ★★
Cuisson en braisé avec margarine végétale salée : ★★
Cuisson en braisé avec saindoux ou graisse d'oie ou de canard :
★★
Cuisson en braisé sans matière grasse : ★
Cuisson en friture : ★★
Cuisson en papillote : ★
Cuisson en sauté (idem poêlé).
Cuisson vapeur : ★
Fermenté (Natto) : ★★★
Poêlé avec beurre doux : ★★
Poêlé avec beurre salé : ★★
Poêlé avec huile végétale : ★★★
Poêlé avec margarine végétale non salée : ★★
Poêlé avec margarine végétale salée : ★★
Poêlé avec saindoux ou graisse d'oie ou de canard : ★★
Poêlé sans matière grasse : ★
Surgelé : ★★
Remarque : n'hésitez pas à cuisiner avec de bonnes quantités d'huile végétale. Modérez fortement votre consommation de légumes verts car ils sont presque acaloriques.

Haricot mungo : voir « Haricot de soja ».

Haricot vert : haricot de couleur vert ou violette, parfois vert strié de noir, ou brun, chocolat... qui se consomme jeune. Légume vert.
Conservé en saumure : ★★
Conservé sous vide : ★★
Consommation cru
Cuisson à l'étouffée avec beurre doux : ★★
Cuisson à l'étouffée avec beurre salé : ★★
Cuisson à l'étouffée avec huile végétale : ★★★
Cuisson à l'étouffée avec margarine végétale non salée : ★★
Cuisson à l'étouffée avec margarine végétale salée : ★★
Cuisson à l'étouffée avec saindoux ou graisse d'oie ou de canard : ★★
Cuisson à l'étouffée sans matière grasse : ★
Cuisson au court bouillon : ★

Cuisson en braisé avec beurre doux : ★★
Cuisson en braisé avec beurre salé : ★★
Cuisson en braisé avec huile végétale : ★★★
Cuisson en braisé avec margarine végétale non salée : ★★
Cuisson en braisé avec margarine végétale salée : ★★
Cuisson en braisé avec saindoux ou graisse d'oie ou de canard :
★★
Cuisson en braisé sans matière grasse : ★
Cuisson en friture : ★★
Cuisson en papillote : ★
Cuisson en ragoût avec beurre doux : ★★
Cuisson en ragoût avec beurre salé : ★★
Cuisson en ragoût avec huile végétale : ★★★
Cuisson en ragoût avec margarine végétale non salée : ★★
Cuisson en ragoût avec margarine végétale salée : ★★
Cuisson en ragoût avec saindoux ou graisse d'oie ou de canard :
★★
Cuisson en sauté (idem poêlé).
Cuisson vapeur : ★
Poêlé avec beurre doux : ★★
Poêlé avec beurre salé : ★★
Poêlé avec huile végétale : ★★★
Poêlé avec margarine végétale non salée : ★★
Poêlé avec margarine végétale salée : ★★
Poêlé avec saindoux ou graisse d'oie ou de canard : ★★
Poêlé sans matière grasse : ★
Potage crème : ★★★★
Potage nature sans matière grasse ajoutée
Potage velouté : ★★
Surgelé : ★★
Remarque : n'hésitez pas à cuisiner avec de bonnes quantités d'huile végétale. Modérez fortement votre consommation de légumes verts car ils sont presque acaloriques.

Hélianti : plante potagère dont on consomme le rhizome. Légume vert.
Conservé en saumure : ★★
Conservé sous vide : ★★
Consommation cru : ★★

Hélianti

Cuisson à l'étouffée avec beurre doux : ★ ★
Cuisson à l'étouffée avec beurre salé : ★ ★
Cuisson à l'étouffée avec huile végétale : ★ ★ ★
Cuisson à l'étouffée avec margarine végétale non salée : ★ ★
Cuisson à l'étouffée avec margarine végétale salée : ★ ★
Cuisson à l'étouffée avec saindoux ou graisse d'oie ou de canard : ★ ★
Cuisson à l'étouffée sans matière grasse : ★
Cuisson au court bouillon : ★
Cuisson en braisé avec beurre doux : ★ ★
Cuisson en braisé avec beurre salé : ★ ★
Cuisson en braisé avec huile végétale : ★ ★ ★
Cuisson en braisé avec margarine végétale non salée : ★ ★
Cuisson en braisé avec margarine végétale salée : ★ ★
Cuisson en braisé avec saindoux ou graisse d'oie ou de canard : ★ ★
Cuisson en braisé sans matière grasse : ★
Cuisson en friture : ★ ★
Cuisson en papillote: ★
Cuisson en ragoût avec beurre doux : ★ ★
Cuisson en ragoût avec beurre salé : ★ ★
Cuisson en ragoût avec huile végétale : ★ ★ ★
Cuisson en ragoût avec margarine végétale non salée : ★ ★
Cuisson en ragoût avec margarine végétale salée : ★ ★
Cuisson en ragoût avec saindoux ou graisse d'oie ou de canard : ★ ★
Cuisson en sauté (idem poêlé).
Cuisson vapeur : ★
Poêlé avec beurre doux : ★ ★
Poêlé avec beurre salé : ★ ★
Poêlé avec huile végétale : ★ ★ ★
Poêlé avec margarine végétale non salée : ★ ★
Poêlé avec margarine végétale salée : ★ ★
Poêlé avec saindoux ou graisse d'oie ou de canard : ★ ★
Poêlé sans matière grasse : ★
Potage crème : ★ ★ ★ ★
Potage nature sans matière grasse ajoutée
Potage velouté : ★ ★
Surgelé : ★ ★

Remarque : n'hésitez pas à cuisiner avec de bonnes quantités d'huile végétale. Modérez fortement votre consommation de légumes verts car ils sont presque acaloriques.

Helvelle : voir « Champignon ».

Homard : crustacé marin très apprécié pour sa chair délicate.
Conservé sous vide : ★★
Consommation cru
Cuisson à la milanaise avec beurre doux : ★★★
Cuisson à la milanaise avec beurre salé : ★★★
Cuisson à la milanaise avec huile végétale : ★★★★
Cuisson à la milanaise avec margarine végétale non salée : ★★★
Cuisson à la milanaise avec margarine végétale salée : ★★★
Cuisson à la milanaise avec saindoux ou graisse d'oie ou de canard : ★★★
Cuisson à la milanaise sans matière grasse : ★
Cuisson à l'étouffée avec beurre doux : ★★★
Cuisson à l'étouffée avec beurre salé : ★★★
Cuisson à l'étouffée avec huile végétale : ★★★★
Cuisson à l'étouffée avec margarine végétale non salée : ★★★
Cuisson à l'étouffée avec margarine végétale salée : ★★★
Cuisson à l'étouffée avec saindoux ou graisse d'oie ou de canard : ★★★
Cuisson à l'étouffée sans matière grasse : ★
Cuisson au court bouillon : ★
Cuisson en braisé avec beurre doux : ★★★
Cuisson en braisé avec beurre salé : ★★★
Cuisson en braisé avec huile végétale : ★★★★
Cuisson en braisé avec margarine végétale non salée : ★★★
Cuisson en braisé avec margarine végétale salée : ★★★
Cuisson en braisé avec saindoux ou graisse d'oie ou de canard : ★★★
Cuisson en braisé sans matière grasse : ★
Cuisson en friture : ★★★
Cuisson en meunière avec beurre doux : ★★★
Cuisson en meunière avec beurre salé : ★★★
Cuisson en meunière avec huile végétale : ★★★★

Cuisson en meunière avec margarine végétale non salée : ★★★
Cuisson en meunière avec margarine végétale salée : ★★★
Cuisson en meunière avec saindoux ou graisse d'oie ou de canard : ★★★
Cuisson en meunière sans matière grasse : ★
Cuisson en ragoût avec beurre doux : ★★★
Cuisson en ragoût avec beurre salé : ★★★
Cuisson en ragoût avec huile végétale : ★★★★
Cuisson en ragoût avec margarine végétale non salée : ★★★
Cuisson en ragoût avec margarine végétale salée : ★★★
Cuisson en ragoût avec saindoux ou graisse d'oie ou de canard : ★★★
Cuisson en sauté (idem poêlé).
Cuisson rôti au four avec beurre doux : ★★★
Cuisson rôti au four avec beurre salé : ★★★
Cuisson rôti au four avec huile végétale : ★★★
Cuisson rôti au four avec margarine végétale non salée : ★★★
Cuisson rôti au four avec margarine végétale salée : ★★★
Cuisson rôti au four avec saindoux ou graisse d'oie ou de canard : ★★★
Cuisson rôti au four sans matière grasse ajoutée : ★★★
Cuisson vapeur : ★
Grillé : ★
Pierrade : ★
Poêlé avec beurre doux : ★★★
Poêlé avec beurre salé : ★★★
Poêlé avec huile végétale : ★★★★
Poêlé avec margarine végétale non salée : ★★★
Poêlé avec margarine végétale salée : ★★★
Poêlé avec saindoux ou graisse d'oie ou de canard : ★★★
Poêlé sans matière grasse : ★
Surgelé : ★★
Remarque : n'hésitez pas à cuisiner avec de bonnes quantités d'huile végétale.

Hotu : poisson d'eau douce à chair blanche.
Conservé par le sel : ★★
Conservé sous vide : ★★
Consommation cru
Cuisson à la milanaise avec beurre doux : ★★★

Cuisson à la milanaise avec beurre salé : ★★★
Cuisson à la milanaise avec huile végétale : ★★★★
Cuisson à la milanaise avec margarine végétale non salée : ★★★
Cuisson à la milanaise avec margarine végétale salée : ★★★
Cuisson à la milanaise avec saindoux ou graisse d'oie ou de canard : ★★★
Cuisson à la milanaise sans matière grasse : ★
Cuisson à l'étouffée avec beurre doux : ★★★
Cuisson à l'étouffée avec beurre salé : ★★★
Cuisson à l'étouffée avec huile végétale : ★★★★
Cuisson à l'étouffée avec margarine végétale non salée : ★★★
Cuisson à l'étouffée avec margarine végétale salée : ★★★
Cuisson à l'étouffée avec saindoux ou graisse d'oie ou de canard : ★★★
Cuisson à l'étouffée sans matière grasse : ★
Cuisson au court bouillon : ★
Cuisson en braisé avec beurre doux : ★★★
Cuisson en braisé avec beurre salé : ★★★
Cuisson en braisé avec huile végétale : ★★★★
Cuisson en braisé avec margarine végétale non salée : ★★★
Cuisson en braisé avec margarine végétale salée : ★★★
Cuisson en braisé avec saindoux ou graisse d'oie ou de canard : ★★★
Cuisson en braisé sans matière grasse : ★
Cuisson en friture : ★★★
Cuisson en meunière avec beurre doux : ★★★
Cuisson en meunière avec beurre salé : ★★★
Cuisson en meunière avec huile végétale : ★★★★
Cuisson en meunière avec margarine végétale non salée : ★★★
Cuisson en meunière avec margarine végétale salée : ★★★
Cuisson en meunière avec saindoux ou graisse d'oie ou de canard : ★★★
Cuisson en meunière sans matière grasse : ★
Cuisson en sauté (idem poêlé).
Cuisson rôti à la broche : ★
Cuisson rôti au four avec beurre doux : ★★★
Cuisson rôti au four avec beurre salé : ★★★
Cuisson rôti au four avec huile végétale : ★★★
Cuisson rôti au four avec margarine végétale non salée : ★★★

Hotu - Icaque

Cuisson rôti au four avec margarine végétale salée : ★★★
Cuisson rôti au four avec saindoux ou graisse d'oie ou de canard : ★★★
Cuisson rôti au four sans matière grasse ajoutée : ★★★
Cuisson vapeur : ★
Grillé : ★
Pierrade : ★
Poêlé avec beurre doux : ★★★
Poêlé avec beurre salé : ★★★
Poêlé avec huile végétale : ★★★★
Poêlé avec margarine végétale non salée : ★★★
Poêlé avec margarine végétale salée : ★★★
Poêlé avec saindoux ou graisse d'oie ou de canard : ★★★
Poêlé sans matière grasse : ★
Salé et fumé : ★★
Séché : ★★
Surgelé : ★★

Remarque : n'hésitez pas à cuisiner avec de bonnes quantités d'huile végétale.

Hydne : voir « Champignon ».

I

Icaque : fruit comestible de l'icaquier. Fruit exotique.
A l'anglaise :
A l'anglaise : ★★★★
Au sirop : ★★★★
Au sirop léger : ★★★
Confit : ★★★★
Conserve au naturel : ★★
Conservé dans l'alcool : ★★★
Conservé sous vide : ★★
Consommation cru : ★★
En beignet : ★★★
En compote (avec sucre ajouté) : ★★

En compote sans sucre ajouté : ★★
En confiture : ★★★★
En confiture allégée en sucre : ★★★
En confiture sans sucre : ★
Fraîchement récolté : ★★
Poché sans sucre : ★
Séché : ★★★★
Surgelé : ★★

Igname : plante potagère cultivée pour son rhizome. Légume vert.
Conservé en saumure : ★★
Conservé sous vide : ★★
Consommation cru
Cuisson à la milanaise avec beurre doux : ★★
Cuisson à la milanaise avec beurre salé : ★★
Cuisson à la milanaise avec huile végétale : ★★★
Cuisson à la milanaise avec margarine végétale non salée : ★★
Cuisson à la milanaise avec margarine végétale salée : ★★
Cuisson à la milanaise avec saindoux ou graisse d'oie ou de canard : ★★
Cuisson à la milanaise sans matière grasse : ★
Cuisson à l'étouffée avec beurre doux : ★★
Cuisson à l'étouffée avec beurre salé : ★★
Cuisson à l'étouffée avec huile végétale : ★★★
Cuisson à l'étouffée avec margarine végétale non salée : ★★
Cuisson à l'étouffée avec margarine végétale salée : ★★
Cuisson à l'étouffée avec saindoux ou graisse d'oie ou de canard : ★★
Cuisson à l'étouffée sans matière grasse : ★
Cuisson au court bouillon : ★
Cuisson en braisé avec beurre doux : ★★
Cuisson en braisé avec beurre salé : ★★
Cuisson en braisé avec huile végétale : ★★★
Cuisson en braisé avec margarine végétale non salée : ★★
Cuisson en braisé avec margarine végétale salée : ★★
Cuisson en braisé avec saindoux ou graisse d'oie ou de canard : ★★
Cuisson en braisé sans matière grasse : ★
Cuisson en friture : ★★

Igname

Cuisson en meunière avec beurre doux : ★★
Cuisson en meunière avec beurre salé : ★★
Cuisson en meunière avec huile végétale : ★★★
Cuisson en meunière avec margarine végétale non salée : ★★
Cuisson en meunière avec margarine végétale salée : ★★
Cuisson en meunière avec saindoux ou graisse d'oie ou de canard : ★★
Cuisson en meunière sans matière grasse : ★
Cuisson en papillote : ★
Cuisson en ragoût avec beurre doux : ★★
Cuisson en ragoût avec beurre salé : ★★
Cuisson en ragoût avec huile végétale : ★★★
Cuisson en ragoût avec margarine végétale non salée : ★★
Cuisson en ragoût avec margarine végétale salée : ★★
Cuisson en ragoût avec saindoux ou graisse d'oie ou de canard : ★★
Cuisson en sauté (idem poêlé).
Cuisson vapeur : ★
Poêlé avec beurre doux : ★★
Poêlé avec beurre salé : ★★
Poêlé avec huile végétale : ★★★
Poêlé avec margarine végétale non salée : ★★
Poêlé avec margarine végétale salée : ★★
Poêlé avec saindoux ou graisse d'oie ou de canard : ★★
Poêlé sans matière grasse : ★
Potage crème : ★★★★
Potage nature sans matière grasse ajoutée
Potage velouté : ★★
Surgelé : ★★

Remarque : n'hésitez pas à cuisiner avec de bonnes quantités d'huile végétale. Modérez fortement votre consommation de légumes verts car ils sont presque acaloriques.

J

Jambon blanc : voir « Porc (viande de) » section *Cuisson au court bouillon.*

Jambon blanc à teneur réduite en sel : voir « Porc (viande de) » section *Cuisson au court bouillon.*

Jambon braisé : voir « Porc (viande de) » section *Cuisson en braisé.*

Jambon de Paris : voir « Porc (viande de) » section *Cuisson au court bouillon.*

Jambon de poulet : voir « Poulet » section *Cuisson au court bouillon.*

Jambon d'York : voir « Porc (viande de) » section *Cuisson au court bouillon.*

Jambon fumé : voir « Porc (viande de) » section *Salée et fumée.*

Jambon sec : voir « Porc (viande de) » section *Salée et fumée.*

Jambose : fruit du jambosier. Fruit exotique.
A l'anglaise : ★★★★
Au sirop : ★★★★
Au sirop léger : ★★★
Confite : ★★★★
Conserve au naturel : ★★
Conservée dans l'alcool : ★★★
Conservée sous vide : ★★
Consommation crue : ★★
En beignet : ★★★
En compote (avec sucre ajouté) : ★★
En compote sans sucre ajouté : ★★

Jambose - Julienne

En confiture : ★★★★
En confiture allégée en sucre : ★★★
En confiture sans sucre : ★
Fraîchement récoltée : ★★
Pochée sans sucre : ★
Séchée : ★★★★
Surgelée : ★★

Jarret de bœuf : voir « Bœuf (viande de) » section *Cuisson au court bouillon.*

Jarret de veau : voir « Veau (viande de) » section *Cuisson au court bouillon.*

Joue de bœuf : voir « Bœuf (viande de) ».

Jujube : fruit du jujubier. Fruit exotique.
A l'anglaise : ★★★★
Au sirop : ★★★★
Au sirop léger : ★★★
Confite : ★★★★
Conserve au naturel : ★★
Conservée dans l'alcool : ★★★
Conservée sous vide : ★★
Consommation crue : ★★
En beignet : ★★★
En compote (avec sucre ajouté) : ★★
En compote sans sucre ajouté : ★★
En confiture : ★★★★
En confiture allégée en sucre : ★★★
En confiture sans sucre : ★
Fraîchement récoltée : ★★
Pochée sans sucre : ★
Séchée : ★★★★
Surgelée : ★★

Julienne : voir « Lingue ».

Julienne de légumes : mélange de légumes verts taillés en fin bâtonnets.

Conservée en saumure : ★★

Conservée sous vide : ★★

Consommation crue

Cuisson à l'étouffée avec beurre doux : ★★

Cuisson à l'étouffée avec beurre salé : ★★

Cuisson à l'étouffée avec huile végétale : ★★★

Cuisson à l'étouffée avec margarine végétale non salée : ★★

Cuisson à l'étouffée avec margarine végétale salée : ★★

Cuisson à l'étouffée avec saindoux ou graisse d'oie ou de canard : ★★

Cuisson à l'étouffée sans matière grasse : ★

Cuisson au court bouillon : ★

Cuisson en beignet : ★★★

Cuisson en braisé avec beurre doux : ★★

Cuisson en braisé avec beurre salé : ★★

Cuisson en braisé avec huile végétale : ★★★

Cuisson en braisé avec margarine végétale non salée : ★★

Cuisson en braisé avec margarine végétale salée : ★★

Cuisson en braisé avec saindoux ou graisse d'oie ou de canard : ★★

Cuisson en braisé sans matière grasse : ★

Cuisson en papillote : ★

Cuisson en sauté (idem poêlée).

Cuisson vapeur : ★

Poêlée avec beurre doux : ★★

Poêlée avec beurre salé : ★★

Poêlée avec huile végétale : ★★★

Poêlée avec margarine végétale non salée : ★★

Poêlée avec margarine végétale salée : ★★

Poêlée avec saindoux ou graisse d'oie ou de canard : ★★

Poêlée sans matière grasse : ★

Potage crème : ★★★★

Potage nature sans matière grasse ajoutée

Potage velouté : ★★

Surgelée : ★★

Remarque : n'hésitez pas à cuisiner avec de bonnes quantités d'huile végétale. Modérez fortement votre

consommation de légumes verts car ils sont presque acaloriques.

Jumeau : voir « Bœuf (viande de) ».

$$\mathcal{K}$$

Kaki : fruit du plaqueminier.
A l'anglaise :
A l'anglaise : ★★★★
Au sirop : ★★★★
Au sirop léger : ★★★
Confit : ★★★★
Conserve au naturel : ★★
Conservé dans l'alcool : ★★★
Conservé sous vide : ★★
Consommation cru : ★★
En beignet : ★★★
En compote (avec sucre ajouté) : ★★
En compote sans sucre ajouté : ★★
En confiture : ★★★★
En confiture allégée en sucre : ★★★
En confiture sans sucre : ★
Flambé (kaki poché) : ★★★
Fraîchement récolté : ★★
Poché sans sucre : ★
Séché : ★★★★
Surgelé : ★★

Kangourou (viande de...) : viande apparentée à celle du bœuf. Viande rouge.
Conservée par le sel : ★★
Conservée sous vide : ★★
Consommation crue
Cuisson à la milanaise avec beurre doux : ★★★
Cuisson à la milanaise avec beurre salé : ★★★

Cuisson à la milanaise avec huile végétale : ★★★★
Cuisson à la milanaise avec margarine végétale non salée : ★★★
Cuisson à la milanaise avec margarine végétale salée : ★★★
Cuisson à la milanaise avec saindoux ou graisse d'oie ou de canard : ★★★
Cuisson à la milanaise sans matière grasse : ★
Cuisson à l'étouffée avec beurre doux : ★★★
Cuisson à l'étouffée avec beurre salé : ★★★
Cuisson à l'étouffée avec huile végétale : ★★★★
Cuisson à l'étouffée avec margarine végétale non salée : ★★★
Cuisson à l'étouffée avec margarine végétale salée : ★★★
Cuisson à l'étouffée avec saindoux ou graisse d'oie ou de canard : ★★★
Cuisson à l'étouffée sans matière grasse : ★
Cuisson au court bouillon : ★
Cuisson en braisé avec beurre doux : ★★★
Cuisson en braisé avec beurre salé : ★★★
Cuisson en braisé avec huile végétale : ★★★★
Cuisson en braisé avec margarine végétale non salée : ★★★
Cuisson en braisé avec margarine végétale salée : ★★★
Cuisson en braisé avec saindoux ou graisse d'oie ou de canard : ★★★
Cuisson en braisé sans matière grasse : ★
Cuisson en friture : ★★★
Cuisson en meunière avec beurre doux : ★★★
Cuisson en meunière avec beurre salé : ★★★
Cuisson en meunière avec huile végétale : ★★★★
Cuisson en meunière avec margarine végétale non salée : ★★★
Cuisson en meunière avec margarine végétale salée : ★★★
Cuisson en meunière avec saindoux ou graisse d'oie ou de canard : ★★★
Cuisson en meunière sans matière grasse : ★
Cuisson en ragoût avec beurre doux : ★★★
Cuisson en ragoût avec beurre salé : ★★★
Cuisson en ragoût avec huile végétale : ★★★★
Cuisson en ragoût avec margarine végétale non salée : ★★★
Cuisson en ragoût avec margarine végétale salée : ★★★
Cuisson en ragoût avec saindoux ou graisse d'oie ou de canard : ★★★

Cuisson en sauté (idem poêlée).
Cuisson rôtie à la broche : ★
Cuisson rôtie au four avec beurre doux : ★★★
Cuisson rôtie au four avec beurre salé : ★★★
Cuisson rôtie au four avec huile végétale : ★★★
Cuisson rôtie au four avec margarine végétale non salée : ★★★
Cuisson rôtie au four avec margarine végétale salée : ★★★
Cuisson rôtie au four avec saindoux ou graisse d'oie ou de canard : ★★★
Cuisson rôtie au four sans matière grasse ajoutée : ★★★
Cuisson vapeur : ★
Grillée : ★
Pierrade : ★
Poêlée avec beurre doux : ★★★
Poêlée avec beurre salé : ★★★
Poêlée avec huile végétale : ★★★★
Poêlée avec margarine végétale non salée : ★★★
Poêlée avec margarine végétale salée : ★★★
Poêlée avec saindoux ou graisse d'oie ou de canard : ★★★
Poêlée sans matière grasse : ★
Salée et fumée : ★★
Séchée : ★★
Surgelée : ★★
Remarque : n'hésitez pas à cuisiner avec de bonnes quantités d'huile végétale.

Kipper : voir « Hareng » section *Salé et fumé.*

Kiwi : fruit de l'actinidia.
A l'anglaise :
A l'anglaise : ★★★★
Au sirop : ★★★★
Au sirop léger : ★★★
Confit : ★★★★
Conserve au naturel : ★★
Conservé dans l'alcool : ★★★
Conservé sous vide : ★★
Consommation cru : ★★
En beignet : ★★★
En compote (avec sucre ajouté) : ★★

En compote sans sucre ajouté : ★★
En confiture : ★★★★
En confiture allégée en sucre : ★★★
En confiture sans sucre : ★
Fraîchement récolté : ★★
Poché sans sucre : ★
Séché : ★★★★
Surgelé : ★★

Kumquat : petit fruit issu du kumquat, agrume jaune.
A l'anglaise :
A l'anglaise : ★★★★
Au sirop : ★★★★
Au sirop léger : ★★★
Confit : ★★★★
Conserve au naturel : ★★
Conservé dans l'alcool : ★★★
Conservé sous vide : ★★
Consommation cru : ★★
En beignet : ★★★
En compote (avec sucre ajouté) : ★★
En compote sans sucre ajouté : ★★
En confiture : ★★★★
En confiture allégée en sucre : ★★★
En confiture sans sucre : ★
Fraîchement récolté : ★★
Poché sans sucre : ★
Séché : ★★★★
Surgelé : ★★

L

Labre : voir « Vieille ».

Lactaire : voir « Champignon ».

Lamproie

Lamproie : poisson de rivière à chair blanche.
Conservée par le sel : ★★
Conservée sous vide : ★★
Consommation crue
Cuisson à la milanaise avec beurre doux : ★★★
Cuisson à la milanaise avec beurre salé : ★★★
Cuisson à la milanaise avec huile végétale : ★★★★
Cuisson à la milanaise avec margarine végétale non salée : ★★★
Cuisson à la milanaise avec margarine végétale salée : ★★★
Cuisson à la milanaise avec saindoux ou graisse d'oie ou de canard : ★★★
Cuisson à la milanaise sans matière grasse : ★
Cuisson à l'étouffée avec beurre doux : ★★★
Cuisson à l'étouffée avec beurre salé : ★★★
Cuisson à l'étouffée avec huile végétale : ★★★★
Cuisson à l'étouffée avec margarine végétale non salée : ★★★
Cuisson à l'étouffée avec margarine végétale salée : ★★★
Cuisson à l'étouffée avec saindoux ou graisse d'oie ou de canard : ★★★
Cuisson à l'étouffée sans matière grasse : ★
Cuisson au court bouillon : ★
Cuisson en braisé avec beurre doux : ★★★
Cuisson en braisé avec beurre salé : ★★★
Cuisson en braisé avec huile végétale : ★★★★
Cuisson en braisé avec margarine végétale non salée : ★★★
Cuisson en braisé avec margarine végétale salée : ★★★
Cuisson en braisé avec saindoux ou graisse d'oie ou de canard : ★★★
Cuisson en braisé sans matière grasse : ★
Cuisson en friture : ★★★
Cuisson en meunière avec beurre doux : ★★★
Cuisson en meunière avec beurre salé : ★★★
Cuisson en meunière avec huile végétale : ★★★★
Cuisson en meunière avec margarine végétale non salée : ★★★
Cuisson en meunière avec margarine végétale salée : ★★★
Cuisson en meunière avec saindoux ou graisse d'oie ou de canard : ★★★
Cuisson en meunière sans matière grasse : ★
Cuisson en sauté (idem poêlée).

Cuisson rôtie au four avec beurre doux : ★★★
Cuisson rôtie au four avec beurre salé : ★★★
Cuisson rôtie au four avec huile végétale : ★★★
Cuisson rôtie au four avec margarine végétale non salée : ★★★
Cuisson rôtie au four avec margarine végétale salée : ★★★
Cuisson rôtie au four avec saindoux ou graisse d'oie ou de canard : ★★★
Cuisson rôtie au four sans matière grasse ajoutée : ★★★
Cuisson vapeur : ★
Grillée : ★
Pierrade : ★
Poêlée avec beurre doux : ★★★
Poêlée avec beurre salé : ★★★
Poêlée avec huile végétale : ★★★★
Poêlée avec margarine végétale non salée : ★★★
Poêlée avec margarine végétale salée : ★★★
Poêlée avec saindoux ou graisse d'oie ou de canard : ★★★
Poêlée sans matière grasse : ★
Salée et fumée : ★★
Séchée : ★★
Surgelée : ★★
Remarque : n'hésitez pas à cuisiner avec de bonnes quantités d'huile végétale.

Lançon : voir « Equille ».

Langouste : crustacé marcheur très apprécié pour sa chair.
Conservée sous vide : ★★
Consommation crue
Cuisson à la milanaise avec beurre doux : ★★★
Cuisson à la milanaise avec beurre salé : ★★★
Cuisson à la milanaise avec huile végétale : ★★★★
Cuisson à la milanaise avec margarine végétale non salée : ★★★
Cuisson à la milanaise avec margarine végétale salée : ★★★
Cuisson à la milanaise avec saindoux ou graisse d'oie ou de canard : ★★★
Cuisson à la milanaise sans matière grasse : ★
Cuisson à l'étouffée avec beurre doux : ★★★
Cuisson à l'étouffée avec beurre salé : ★★★

Langouste

Cuisson à l'étouffée avec huile végétale : ★ ★ ★ ★
Cuisson à l'étouffée avec margarine végétale non salée : ★ ★ ★
Cuisson à l'étouffée avec margarine végétale salée : ★ ★ ★
Cuisson à l'étouffée avec saindoux ou graisse d'oie ou de canard : ★ ★ ★
Cuisson à l'étouffée sans matière grasse : ★
Cuisson au court bouillon : ★
Cuisson en braisé avec beurre doux : ★ ★ ★
Cuisson en braisé avec beurre salé : ★ ★ ★
Cuisson en braisé avec huile végétale : ★ ★ ★ ★
Cuisson en braisé avec margarine végétale non salée : ★ ★ ★
Cuisson en braisé avec margarine végétale salée : ★ ★ ★
Cuisson en braisé avec saindoux ou graisse d'oie ou de canard : ★ ★ ★
Cuisson en braisé sans matière grasse : ★
Cuisson en friture : ★ ★ ★
Cuisson en meunière avec beurre doux : ★ ★ ★
Cuisson en meunière avec beurre salé : ★ ★ ★
Cuisson en meunière avec huile végétale : ★ ★ ★ ★
Cuisson en meunière avec margarine végétale non salée : ★ ★ ★
Cuisson en meunière avec margarine végétale salée : ★ ★ ★
Cuisson en meunière avec saindoux ou graisse d'oie ou de canard : ★ ★ ★
Cuisson en meunière sans matière grasse : ★
Cuisson en sauté (idem poêlée).
Cuisson rôtie au four avec beurre doux : ★ ★ ★
Cuisson rôtie au four avec beurre salé : ★ ★ ★
Cuisson rôtie au four avec huile végétale : ★ ★ ★
Cuisson rôtie au four avec margarine végétale non salée : ★ ★ ★
Cuisson rôtie au four avec margarine végétale salée : ★ ★ ★
Cuisson rôtie au four avec saindoux ou graisse d'oie ou de canard : ★ ★ ★
Cuisson rôtie au four sans matière grasse ajoutée : ★ ★ ★
Cuisson vapeur : ★
Grillée : ★
Pierrade : ★
Poêlée avec beurre doux : ★ ★ ★
Poêlée avec beurre salé : ★ ★ ★
Poêlée avec huile végétale : ★ ★ ★ ★
Poêlée avec margarine végétale non salée : ★ ★ ★

Poêlée avec margarine végétale salée : ★★★
Poêlée avec saindoux ou graisse d'oie ou de canard : ★★★
Poêlée sans matière grasse : ★
Surgelée : ★★
Remarque : n'hésitez pas à cuisiner avec de bonnes quantités d'huile végétale.

Langoustine : crustacé de la taille d'une grosse écrevisse.
Conservée sous vide : ★★
Consommation crue
Cuisson à la milanaise avec beurre doux : ★★★
Cuisson à la milanaise avec beurre salé : ★★★
Cuisson à la milanaise avec huile végétale : ★★★★
Cuisson à la milanaise avec margarine végétale non salée : ★★★
Cuisson à la milanaise avec margarine végétale salée : ★★★
Cuisson à la milanaise avec saindoux ou graisse d'oie ou de canard : ★★★
Cuisson à la milanaise sans matière grasse : ★
Cuisson à l'étouffée avec beurre doux : ★★★
Cuisson à l'étouffée avec beurre salé : ★★★
Cuisson à l'étouffée avec huile végétale : ★★★★
Cuisson à l'étouffée avec margarine végétale non salée : ★★★
Cuisson à l'étouffée avec margarine végétale salée : ★★★
Cuisson à l'étouffée avec saindoux ou graisse d'oie ou de canard : ★★★
Cuisson à l'étouffée sans matière grasse : ★
Cuisson au court bouillon : ★
Cuisson en braisé avec beurre doux : ★★★
Cuisson en braisé avec beurre salé : ★★★
Cuisson en braisé avec huile végétale : ★★★★
Cuisson en braisé avec margarine végétale non salée : ★★★
Cuisson en braisé avec margarine végétale salée : ★★★
Cuisson en braisé avec saindoux ou graisse d'oie ou de canard : ★★★
Cuisson en braisé sans matière grasse : ★
Cuisson en friture : ★★★
Cuisson en meunière avec beurre doux : ★★★
Cuisson en meunière avec beurre salé : ★★★
Cuisson en meunière avec huile végétale : ★★★★

Langoustine - Lapin

Cuisson en meunière avec margarine végétale non salée : ★★★
Cuisson en meunière avec margarine végétale salée : ★★★
Cuisson en meunière avec saindoux ou graisse d'oie ou de canard : ★★★
Cuisson en meunière sans matière grasse : ★
Cuisson en sauté (idem poêlée).
Cuisson rôtie au four avec beurre doux : ★★★
Cuisson rôtie au four avec beurre salé : ★★★
Cuisson rôtie au four avec huile végétale : ★★★
Cuisson rôtie au four avec margarine végétale non salée : ★★★
Cuisson rôtie au four avec margarine végétale salée : ★★★
Cuisson rôtie au four avec saindoux ou graisse d'oie ou de canard : ★★★
Cuisson rôtie au four sans matière grasse ajoutée : ★★★
Cuisson vapeur : ★
Grillée : ★
Pierrade : ★
Poêlée avec beurre doux : ★★★
Poêlée avec beurre salé : ★★★
Poêlée avec huile végétale : ★★★★
Poêlée avec margarine végétale non salée : ★★★
Poêlée avec margarine végétale salée : ★★★
Poêlée avec saindoux ou graisse d'oie ou de canard : ★★★
Poêlée sans matière grasse : ★
Surgelée : ★★
Remarque : n'hésitez pas à cuisiner avec de bonnes quantités d'huile végétale.

Langue de bœuf : voir « Bœuf (viande de) ».

Langue de porc : voir « Porc (viande de) ».

Lapin : mammifère herbivore.
Conservé par le sel : ★★
Conservé sous vide : ★★
Consommation cru
Cuisson à la milanaise avec beurre doux : ★★★
Cuisson à la milanaise avec beurre salé : ★★★
Cuisson à la milanaise avec huile végétale : ★★★★

Cuisson à la milanaise avec margarine végétale non salée : ★★★

Cuisson à la milanaise avec margarine végétale salée : ★★★

Cuisson à la milanaise avec saindoux ou graisse d'oie ou de canard : ★★★

Cuisson à la milanaise sans matière grasse : ★

Cuisson à l'étouffée avec beurre doux : ★★★

Cuisson à l'étouffée avec beurre salé : ★★★

Cuisson à l'étouffée avec huile végétale : ★★★★

Cuisson à l'étouffée avec margarine végétale non salée : ★★★

Cuisson à l'étouffée avec margarine végétale salée : ★★★

Cuisson à l'étouffée avec saindoux ou graisse d'oie ou de canard : ★★★

Cuisson à l'étouffée sans matière grasse : ★

Cuisson au court bouillon : ★

Cuisson en braisé avec beurre doux : ★★★

Cuisson en braisé avec beurre salé : ★★★

Cuisson en braisé avec huile végétale : ★★★★

Cuisson en braisé avec margarine végétale non salée : ★★★

Cuisson en braisé avec margarine végétale salée : ★★★

Cuisson en braisé avec saindoux ou graisse d'oie ou de canard : ★★★

Cuisson en braisé sans matière grasse : ★

Cuisson en friture : ★★★

Cuisson en meunière avec beurre doux : ★★★

Cuisson en meunière avec beurre salé : ★★★

Cuisson en meunière avec huile végétale : ★★★★

Cuisson en meunière avec margarine végétale non salée : ★★★

Cuisson en meunière avec margarine végétale salée : ★★★

Cuisson en meunière avec saindoux ou graisse d'oie ou de canard : ★★★

Cuisson en meunière sans matière grasse : ★

Cuisson en ragoût avec beurre doux : ★★★

Cuisson en ragoût avec beurre salé : ★★★

Cuisson en ragoût avec huile végétale : ★★★★

Cuisson en ragoût avec margarine végétale non salée : ★★★

Cuisson en ragoût avec margarine végétale salée : ★★★

Cuisson en ragoût avec saindoux ou graisse d'oie ou de canard : ★★★

Cuisson en sauté (idem poêlé).

Lapin - Lapin de garenne

Cuisson rôti à la broche : ★
Cuisson rôti au four avec beurre doux : ★★★
Cuisson rôti au four avec beurre salé : ★★★
Cuisson rôti au four avec huile végétale : ★★★
Cuisson rôti au four avec margarine végétale non salée : ★★★
Cuisson rôti au four avec margarine végétale salée : ★★★
Cuisson rôti au four avec saindoux ou graisse d'oie ou de canard : ★★★
Cuisson rôti au four sans matière grasse ajoutée : ★★★
Cuisson vapeur : ★
Grillé : ★
Pierrade : ★
Poêlé avec beurre doux : ★★★
Poêlé avec beurre salé : ★★★
Poêlé avec huile végétale : ★★★★
Poêlé avec margarine végétale non salée : ★★★
Poêlé avec margarine végétale salée : ★★★
Poêlé avec saindoux ou graisse d'oie ou de canard : ★★★
Poêlé sans matière grasse : ★
Salé et fumé : ★★
Séché : ★★
Surgelé : ★★

Remarque : n'hésitez pas à cuisiner avec de bonnes quantités d'huile végétale.

Lapin de garenne : lapin sauvage. Gibier.
Conservé par le sel : ★★
Conservé sous vide : ★★
Consommation cru
Cuisson à la milanaise avec beurre doux : ★★★
Cuisson à la milanaise avec beurre salé : ★★★
Cuisson à la milanaise avec huile végétale : ★★★★
Cuisson à la milanaise avec margarine végétale non salée : ★★★
Cuisson à la milanaise avec margarine végétale salée : ★★★
Cuisson à la milanaise avec saindoux ou graisse d'oie ou de canard : ★★★
Cuisson à la milanaise sans matière grasse : ★
Cuisson à l'étouffée avec beurre doux : ★★★
Cuisson à l'étouffée avec beurre salé : ★★★

Cuisson à l'étouffée avec huile végétale : ★★★★
Cuisson à l'étouffée avec margarine végétale non salée : ★★★
Cuisson à l'étouffée avec margarine végétale salée : ★★★
Cuisson à l'étouffée avec saindoux ou graisse d'oie ou de canard : ★★★
Cuisson à l'étouffée sans matière grasse : ★
Cuisson au court bouillon : ★
Cuisson en braisé avec beurre doux : ★★★
Cuisson en braisé avec beurre salé : ★★★
Cuisson en braisé avec huile végétale : ★★★★
Cuisson en braisé avec margarine végétale non salée : ★★★
Cuisson en braisé avec margarine végétale salée : ★★★
Cuisson en braisé avec saindoux ou graisse d'oie ou de canard : ★★★
Cuisson en braisé sans matière grasse : ★
Cuisson en friture : ★★★
Cuisson en meunière avec beurre doux : ★★★
Cuisson en meunière avec beurre salé : ★★★
Cuisson en meunière avec huile végétale : ★★★★
Cuisson en meunière avec margarine végétale non salée : ★★★
Cuisson en meunière avec margarine végétale salée : ★★★
Cuisson en meunière avec saindoux ou graisse d'oie ou de canard : ★★★
Cuisson en meunière sans matière grasse : ★
Cuisson en ragoût avec beurre doux : ★★★
Cuisson en ragoût avec beurre salé : ★★★
Cuisson en ragoût avec huile végétale : ★★★★
Cuisson en ragoût avec margarine végétale non salée : ★★★
Cuisson en ragoût avec margarine végétale salée : ★★★
Cuisson en ragoût avec saindoux ou graisse d'oie ou de canard : ★★★
Cuisson en sauté (idem poêlé).
Cuisson rôti à la broche : ★
Cuisson rôti au four avec beurre doux : ★★★
Cuisson rôti au four avec beurre salé : ★★★
Cuisson rôti au four avec huile végétale : ★★★
Cuisson rôti au four avec margarine végétale non salée : ★★★
Cuisson rôti au four avec margarine végétale salée : ★★★
Cuisson rôti au four avec saindoux ou graisse d'oie ou de canard : ★★★

Lapin de garenne - Limande

Cuisson rôti au four sans matière grasse ajoutée : ★★★
Cuisson vapeur : ★
Faisandé : ★★
Grillé : ★
Pierrade : ★
Poêlé avec beurre doux : ★★★
Poêlé avec beurre salé : ★★★
Poêlé avec huile végétale : ★★★★
Poêlé avec margarine végétale non salée : ★★★
Poêlé avec margarine végétale salée : ★★★
Poêlé avec saindoux ou graisse d'oie ou de canard : ★★★
Poêlé sans matière grasse : ★
Salé et fumé : ★★
Séché : ★★
Surgelé : ★★
Remarque : n'hésitez pas à cuisiner avec de bonnes quantités d'huile végétale.

Lard : voir « Porc (viande de) ».

Lard de poitrine fumé : voir « Porc (viande de) » section *Salée et fumée.*

Lard de poitrine nature : voir « Porc (viande de) ».

Lardon fumé : voir « Porc (viande de) » section *Salée et fumée.*

Lardon nature : voir « Porc (viande de) ».

Lépiote : voir « Champignon ».

Lieu (noir) : voir « Colin ».

Lièvre : voir « Lapin de garenne ».

Limande : poisson plat marin à chair blanche.
Conservée par le sel : ★★
Conservée sous vide : ★★
Consommation crue
Cuisson à la milanaise avec beurre doux : ★★★

Cuisson à la milanaise avec beurre salé : ★★★
Cuisson à la milanaise avec huile végétale : ★★★★
Cuisson à la milanaise avec margarine végétale non salée : ★★★
Cuisson à la milanaise avec margarine végétale salée : ★★★
Cuisson à la milanaise avec saindoux ou graisse d'oie ou de canard : ★★★
Cuisson à la milanaise sans matière grasse : ★
Cuisson à l'étouffée avec beurre doux : ★★★
Cuisson à l'étouffée avec beurre salé : ★★★
Cuisson à l'étouffée avec huile végétale : ★★★★
Cuisson à l'étouffée avec margarine végétale non salée : ★★★
Cuisson à l'étouffée avec margarine végétale salée : ★★★
Cuisson à l'étouffée avec saindoux ou graisse d'oie ou de canard : ★★★
Cuisson à l'étouffée sans matière grasse : ★
Cuisson au court bouillon : ★
Cuisson en braisé avec beurre doux : ★★★
Cuisson en braisé avec beurre salé : ★★★
Cuisson en braisé avec huile végétale : ★★★★
Cuisson en braisé avec margarine végétale non salée : ★★★
Cuisson en braisé avec margarine végétale salée : ★★★
Cuisson en braisé avec saindoux ou graisse d'oie ou de canard : ★★★
Cuisson en braisé sans matière grasse : ★
Cuisson en friture : ★★★
Cuisson en meunière avec beurre doux : ★★★
Cuisson en meunière avec beurre salé : ★★★
Cuisson en meunière avec huile végétale : ★★★★
Cuisson en meunière avec margarine végétale non salée : ★★★
Cuisson en meunière avec margarine végétale salée : ★★★
Cuisson en meunière avec saindoux ou graisse d'oie ou de canard : ★★★
Cuisson en meunière sans matière grasse : ★
Cuisson en sauté (idem poêlée).
Cuisson rôtie au four avec beurre doux : ★★★
Cuisson rôtie au four avec beurre salé : ★★★
Cuisson rôtie au four avec huile végétale : ★★★
Cuisson rôtie au four avec margarine végétale non salée : ★★★
Cuisson rôtie au four avec margarine végétale salée : ★★★

Cuisson rôtie au four avec saindoux ou graisse d'oie ou de canard : ★★★
Cuisson rôtie au four sans matière grasse ajoutée : ★★★
Cuisson vapeur : ★
Grillée : ★
Pierrade : ★
Poêlée avec beurre doux : ★★★
Poêlée avec beurre salé : ★★★
Poêlée avec huile végétale : ★★★★
Poêlée avec margarine végétale non salée : ★★★
Poêlée avec margarine végétale salée : ★★★
Poêlée avec saindoux ou graisse d'oie ou de canard : ★★★
Poêlée sans matière grasse : ★
Salée et fumée : ★★
Séchée : ★★
Surgelée : ★★
Remarque : n'hésitez pas à cuisiner avec de bonnes quantités d'huile végétale.

Lingue : poisson marin à chair blanche.
Conservée par le sel : ★★
Conservée sous vide : ★★
Consommation crue
Cuisson à la milanaise avec beurre doux : ★★★
Cuisson à la milanaise avec beurre salé : ★★★
Cuisson à la milanaise avec huile végétale : ★★★★
Cuisson à la milanaise avec margarine végétale non salée : ★★★
Cuisson à la milanaise avec margarine végétale salée : ★★★
Cuisson à la milanaise avec saindoux ou graisse d'oie ou de canard : ★★★
Cuisson à la milanaise sans matière grasse : ★
Cuisson à l'étouffée avec beurre doux : ★★★
Cuisson à l'étouffée avec beurre salé : ★★★
Cuisson à l'étouffée avec huile végétale : ★★★★
Cuisson à l'étouffée avec margarine végétale non salée : ★★★
Cuisson à l'étouffée avec margarine végétale salée : ★★★
Cuisson à l'étouffée avec saindoux ou graisse d'oie ou de canard : ★★★
Cuisson à l'étouffée sans matière grasse : ★

Cuisson au court bouillon : ★
Cuisson en braisé avec beurre doux : ★★★
Cuisson en braisé avec beurre salé : ★★★
Cuisson en braisé avec huile végétale : ★★★★
Cuisson en braisé avec margarine végétale non salée : ★★★
Cuisson en braisé avec margarine végétale salée : ★★★
Cuisson en braisé avec saindoux ou graisse d'oie ou de canard : ★★★
Cuisson en braisé sans matière grasse : ★
Cuisson en friture : ★★★
Cuisson en meunière avec beurre doux : ★★★
Cuisson en meunière avec beurre salé : ★★★
Cuisson en meunière avec huile végétale : ★★★★
Cuisson en meunière avec margarine végétale non salée : ★★★
Cuisson en meunière avec margarine végétale salée : ★★★
Cuisson en meunière avec saindoux ou graisse d'oie ou de canard : ★★★
Cuisson en meunière sans matière grasse : ★
Cuisson en sauté (idem poêlée).
Cuisson rôtie au four avec beurre doux : ★★★
Cuisson rôtie au four avec beurre salé : ★★★
Cuisson rôtie au four avec huile végétale : ★★★
Cuisson rôtie au four avec margarine végétale non salée : ★★★
Cuisson rôtie au four avec margarine végétale salée : ★★★
Cuisson rôtie au four avec saindoux ou graisse d'oie ou de canard : ★★★
Cuisson rôtie au four sans matière grasse ajoutée : ★★★
Cuisson vapeur : ★
Grillée : ★
Pierrade : ★
Poêlée avec beurre doux : ★★★
Poêlée avec beurre salé : ★★★
Poêlée avec huile végétale : ★★★★
Poêlée avec margarine végétale non salée : ★★★
Poêlée avec margarine végétale salée : ★★★
Poêlée avec saindoux ou graisse d'oie ou de canard : ★★★
Poêlée sans matière grasse : ★
Salée et fumée : ★★
Séchée : ★★
Surgelée : ★★

Litchi - Loche

Remarque : n'hésitez pas à cuisiner avec de bonnes quantités d'huile végétale.

Litchi : fruit du lychee. Fruit exotique.
A l'anglaise :
A l'anglaise : ★ ★ ★ ★
Au sirop : ★ ★ ★ ★
Au sirop léger : ★ ★ ★
Confit : ★ ★ ★ ★
Conserve au naturel : ★ ★
Conservé dans l'alcool : ★ ★ ★
Conservé sous vide : ★ ★
Consommation cru : ★ ★
En beignet : ★ ★ ★
En compote (avec sucre ajouté) : ★ ★
En compote sans sucre ajouté : ★ ★
En confiture : ★ ★ ★ ★
En confiture allégée en sucre : ★ ★ ★
En confiture sans sucre : ★
Flambé (litchi poché) : ★ ★ ★
Fraîchement récolté : ★ ★
Poché sans sucre : ★
Surgelé : ★ ★

Littorine : voir « Bigorneau ».

Loche : petit poisson d'eau douce à chair blanche.
Conservée par le sel : ★ ★
Conservée sous vide : ★ ★
Consommation crue
Cuisson à la milanaise avec beurre doux : ★ ★ ★
Cuisson à la milanaise avec beurre salé : ★ ★ ★
Cuisson à la milanaise avec huile végétale : ★ ★ ★ ★
Cuisson à la milanaise avec margarine végétale non salée : ★ ★ ★
Cuisson à la milanaise avec margarine végétale salée : ★ ★ ★
Cuisson à la milanaise avec saindoux ou graisse d'oie ou de canard : ★ ★ ★
Cuisson à la milanaise sans matière grasse : ★
Cuisson en beignet : ★ ★ ★

Cuisson en friture : ★★★
Cuisson en sauté (idem poêlée).
Pierrade : ★
Poêlée avec beurre doux : ★★★
Poêlée avec beurre salé : ★★★
Poêlée avec huile végétale : ★★★★
Poêlée avec margarine végétale non salée : ★★★
Poêlée avec margarine végétale salée : ★★★
Poêlée avec saindoux ou graisse d'oie ou de canard : ★★★
Poêlée sans matière grasse : ★
Salée et fumée : ★★
Séchée : ★★
Surgelée : ★★
Remarque : n'hésitez pas à cuisiner avec de bonnes quantités d'huile végétale.

Loche marin : poisson marin à chair blanche.
Conservée par le sel : ★★
Conservée sous vide : ★★
Consommation crue
Cuisson à la milanaise avec beurre doux : ★★★
Cuisson à la milanaise avec beurre salé : ★★★
Cuisson à la milanaise avec huile végétale : ★★★★
Cuisson à la milanaise avec margarine végétale non salée : ★★★
Cuisson à la milanaise avec margarine végétale salée : ★★★
Cuisson à la milanaise avec saindoux ou graisse d'oie ou de canard : ★★★
Cuisson à la milanaise sans matière grasse : ★
Cuisson en beignet : ★★★
Cuisson en friture : ★★★
Cuisson en sauté (idem poêlée).
Pierrade : ★
Poêlée avec beurre doux : ★★★
Poêlée avec beurre salé : ★★★
Poêlée avec huile végétale : ★★★★
Poêlée avec margarine végétale non salée : ★★★
Poêlée avec margarine végétale salée : ★★★
Poêlée avec saindoux ou graisse d'oie ou de canard : ★★★
Poêlée sans matière grasse : ★

Loche marin - Lotte

Salée et fumée : ★★
Séchée : ★★
Surgelée : ★★
Remarque : n'hésitez pas à cuisiner avec de bonnes quantités d'huile végétale.

Longane : fruit du longanier. Fruit exotique.
A l'anglaise : ★★★★
Au sirop : ★★★★
Au sirop léger : ★★★
Confite : ★★★★
Conserve au naturel : ★★
Conservée dans l'alcool : ★★★
Conservée sous vide : ★★
Consommation crue : ★★
En beignet : ★★★
En compote (avec sucre ajouté) : ★★
En compote sans sucre ajouté : ★★
En confiture : ★★★★
En confiture allégée en sucre : ★★★
En confiture sans sucre : ★
Fraîchement récoltée : ★★
Pochée sans sucre : ★
Séchée : ★★★★
Surgelée : ★★

Longe de porc : voir « Porc (viande de) ».

Longe de veau : voir « Veau (viande de) ».

Lotte : poisson marin ou d'eau douce à chair blanche.
Conservée par le sel : ★★
Conservée sous vide : ★★
Consommation crue
Cuisson à la milanaise avec beurre doux : ★★★
Cuisson à la milanaise avec beurre salé : ★★★
Cuisson à la milanaise avec huile végétale : ★★★★
Cuisson à la milanaise avec margarine végétale non salée : ★★★
Cuisson à la milanaise avec margarine végétale salée : ★★★

Cuisson à la milanaise avec saindoux ou graisse d'oie ou de canard : ★★★
Cuisson à la milanaise sans matière grasse : ★
Cuisson à l'étouffée avec beurre doux : ★★★
Cuisson à l'étouffée avec beurre salé : ★★★
Cuisson à l'étouffée avec huile végétale : ★★★★
Cuisson à l'étouffée avec margarine végétale non salée : ★★★
Cuisson à l'étouffée avec margarine végétale salée : ★★★
Cuisson à l'étouffée avec saindoux ou graisse d'oie ou de canard : ★★★
Cuisson à l'étouffée sans matière grasse : ★
Cuisson au court bouillon : ★
Cuisson en braisé avec beurre doux : ★★★
Cuisson en braisé avec beurre salé : ★★★
Cuisson en braisé avec huile végétale : ★★★★
Cuisson en braisé avec margarine végétale non salée : ★★★
Cuisson en braisé avec margarine végétale salée : ★★★
Cuisson en braisé avec saindoux ou graisse d'oie ou de canard : ★★★
Cuisson en braisé sans matière grasse : ★
Cuisson en friture : ★★★
Cuisson en meunière avec beurre doux : ★★★
Cuisson en meunière avec beurre salé : ★★★
Cuisson en meunière avec huile végétale : ★★★★
Cuisson en meunière avec margarine végétale non salée : ★★★
Cuisson en meunière avec margarine végétale salée : ★★★
Cuisson en meunière avec saindoux ou graisse d'oie ou de canard : ★★★
Cuisson en meunière sans matière grasse : ★
Cuisson en ragoût avec beurre doux : ★★★
Cuisson en ragoût avec beurre salé : ★★★
Cuisson en ragoût avec huile végétale : ★★★★
Cuisson en ragoût avec margarine végétale non salée : ★★★
Cuisson en ragoût avec margarine végétale salée : ★★★
Cuisson en ragoût avec saindoux ou graisse d'oie ou de canard : ★★★
Cuisson en sauté (idem poêlée).
Cuisson rôtie au four avec beurre doux : ★★★
Cuisson rôtie au four avec beurre salé : ★★★
Cuisson rôtie au four avec huile végétale : ★★★

Lotte - Macédoine

Cuisson rôtie au four avec margarine végétale non salée : ★★★
Cuisson rôtie au four avec margarine végétale salée : ★★★
Cuisson rôtie au four avec saindoux ou graisse d'oie ou de canard : ★★★
Cuisson rôtie au four sans matière grasse ajoutée : ★★★
Cuisson vapeur : ★
Grillée : ★
Pierrade : ★
Poêlée avec beurre doux : ★★★
Poêlée avec beurre salé : ★★★
Poêlée avec huile végétale : ★★★★
Poêlée avec margarine végétale non salée : ★★★
Poêlée avec margarine végétale salée : ★★★
Poêlée avec saindoux ou graisse d'oie ou de canard : ★★★
Poêlée sans matière grasse : ★
Salée et fumée : ★★
Séchée : ★★
Surgelée : ★★
Remarque : n'hésitez pas à cuisiner avec de bonnes quantités d'huile végétale.

M

Macédoine : mélange de légumes verts coupés en morceaux.
Conservée en saumure : ★★
Conservée sous vide : ★★
Consommation crue
Cuisson à l'étouffée avec beurre doux : ★★
Cuisson à l'étouffée avec beurre salé : ★★
Cuisson à l'étouffée avec huile végétale : ★★★
Cuisson à l'étouffée avec margarine végétale non salée : ★★
Cuisson à l'étouffée avec margarine végétale salée : ★★
Cuisson à l'étouffée avec saindoux ou graisse d'oie ou de canard : ★★
Cuisson à l'étouffée sans matière grasse : ★
Cuisson au court bouillon : ★

Cuisson en beignet : ★ ★ ★
Cuisson en braisé avec beurre doux : ★ ★
Cuisson en braisé avec beurre salé : ★ ★
Cuisson en braisé avec huile végétale : ★ ★ ★
Cuisson en braisé avec margarine végétale non salée : ★ ★
Cuisson en braisé avec margarine végétale salée : ★ ★
Cuisson en braisé avec saindoux ou graisse d'oie ou de canard :
★ ★
Cuisson en braisé sans matière grasse : ★
Cuisson en papillote : ★
Cuisson en sauté (idem poêlée).
Cuisson vapeur : ★
Poêlée avec beurre doux : ★ ★
Poêlée avec beurre salé : ★ ★
Poêlée avec huile végétale : ★ ★ ★
Poêlée avec margarine végétale non salée : ★ ★
Poêlée avec margarine végétale salée : ★ ★
Poêlée avec saindoux ou graisse d'oie ou de canard : ★ ★
Poêlée sans matière grasse : ★
Potage crème : ★ ★ ★ ★
Potage nature sans matière grasse ajoutée
Potage velouté : ★ ★
Surgelée : ★ ★
Remarque : n'hésitez pas à cuisiner avec de bonnes quantités d'huile végétale. Modérez fortement votre consommation de légumes verts car ils sont presque acaloriques.

Macreuse : voir « Bœuf (viande de) ».

Magret : voir « Canard (viande de) ».

Maigre : poisson marin à chair blanche.
Conservé par le sel : ★ ★
Conservé sous vide : ★ ★
Consommation cru
Cuisson à la milanaise avec beurre doux : ★ ★ ★
Cuisson à la milanaise avec beurre salé : ★ ★ ★
Cuisson à la milanaise avec huile végétale : ★ ★ ★ ★

Maigre

Cuisson à la milanaise avec margarine végétale non salée : ★★★

Cuisson à la milanaise avec margarine végétale salée : ★★★

Cuisson à la milanaise avec saindoux ou graisse d'oie ou de canard : ★★★

Cuisson à la milanaise sans matière grasse : ★

Cuisson à l'étouffée avec beurre doux : ★★★

Cuisson à l'étouffée avec beurre salé : ★★★

Cuisson à l'étouffée avec huile végétale : ★★★★

Cuisson à l'étouffée avec margarine végétale non salée : ★★★

Cuisson à l'étouffée avec margarine végétale salée : ★★★

Cuisson à l'étouffée avec saindoux ou graisse d'oie ou de canard : ★★★

Cuisson à l'étouffée sans matière grasse : ★

Cuisson au court bouillon : ★

Cuisson en braisé avec beurre doux : ★★★

Cuisson en braisé avec beurre salé : ★★★

Cuisson en braisé avec huile végétale : ★★★★

Cuisson en braisé avec margarine végétale non salée : ★★★

Cuisson en braisé avec margarine végétale salée : ★★★

Cuisson en braisé avec saindoux ou graisse d'oie ou de canard : ★★★

Cuisson en braisé sans matière grasse : ★

Cuisson en friture : ★★★

Cuisson en meunière avec beurre doux : ★★★

Cuisson en meunière avec beurre salé : ★★★

Cuisson en meunière avec huile végétale : ★★★★

Cuisson en meunière avec margarine végétale non salée : ★★★

Cuisson en meunière avec margarine végétale salée : ★★★

Cuisson en meunière avec saindoux ou graisse d'oie ou de canard : ★★★

Cuisson en meunière sans matière grasse : ★

Cuisson en sauté (idem poêlé).

Cuisson rôti à la broche : ★

Cuisson rôti au four avec beurre doux : ★★★

Cuisson rôti au four avec beurre salé : ★★★

Cuisson rôti au four avec huile végétale : ★★★

Cuisson rôti au four avec margarine végétale non salée : ★★★

Cuisson rôti au four avec margarine végétale salée : ★★★

Cuisson rôti au four avec saindoux ou graisse d'oie ou de canard : ★★★
Cuisson rôti au four sans matière grasse ajoutée : ★★★
Cuisson vapeur : ★
Grillé : ★
Pierrade : ★
Poêlé avec beurre doux : ★★★
Poêlé avec beurre salé : ★★★
Poêlé avec huile végétale : ★★★★
Poêlé avec margarine végétale non salée : ★★★
Poêlé avec margarine végétale salée : ★★★
Poêlé avec saindoux ou graisse d'oie ou de canard : ★★★
Poêlé sans matière grasse : ★
Salé et fumé : ★★
Séché : ★★
Surgelé : ★★
Remarque : n'hésitez pas à cuisiner avec de bonnes quantités d'huile végétale.

Mandarine : fruit du mandarinier. Agrume.
A l'anglaise : ★★★★
Au sirop : ★★★★
Au sirop léger : ★★★
Confite : ★★★★
Conserve au naturel : ★★
Conservée dans l'alcool : ★★★
Conservée sous vide : ★★
Consommation crue : ★★
En beignet : ★★★
En compote (avec sucre ajouté) : ★★
En compote sans sucre ajouté : ★★
En confiture : ★★★★
En confiture allégée en sucre : ★★★
En confiture sans sucre : ★
Fraîchement récoltée : ★★
Pochée sans sucre : ★
Séchée : ★★★★
Surgelée : ★★

Mangoustan - Mangue

Mangoustan : fruit du mangoustanier. Fruit exotique.
A l'anglaise :
A l'anglaise : ★★★★
Au sirop : ★★★★
Au sirop léger : ★★★
Confit : ★★★★
Conserve au naturel : ★★
Conservé dans l'alcool : ★★★
Conservé sous vide : ★★
Consommation cru : ★★
En beignet : ★★★
En compote (avec sucre ajouté) : ★★
En compote sans sucre ajouté : ★★
En confiture : ★★★★
En confiture allégée en sucre : ★★★
En confiture sans sucre : ★
Fraîchement récolté : ★★
Poché sans sucre : ★
Séché : ★★★★
Surgelé : ★★

Mangue : fruit du manguier. Fruit exotique.
A l'anglaise : ★★★★
Au sirop : ★★★★
Au sirop léger : ★★★
Confite : ★★★★
Conserve au naturel : ★★
Conservée dans l'alcool : ★★★
Conservée sous vide : ★★
Consommation crue : ★★
En beignet : ★★★
En compote (avec sucre ajouté) : ★★
En compote sans sucre ajouté : ★★
En confiture : ★★★★
En confiture allégée en sucre : ★★★
En confiture sans sucre : ★
Fraîchement récoltée : ★★
Pochée sans sucre : ★
Séchée : ★★★★
Surgelée : ★★

Maquereau : poisson gras marin.

Conservé par le sel : ★★

Conservé sous vide : ★★

Consommation cru

Cuisson à la milanaise avec beurre doux : ★★★

Cuisson à la milanaise avec beurre salé : ★★★

Cuisson à la milanaise avec huile végétale : ★★★★

Cuisson à la milanaise avec margarine végétale non salée : ★★★

Cuisson à la milanaise avec margarine végétale salée : ★★★

Cuisson à la milanaise avec saindoux ou graisse d'oie ou de canard : ★★★

Cuisson à la milanaise sans matière grasse : ★

Cuisson à l'étouffée avec beurre doux : ★★★

Cuisson à l'étouffée avec beurre salé : ★★★

Cuisson à l'étouffée avec huile végétale : ★★★★

Cuisson à l'étouffée avec margarine végétale non salée : ★★★

Cuisson à l'étouffée avec margarine végétale salée : ★★★

Cuisson à l'étouffée avec saindoux ou graisse d'oie ou de canard : ★★★

Cuisson à l'étouffée sans matière grasse : ★

Cuisson au court bouillon : ★

Cuisson en braisé avec beurre doux : ★★★

Cuisson en braisé avec beurre salé : ★★★

Cuisson en braisé avec huile végétale : ★★★★

Cuisson en braisé avec margarine végétale non salée : ★★★

Cuisson en braisé avec margarine végétale salée : ★★★

Cuisson en braisé avec saindoux ou graisse d'oie ou de canard : ★★★

Cuisson en braisé sans matière grasse : ★

Cuisson en friture : ★★★

Cuisson en meunière avec beurre doux : ★★★

Cuisson en meunière avec beurre salé : ★★★

Cuisson en meunière avec huile végétale : ★★★★

Cuisson en meunière avec margarine végétale non salée : ★★★

Cuisson en meunière avec margarine végétale salée : ★★★

Cuisson en meunière avec saindoux ou graisse d'oie ou de canard : ★★★

Cuisson en meunière sans matière grasse : ★

Cuisson en sauté (idem poêlé).

Cuisson rôti à la broche : ★
Cuisson rôti au four avec beurre doux : ★★★
Cuisson rôti au four avec beurre salé : ★★★
Cuisson rôti au four avec huile végétale : ★★★
Cuisson rôti au four avec margarine végétale non salée : ★★★
Cuisson rôti au four avec margarine végétale salée : ★★★
Cuisson rôti au four avec saindoux ou graisse d'oie ou de canard : ★★★
Cuisson rôti au four sans matière grasse ajoutée : ★★★
Cuisson vapeur : ★
Grillé : ★
Pierrade : ★
Poêlé avec beurre doux : ★★★
Poêlé avec beurre salé : ★★★
Poêlé avec huile végétale : ★★★★
Poêlé avec margarine végétale non salée : ★★★
Poêlé avec margarine végétale salée : ★★★
Poêlé avec saindoux ou graisse d'oie ou de canard : ★★★
Poêlé sans matière grasse : ★
Salé et fumé : ★★
Séché : ★★
Surgelé : ★★
Remarque : n'hésitez pas à cuisiner avec de bonnes quantités d'huile végétale.

Marron : voir « Châtaigne » section *Confite*.

Mélisse : plante aromatique condimentaire.
Conservée sous vide : ★★
Consommation crue : ★★
Consommation cuite : ★★
Déshydratée : ★★
Fraîchement récoltée : ★★
Surgelée : ★★

Melon : fruit issu de la famille des cucurbitacées.
A l'anglaise :
A l'anglaise : ★★★★
Au sirop : ★★★★
Au sirop léger : ★★★

Confit : ★★★★
Conserve au naturel : ★★
Conservé dans l'alcool : ★★★
Conservé sous vide : ★★
Consommation cru : ★★
En beignet : ★★★
En compote (avec sucre ajouté) : ★★
En compote sans sucre ajouté : ★★
En confiture : ★★★★
En confiture allégée en sucre : ★★★
En confiture sans sucre : ★
Fraîchement récolté : ★★
Poché sans sucre : ★
Séché : ★★★★
Surgelé : ★★

Melon d'eau : voir « Pastèque ».

Menthe : plante aromatique condimentaire.
Conservée sous vide : ★★
Consommation crue : ★★
Consommation cuite : ★★
Déshydratée : ★★
Fraîchement récoltée : ★★
Surgelée : ★★

Merlan(1) : poisson marin à chair blanche.
Conservé par le sel : ★★
Conservé sous vide : ★★
Consommation cru
Cuisson à la milanaise avec beurre doux : ★★★
Cuisson à la milanaise avec beurre salé : ★★★
Cuisson à la milanaise avec huile végétale : ★★★★
Cuisson à la milanaise avec margarine végétale non salée : ★★★
Cuisson à la milanaise avec margarine végétale salée : ★★★
Cuisson à la milanaise avec saindoux ou graisse d'oie ou de canard : ★★★
Cuisson à la milanaise sans matière grasse : ★
Cuisson à l'étouffée avec beurre doux : ★★★

Merlan

Cuisson à l'étouffée avec beurre salé : ★★★
Cuisson à l'étouffée avec huile végétale : ★★★★
Cuisson à l'étouffée avec margarine végétale non salée : ★★★
Cuisson à l'étouffée avec margarine végétale salée : ★★★
Cuisson à l'étouffée avec saindoux ou graisse d'oie ou de canard : ★★★
Cuisson à l'étouffée sans matière grasse : ★
Cuisson au court bouillon : ★
Cuisson en braisé avec beurre doux : ★★★
Cuisson en braisé avec beurre salé : ★★★
Cuisson en braisé avec huile végétale : ★★★★
Cuisson en braisé avec margarine végétale non salée : ★★★
Cuisson en braisé avec margarine végétale salée : ★★★
Cuisson en braisé avec saindoux ou graisse d'oie ou de canard : ★★★
Cuisson en braisé sans matière grasse : ★
Cuisson en friture : ★★★
Cuisson en meunière avec beurre doux : ★★★
Cuisson en meunière avec beurre salé : ★★★
Cuisson en meunière avec huile végétale : ★★★★
Cuisson en meunière avec margarine végétale non salée : ★★★
Cuisson en meunière avec margarine végétale salée : ★★★
Cuisson en meunière avec saindoux ou graisse d'oie ou de canard : ★★★
Cuisson en meunière sans matière grasse : ★
Cuisson en sauté (idem poêlé).
Cuisson rôti à la broche : ★
Cuisson rôti au four avec beurre doux : ★★★
Cuisson rôti au four avec beurre salé : ★★★
Cuisson rôti au four avec huile végétale : ★★★
Cuisson rôti au four avec margarine végétale non salée : ★★★
Cuisson rôti au four avec margarine végétale salée : ★★★
Cuisson rôti au four avec saindoux ou graisse d'oie ou de canard : ★★★
Cuisson rôti au four sans matière grasse ajoutée : ★★★
Cuisson vapeur : ★
Grillé : ★
Pierrade : ★
Poêlé avec beurre doux : ★★★
Poêlé avec beurre salé : ★★★

Poêlé avec huile végétale : ★★★★
Poêlé avec margarine végétale non salée : ★★★
Poêlé avec margarine végétale salée : ★★★
Poêlé avec saindoux ou graisse d'oie ou de canard : ★★★
Poêlé sans matière grasse : ★
Salé et fumé : ★★
Séché : ★★
Surgelé : ★★
Remarque : n'hésitez pas à cuisiner avec de bonnes quantités d'huile végétale.

Merlan(2) : voir « Bœuf (viande de) ».

Merlu : voir « Colin ».

Mérou : poisson marin des eaux chaudes à chair blanche.
Conservé par le sel : ★★
Conservé sous vide : ★★
Consommation cru
Cuisson à la milanaise avec beurre doux : ★★★
Cuisson à la milanaise avec beurre salé : ★★★
Cuisson à la milanaise avec huile végétale : ★★★★
Cuisson à la milanaise avec margarine végétale non salée : ★★★
Cuisson à la milanaise avec margarine végétale salée : ★★★
Cuisson à la milanaise avec saindoux ou graisse d'oie ou de canard : ★★★
Cuisson à la milanaise sans matière grasse : ★
Cuisson à l'étouffée avec beurre doux : ★★★
Cuisson à l'étouffée avec beurre salé : ★★★
Cuisson à l'étouffée avec huile végétale : ★★★★
Cuisson à l'étouffée avec margarine végétale non salée : ★★★
Cuisson à l'étouffée avec margarine végétale salée : ★★★
Cuisson à l'étouffée avec saindoux ou graisse d'oie ou de canard : ★★★
Cuisson à l'étouffée sans matière grasse : ★
Cuisson au court bouillon : ★
Cuisson en braisé avec beurre doux : ★★★
Cuisson en braisé avec beurre salé : ★★★
Cuisson en braisé avec huile végétale : ★★★★

Mérou

Cuisson en braisé avec margarine végétale non salée : ★★★
Cuisson en braisé avec margarine végétale salée : ★★★
Cuisson en braisé avec saindoux ou graisse d'oie ou de canard :
★★★
Cuisson en braisé sans matière grasse : ★
Cuisson en friture : ★★★
Cuisson en meunière avec beurre doux : ★★★
Cuisson en meunière avec beurre salé : ★★★
Cuisson en meunière avec huile végétale : ★★★★
Cuisson en meunière avec margarine végétale non salée : ★★★
Cuisson en meunière avec margarine végétale salée : ★★★
Cuisson en meunière avec saindoux ou graisse d'oie ou de canard : ★★★
Cuisson en meunière sans matière grasse : ★
Cuisson en sauté (idem poêlé).
Cuisson rôti à la broche : ★
Cuisson rôti au four avec beurre doux : ★★★
Cuisson rôti au four avec beurre salé : ★★★
Cuisson rôti au four avec huile végétale : ★★★
Cuisson rôti au four avec margarine végétale non salée : ★★★
Cuisson rôti au four avec margarine végétale salée : ★★★
Cuisson rôti au four avec saindoux ou graisse d'oie ou de canard : ★★★
Cuisson rôti au four sans matière grasse ajoutée : ★★★
Cuisson vapeur : ★
Grillé : ★
Pierrade : ★
Poêlé avec beurre doux : ★★★
Poêlé avec beurre salé : ★★★
Poêlé avec huile végétale : ★★★★
Poêlé avec margarine végétale non salée : ★★★
Poêlé avec margarine végétale salée : ★★★
Poêlé avec saindoux ou graisse d'oie ou de canard : ★★★
Poêlé sans matière grasse : ★
Salé et fumé : ★★
Séché : ★★
Surgelé : ★★
Remarque : n'hésitez pas à cuisiner avec de bonnes quantités d'huile végétale.

Mirabelle : petite prune jaune.
A l'anglaise : ★★★★
Au sirop : ★★★★
Au sirop léger : ★★★
Confite : ★★★★
Conserve au naturel : ★★
Conservée dans l'alcool : ★★★
Conservée sous vide : ★★
Consommation crue : ★★
En beignet : ★★★
En compote (avec sucre ajouté) : ★★
En compote sans sucre ajouté : ★★
En confiture : ★★★★
En confiture allégée en sucre : ★★★
En confiture sans sucre : ★
Fraîchement récoltée : ★★
Pochée sans sucre : ★
Séchée : ★★★★
Surgelée : ★★

Mombin : fruit du spondias. Fruit exotique.
A l'anglaise : ★★★★
Au sirop : ★★★★
Au sirop léger : ★★★
Confit : ★★★★
Conserve au naturel : ★★
Conservé dans l'alcool : ★★★
Conservé sous vide : ★★
Consommation cru : ★★
En beignet : ★★★
En compote (avec sucre ajouté) : ★★
En compote sans sucre ajouté : ★★
En confiture : ★★★★
En confiture allégée en sucre : ★★★
En confiture sans sucre : ★
Fraîchement récolté : ★★
Poché sans sucre : ★
Séché : ★★★★
Surgelé : ★★

Monarde écarlate : plante dont les feuilles sont utilisées comme condiment aromatique.
Conservée sous vide : ★★
Consommation crue : ★★
Consommation cuite : ★★
Déshydratée : ★★
Fraîchement récoltée : ★★
Surgelée : ★★

Morille : voir « Champignon ».

Morue : voir « Cabillaud » section *Conservé par le sel.*

Motelle : voir « Loche marin ».

Moule : mollusque comestible.
Conservée en saumure : ★★
Conservée sous vide : ★★
Consommation crue
Cuisson à la marinière : ★★
Cuisson à la milanaise avec beurre doux : ★★★
Cuisson à la milanaise avec beurre salé : ★★★
Cuisson à la milanaise avec huile végétale : ★★★★
Cuisson à la milanaise avec margarine végétale non salée : ★★★
Cuisson à la milanaise avec margarine végétale salée : ★★★
Cuisson à la milanaise avec saindoux ou graisse d'oie ou de canard : ★★★
Cuisson à la milanaise sans matière grasse : ★
Cuisson à l'étouffée avec beurre doux : ★★★
Cuisson à l'étouffée avec beurre salé : ★★★
Cuisson à l'étouffée avec huile végétale : ★★★★
Cuisson à l'étouffée avec margarine végétale non salée : ★★★
Cuisson à l'étouffée avec margarine végétale salée : ★★★
Cuisson à l'étouffée avec saindoux ou graisse d'oie ou de canard : ★★★
Cuisson à l'étouffée sans matière grasse : ★
Cuisson au court bouillon : ★
Cuisson en braisé avec beurre doux : ★★★
Cuisson en braisé avec beurre salé : ★★★

Cuisson en braisé avec huile végétale : ★★★★
Cuisson en braisé avec margarine végétale non salée : ★★★
Cuisson en braisé avec margarine végétale salée : ★★★
Cuisson en braisé avec saindoux ou graisse d'oie ou de canard : ★★★
Cuisson en braisé sans matière grasse : ★
Cuisson en friture : ★
Cuisson en meunière avec beurre doux : ★★★
Cuisson en meunière avec beurre salé : ★★★
Cuisson en meunière avec huile végétale : ★★★★
Cuisson en meunière avec margarine végétale non salée : ★★★
Cuisson en meunière avec margarine végétale salée : ★★★
Cuisson en meunière avec saindoux ou graisse d'oie ou de canard : ★★★
Cuisson en meunière sans matière grasse : ★
Cuisson en sauté (idem poêlée).
Cuisson vapeur : ★
Poêlée avec beurre doux : ★★★
Poêlée avec beurre salé : ★★★
Poêlée avec huile végétale : ★★★★
Poêlée avec margarine végétale non salée : ★★★
Poêlée avec margarine végétale salée : ★★★
Poêlée avec saindoux ou graisse d'oie ou de canard : ★★★
Poêlée sans matière grasse : ★
Salée et fumée : ★★
Séchée : ★★
Surgelée : ★★
Remarque : n'hésitez pas à cuisiner avec de bonnes quantités d'huile végétale.

Mouton : voir « Agneau (viande de) ».

Muge : voir « Mulet ».

Mulard : voir « Canard (viande de) ».

Mulberries : petite baie très semblable à la mûre mais plus allongée.
A l'anglaise : ★★★★
Au sirop : ★★★★

Au sirop léger : ★★★
Confite : ★★★★
Conserve au naturel : ★★
Conservée dans l'alcool : ★★★
Conservée sous vide : ★★
Consommation crue : ★★
En beignet : ★★★
En compote (avec sucre ajouté) : ★★
En compote sans sucre ajouté : ★★
En confiture : ★★★★
En confiture allégée en sucre : ★★★
En confiture sans sucre : ★
Fraîchement récoltée : ★★
Pochée sans sucre : ★
Séchée : ★★★★
Surgelée : ★★

Mulet : poisson marin et d'eau douce à chair blanche.
Conservé par le sel : ★★
Conservé sous vide : ★★
Consommation cru
Cuisson à la milanaise avec beurre doux : ★★★
Cuisson à la milanaise avec beurre salé : ★★★
Cuisson à la milanaise avec huile végétale : ★★★★
Cuisson à la milanaise avec margarine végétale non salée : ★★★
Cuisson à la milanaise avec margarine végétale salée : ★★★
Cuisson à la milanaise avec saindoux ou graisse d'oie ou de canard : ★★★
Cuisson à la milanaise sans matière grasse : ★
Cuisson à l'étouffée avec beurre doux : ★★★
Cuisson à l'étouffée avec beurre salé : ★★★
Cuisson à l'étouffée avec huile végétale : ★★★★
Cuisson à l'étouffée avec margarine végétale non salée : ★★★
Cuisson à l'étouffée avec margarine végétale salée : ★★★
Cuisson à l'étouffée avec saindoux ou graisse d'oie ou de canard : ★★★
Cuisson à l'étouffée sans matière grasse : ★
Cuisson au court bouillon : ★
Cuisson en braisé avec beurre doux : ★★★

Cuisson en braisé avec beurre salé : ★★★
Cuisson en braisé avec huile végétale : ★★★★
Cuisson en braisé avec margarine végétale non salée : ★★★
Cuisson en braisé avec margarine végétale salée : ★★★
Cuisson en braisé avec saindoux ou graisse d'oie ou de canard : ★★★
Cuisson en braisé sans matière grasse : ★
Cuisson en friture : ★★★
Cuisson en meunière avec beurre doux : ★★★
Cuisson en meunière avec beurre salé : ★★★
Cuisson en meunière avec huile végétale : ★★★★
Cuisson en meunière avec margarine végétale non salée : ★★★
Cuisson en meunière avec margarine végétale salée : ★★★
Cuisson en meunière avec saindoux ou graisse d'oie ou de canard : ★★★
Cuisson en meunière sans matière grasse : ★
Cuisson en sauté (idem poêlé).
Cuisson rôti à la broche : ★
Cuisson rôti au four avec beurre doux : ★★★
Cuisson rôti au four avec beurre salé : ★★★
Cuisson rôti au four avec huile végétale : ★★★
Cuisson rôti au four avec margarine végétale non salée : ★★★
Cuisson rôti au four avec margarine végétale salée : ★★★
Cuisson rôti au four avec saindoux ou graisse d'oie ou de canard : ★★★
Cuisson rôti au four sans matière grasse ajoutée : ★★★
Cuisson vapeur : ★
Grillé : ★
Pierrade : ★
Poêlé avec beurre doux : ★★★
Poêlé avec beurre salé : ★★★
Poêlé avec huile végétale : ★★★★
Poêlé avec margarine végétale non salée : ★★★
Poêlé avec margarine végétale salée : ★★★
Poêlé avec saindoux ou graisse d'oie ou de canard : ★★★
Poêlé sans matière grasse : ★
Salé et fumé : ★★
Séché : ★★
Surgelé : ★★

Mûre - Myrtille

Remarque : n'hésitez pas à cuisiner avec de bonnes quantités d'huile végétale.

Mûre : fruit comestible de la ronce ou du mûrier.
A l'anglaise : ★★★★
Au sirop : ★★★★
Au sirop léger : ★★★
Confite : ★★★★
Conserve au naturel : ★★
Conservée dans l'alcool : ★★★
Conservée sous vide : ★★
Consommation crue : ★★
En beignet : ★★★
En compote (avec sucre ajouté) : ★★
En compote sans sucre ajouté : ★★
En confiture : ★★★★
En confiture allégée en sucre : ★★★
En confiture sans sucre : ★
Fraîchement récoltée : ★★
Pochée sans sucre : ★
Séchée : ★★★★
Surgelée : ★★

Mye : voir « Palourde ».

Myrtille : baie comestible noire.
A l'anglaise : ★★★★
Au sirop : ★★★★
Au sirop léger : ★★★
Confite : ★★★★
Conserve au naturel : ★★
Conservée dans l'alcool : ★★★
Conservée sous vide : ★★
Consommation crue : ★★
En beignet : ★★★
En compote (avec sucre ajouté) : ★★
En compote sans sucre ajouté : ★★
En confiture : ★★★★
En confiture allégée en sucre : ★★★
En confiture sans sucre : ★

Fraîchement récoltée : ★★
Pochée sans sucre : ★
Séchée : ★★★★
Surgelée : ★★

N

Navet : plante potagère dont on consomme la racine comestible. Légume vert.
Conservé en saumure : ★★
Conservé sous vide : ★★
Consommation cru
Cuisson à l'étouffée avec beurre doux : ★★
Cuisson à l'étouffée avec beurre salé : ★★
Cuisson à l'étouffée avec huile végétale : ★★★
Cuisson à l'étouffée avec margarine végétale non salée : ★★
Cuisson à l'étouffée avec margarine végétale salée : ★★
Cuisson à l'étouffée avec saindoux ou graisse d'oie ou de canard : ★★
Cuisson à l'étouffée sans matière grasse : ★
Cuisson au court bouillon : ★
Cuisson en braisé avec beurre doux : ★★
Cuisson en braisé avec beurre salé : ★★
Cuisson en braisé avec huile végétale : ★★★
Cuisson en braisé avec margarine végétale non salée : ★★
Cuisson en braisé avec margarine végétale salée : ★★
Cuisson en braisé avec saindoux ou graisse d'oie ou de canard : ★★
Cuisson en braisé sans matière grasse : ★
Cuisson en friture : ★★
Cuisson en papillote : ★
Cuisson en ragoût avec beurre doux : ★★
Cuisson en ragoût avec beurre salé : ★★
Cuisson en ragoût avec huile végétale : ★★★
Cuisson en ragoût avec margarine végétale non salée : ★★
Cuisson en ragoût avec margarine végétale salée : ★★

Navet - Nèfle

Cuisson en ragoût avec saindoux ou graisse d'oie ou de canard :
★★
Cuisson en sauté (idem poêlé).
Cuisson vapeur : ★
Poêlé avec beurre doux : ★★
Poêlé avec beurre salé : ★★
Poêlé avec huile végétale : ★★★
Poêlé avec margarine végétale non salée : ★★
Poêlé avec margarine végétale salée : ★★
Poêlé avec saindoux ou graisse d'oie ou de canard : ★★
Poêlé sans matière grasse : ★
Potage crème : ★★★★
Potage nature sans matière grasse ajoutée
Potage velouté : ★★
Surgelé : ★★
Remarque : n'hésitez pas à cuisiner avec de bonnes quantités d'huile végétale. Modérez fortement votre consommation de légumes verts car ils sont presque acaloriques.

Nectarine : voir « Pêche ».

Nèfle : fruit du néflier qui se consomme blet.
A l'anglaise : ★★★★
Au sirop : ★★★★
Au sirop léger : ★★★
Confite : ★★★★
Conserve au naturel : ★★
Conservée dans l'alcool : ★★★
Conservée sous vide : ★★
Consommation crue : ★★
En beignet : ★★★
En compote (avec sucre ajouté) : ★★
En compote sans sucre ajouté : ★★
En confiture : ★★★★
En confiture allégée en sucre : ★★★
En confiture sans sucre : ★
Fraîchement récoltée : ★★
Pochée sans sucre : ★
Séchée : ★★★★

Surgelée : ★★

Noix de bœuf : voir « Bœuf (viande de) ».

Noix de coco : fruit du palmier. Fruit exotique.
Confite : ★★★★
Conservée sous vide : ★★★
Consommation crue : ★★★
Fraîchement récoltée : ★★★
Râpée : ★★★
Séchée : ★★★
Surgelée : ★★★

Noix d'épaule : voir « Porc (viande de) » section *Conservée sous vide*.

Noix de veau : voir « Veau (viande de) ».

Nuggets de poulet : voir « Poulet » section *Cuisson en friture*.

O

Oca du Pérou : plante potagère dont on consomme les tubercules. Légume vert.
Conservé en saumure : ★★
Conservé sous vide : ★★
Consommation cru : ★★
Cuisson à l'étouffée avec beurre doux : ★★
Cuisson à l'étouffée avec beurre salé : ★★
Cuisson à l'étouffée avec huile végétale : ★★★
Cuisson à l'étouffée avec margarine végétale non salée : ★★
Cuisson à l'étouffée avec margarine végétale salée : ★★
Cuisson à l'étouffée avec saindoux ou graisse d'oie ou de canard : ★★
Cuisson à l'étouffée sans matière grasse : ★
Cuisson au court bouillon : ★

Cuisson en braisé avec beurre doux : ★★
Cuisson en braisé avec beurre salé : ★★
Cuisson en braisé avec huile végétale : ★★★
Cuisson en braisé avec margarine végétale non salée : ★★
Cuisson en braisé avec margarine végétale salée : ★★
Cuisson en braisé avec saindoux ou graisse d'oie ou de canard :
★★
Cuisson en braisé sans matière grasse : ★
Cuisson en friture : ★★
Cuisson en papillote : ★
Cuisson en ragoût avec beurre doux : ★★
Cuisson en ragoût avec beurre salé : ★★
Cuisson en ragoût avec huile végétale : ★★★
Cuisson en ragoût avec margarine végétale non salée : ★★
Cuisson en ragoût avec margarine végétale salée : ★★
Cuisson en ragoût avec saindoux ou graisse d'oie ou de canard :
★★
Cuisson en sauté (idem poêlé).
Cuisson vapeur : ★
Poêlé avec beurre doux : ★★
Poêlé avec beurre salé : ★★
Poêlé avec huile végétale : ★★★
Poêlé avec margarine végétale non salée : ★★
Poêlé avec margarine végétale salée : ★★
Poêlé avec saindoux ou graisse d'oie ou de canard : ★★
Poêlé sans matière grasse : ★
Potage crème : ★★★★
Potage nature sans matière grasse ajoutée
Potage velouté : ★★
Surgelé : ★★
Remarque : n'hésitez pas à cuisiner avec de bonnes quantités d'huile végétale.

Œuf : produit comestible de la ponte de la poule ou de la cane, perdrix, pintade, etc.
A la coque : ★★
Au plat avec beurre doux : ★★★
Au plat avec beurre salé : ★★★
Au plat avec huile végétale : ★★★★
Au plat avec margarine végétale non salée : ★★★

Au plat avec margarine végétale salée : ★★★
Au plat avec saindoux ou graisse d'oie ou de canard : ★★★
Au plat sans matière grasse : ★
Cocotte : ★★
Conserve en saumure (eau salée) : ★★
Conservé sous vide : ★★
Consommation cru : ★★
Cuisson en friture : ★★★
Cuisson poché : ★★
Dur : ★★
En brouillade avec beurre doux : ★★★
En brouillade avec beurre salé : ★★★
En brouillade avec huile végétale : ★★★★
En brouillade avec margarine végétale non salée : ★★★
En brouillade avec margarine végétale salée : ★★★
En brouillade avec saindoux ou graisse d'oie ou de canard : ★★★
En brouillade sans matière grasse : ★
En omelette avec beurre doux : ★★★
En omelette avec beurre salé : ★★★
En omelette avec huile végétale : ★★★★
En omelette avec margarine végétale non salée : ★★★
En omelette avec margarine végétale salée : ★★★
En omelette avec saindoux ou graisse d'oie ou de canard : ★★★
En omelette sans matière grasse : ★
Mimosa : ★★★
Mollet : ★★

Remarque : n'hésitez pas à cuisiner avec de bonnes quantités d'huile végétale.

Oie : oiseau palmipède massif. Volaille.
Conservée par le sel : ★★
Conservée sous vide : ★★
Consommation crue
Cuisson à la milanaise avec beurre doux : ★★★
Cuisson à la milanaise avec beurre salé : ★★★
Cuisson à la milanaise avec huile végétale : ★★★★
Cuisson à la milanaise avec margarine végétale non salée : ★★★
Cuisson à la milanaise avec margarine végétale salée : ★★★

Cuisson à la milanaise avec saindoux ou graisse d'oie ou de canard : ★★★

Cuisson à la milanaise sans matière grasse : ★

Cuisson à l'étouffée avec beurre doux : ★★★

Cuisson à l'étouffée avec beurre salé : ★★★

Cuisson à l'étouffée avec huile végétale : ★★★★

Cuisson à l'étouffée avec margarine végétale non salée : ★★★

Cuisson à l'étouffée avec margarine végétale salée : ★★★

Cuisson à l'étouffée avec saindoux ou graisse d'oie ou de canard : ★★★

Cuisson à l'étouffée sans matière grasse : ★

Cuisson au court bouillon : ★

Cuisson en braisé avec beurre doux : ★★★

Cuisson en braisé avec beurre salé : ★★★

Cuisson en braisé avec huile végétale : ★★★★

Cuisson en braisé avec margarine végétale non salée : ★★★

Cuisson en braisé avec margarine végétale salée : ★★★

Cuisson en braisé avec saindoux ou graisse d'oie ou de canard : ★★★

Cuisson en braisé sans matière grasse : ★

Cuisson en friture : ★★★

Cuisson en meunière avec beurre doux : ★★★

Cuisson en meunière avec beurre salé : ★★★

Cuisson en meunière avec huile végétale : ★★★★

Cuisson en meunière avec margarine végétale non salée : ★★★

Cuisson en meunière avec margarine végétale salée : ★★★

Cuisson en meunière avec saindoux ou graisse d'oie ou de canard : ★★★

Cuisson en meunière sans matière grasse : ★

Cuisson en ragoût avec beurre doux : ★★★

Cuisson en ragoût avec beurre salé : ★★★

Cuisson en ragoût avec huile végétale : ★★★★

Cuisson en ragoût avec margarine végétale non salée : ★★★

Cuisson en ragoût avec margarine végétale salée : ★★★

Cuisson en ragoût avec saindoux ou graisse d'oie ou de canard : ★★★

Cuisson en sauté (idem poêlée).

Cuisson rôtie à la broche : ★

Cuisson rôtie au four avec beurre doux : ★★★

Cuisson rôtie au four avec beurre salé : ★★★

Cuisson rôtie au four avec huile végétale : ★★★
Cuisson rôtie au four avec margarine végétale non salée : ★★★
Cuisson rôtie au four avec margarine végétale salée : ★★★
Cuisson rôtie au four avec saindoux ou graisse d'oie ou de canard : ★★★
Cuisson rôtie au four sans matière grasse ajoutée : ★★★
Cuisson vapeur : ★
Grillée : ★
Pierrade : ★
Poêlée avec beurre doux : ★★★
Poêlée avec beurre salé : ★★★
Poêlée avec huile végétale : ★★★★
Poêlée avec margarine végétale non salée : ★★★
Poêlée avec margarine végétale salée : ★★★
Poêlée avec saindoux ou graisse d'oie ou de canard : ★★★
Poêlée sans matière grasse : ★
Salée et fumée : ★★
Séchée : ★★
Surgelée : ★★

Remarque : n'hésitez pas à cuisiner avec de bonnes quantités d'huile végétale.

Oignon : plante potagère dont on consomme le bulbe. Légume vert.
Confit : ★★★
Conservé dans le vinaigre : ★★
Conservé en saumure : ★★
Conservé sous vide : ★★
Consommation cru : ★★
Cuisson à l'étouffée avec beurre doux : ★★
Cuisson à l'étouffée avec beurre salé : ★★
Cuisson à l'étouffée avec huile végétale : ★★★
Cuisson à l'étouffée avec margarine végétale non salée : ★★
Cuisson à l'étouffée avec margarine végétale salée : ★★
Cuisson à l'étouffée avec saindoux ou graisse d'oie ou de canard : ★★
Cuisson à l'étouffée sans matière grasse : ★
Cuisson au court bouillon : ★
Cuisson en braisé avec beurre doux : ★★
Cuisson en braisé avec beurre salé : ★★

Cuisson en braisé avec huile végétale : ★★★
Cuisson en braisé avec margarine végétale non salée : ★★
Cuisson en braisé avec margarine végétale salée : ★★
Cuisson en braisé avec saindoux ou graisse d'oie ou de canard :
★★
Cuisson en braisé sans matière grasse : ★
Cuisson en friture : ★★
Cuisson en papillote : ★
Cuisson en ragoût avec beurre doux : ★★
Cuisson en ragoût avec beurre salé : ★★
Cuisson en ragoût avec huile végétale : ★★★
Cuisson en ragoût avec margarine végétale non salée : ★★
Cuisson en ragoût avec margarine végétale salée : ★★
Cuisson en ragoût avec saindoux ou graisse d'oie ou de canard :
★★
Cuisson en sauté (idem poêlé).
Cuisson vapeur : ★
Déshydraté : ★★
Grillé : ★
Pierrade : ★
Poêlé avec beurre doux : ★★
Poêlé avec beurre salé : ★★
Poêlé avec huile végétale : ★★★
Poêlé avec margarine végétale non salée : ★★
Poêlé avec margarine végétale salée : ★★
Poêlé avec saindoux ou graisse d'oie ou de canard : ★★
Poêlé sans matière grasse : ★
Potage crème : ★★★★
Potage nature sans matière grasse ajoutée
Potage velouté : ★★
Surgelé : ★★
**Remarque : n'hésitez pas à cuisiner avec de bonnes
quantités d'huile végétale. Modérez fortement votre
consommation de légumes verts car ils sont presque
acaloriques.**

Olive : fruit de l'olivier.
Conservée en saumure : ★★
Conservée sous vide : ★★
Consommation crue

Cuisson à l'étouffée avec beurre doux : ★★
Cuisson à l'étouffée avec beurre salé : ★★
Cuisson à l'étouffée avec huile végétale : ★★★
Cuisson à l'étouffée avec margarine végétale non salée : ★★
Cuisson à l'étouffée avec margarine végétale salée : ★★
Cuisson à l'étouffée avec saindoux ou graisse d'oie ou de canard : ★★
Cuisson à l'étouffée sans matière grasse : ★
Cuisson au court bouillon : ★
Cuisson en braisé avec beurre doux : ★★
Cuisson en braisé avec beurre salé : ★★
Cuisson en braisé avec huile végétale : ★★★
Cuisson en braisé avec margarine végétale non salée : ★★
Cuisson en braisé avec margarine végétale salée : ★★
Cuisson en braisé avec saindoux ou graisse d'oie ou de canard : ★★
Cuisson en braisé sans matière grasse : ★
Cuisson en friture : ★★
Cuisson en papillote : ★
Cuisson en ragoût avec beurre doux : ★★
Cuisson en ragoût avec beurre salé : ★★
Cuisson en ragoût avec huile végétale : ★★★
Cuisson en ragoût avec margarine végétale non salée : ★★
Cuisson en ragoût avec margarine végétale salée : ★★
Cuisson en ragoût avec saindoux ou graisse d'oie ou de canard : ★★
Cuisson en sauté (idem poêlée).
Cuisson vapeur : ★
Poêlée avec beurre doux : ★★
Poêlée avec beurre salé : ★★
Poêlée avec huile végétale : ★★★
Poêlée avec margarine végétale non salée : ★★
Poêlée avec margarine végétale salée : ★★
Poêlée avec saindoux ou graisse d'oie ou de canard : ★★
Poêlée sans matière grasse : ★
Potage crème : ★★★★
Potage nature sans matière grasse ajoutée
Potage velouté : ★★
Surgelée : ★★

Omble

Remarque : n'hésitez pas à cuisiner avec de bonnes quantités d'huile végétale.

Omble : poisson gras d'eau douce.
Conservé par le sel : ★★
Conservé sous vide : ★★
Consommation cru
Cuisson à la milanaise avec beurre doux : ★★★
Cuisson à la milanaise avec beurre salé : ★★★
Cuisson à la milanaise avec huile végétale : ★★★★
Cuisson à la milanaise avec margarine végétale non salée : ★★★
Cuisson à la milanaise avec margarine végétale salée : ★★★
Cuisson à la milanaise avec saindoux ou graisse d'oie ou de canard : ★★★
Cuisson à la milanaise sans matière grasse : ★
Cuisson à l'étouffée avec beurre doux : ★★★
Cuisson à l'étouffée avec beurre salé : ★★★
Cuisson à l'étouffée avec huile végétale : ★★★★
Cuisson à l'étouffée avec margarine végétale non salée : ★★★
Cuisson à l'étouffée avec margarine végétale salée : ★★★
Cuisson à l'étouffée avec saindoux ou graisse d'oie ou de canard : ★★★
Cuisson à l'étouffée sans matière grasse : ★
Cuisson au court bouillon : ★
Cuisson en braisé avec beurre doux : ★★★
Cuisson en braisé avec beurre salé : ★★★
Cuisson en braisé avec huile végétale : ★★★★
Cuisson en braisé avec margarine végétale non salée : ★★★
Cuisson en braisé avec margarine végétale salée : ★★★
Cuisson en braisé avec saindoux ou graisse d'oie ou de canard : ★★★
Cuisson en braisé sans matière grasse : ★
Cuisson en friture : ★★★
Cuisson en meunière avec beurre doux : ★★★
Cuisson en meunière avec beurre salé : ★★★
Cuisson en meunière avec huile végétale : ★★★★
Cuisson en meunière avec margarine végétale non salée : ★★★
Cuisson en meunière avec margarine végétale salée : ★★★

Cuisson en meunière avec saindoux ou graisse d'oie ou de canard : ★★★
Cuisson en meunière sans matière grasse : ★
Cuisson en sauté (idem poêlé).
Cuisson rôti à la broche : ★
Cuisson rôti au four avec beurre doux : ★★★
Cuisson rôti au four avec beurre salé : ★★★
Cuisson rôti au four avec huile végétale : ★★★
Cuisson rôti au four avec margarine végétale non salée : ★★★
Cuisson rôti au four avec margarine végétale salée : ★★★
Cuisson rôti au four avec saindoux ou graisse d'oie ou de canard : ★★★
Cuisson rôti au four sans matière grasse ajoutée : ★★★
Cuisson vapeur : ★
Grillé : ★
Pierrade : ★
Poêlé avec beurre doux : ★★★
Poêlé avec beurre salé : ★★★
Poêlé avec huile végétale : ★★★★
Poêlé avec margarine végétale non salée : ★★★
Poêlé avec margarine végétale salée : ★★★
Poêlé avec saindoux ou graisse d'oie ou de canard : ★★★
Poêlé sans matière grasse : ★
Salé et fumé : ★★
Séché : ★★
Surgelé : ★★
Remarque : n'hésitez pas à cuisiner avec de bonnes quantités d'huile végétale.

Ombre : poisson gras d'eau douce.
Conservé par le sel : ★★
Conservé sous vide : ★★
Consommation cru
Cuisson à la milanaise avec beurre doux : ★★★
Cuisson à la milanaise avec beurre salé : ★★★
Cuisson à la milanaise avec huile végétale : ★★★★
Cuisson à la milanaise avec margarine végétale non salée : ★★★
Cuisson à la milanaise avec margarine végétale salée : ★★★

Ombre

Cuisson à la milanaise avec saindoux ou graisse d'oie ou de canard : ★★★
Cuisson à la milanaise sans matière grasse : ★
Cuisson à l'étouffée avec beurre doux : ★★★
Cuisson à l'étouffée avec beurre salé : ★★★
Cuisson à l'étouffée avec huile végétale : ★★★★
Cuisson à l'étouffée avec margarine végétale non salée : ★★★
Cuisson à l'étouffée avec margarine végétale salée : ★★★
Cuisson à l'étouffée avec saindoux ou graisse d'oie ou de canard : ★★★
Cuisson à l'étouffée sans matière grasse : ★
Cuisson au court bouillon : ★
Cuisson en braisé avec beurre doux : ★★★
Cuisson en braisé avec beurre salé : ★★★
Cuisson en braisé avec huile végétale : ★★★★
Cuisson en braisé avec margarine végétale non salée : ★★★
Cuisson en braisé avec margarine végétale salée : ★★★
Cuisson en braisé avec saindoux ou graisse d'oie ou de canard : ★★★
Cuisson en braisé sans matière grasse : ★
Cuisson en friture : ★★★
Cuisson en meunière avec beurre doux : ★★★
Cuisson en meunière avec beurre salé : ★★★
Cuisson en meunière avec huile végétale : ★★★★
Cuisson en meunière avec margarine végétale non salée : ★★★
Cuisson en meunière avec margarine végétale salée : ★★★
Cuisson en meunière avec saindoux ou graisse d'oie ou de canard : ★★★
Cuisson en meunière sans matière grasse : ★
Cuisson en sauté (idem poêlé).
Cuisson rôti à la broche : ★
Cuisson rôti au four avec beurre doux : ★★★
Cuisson rôti au four avec beurre salé : ★★★
Cuisson rôti au four avec huile végétale : ★★★
Cuisson rôti au four avec margarine végétale non salée : ★★★
Cuisson rôti au four avec margarine végétale salée : ★★★
Cuisson rôti au four avec saindoux ou graisse d'oie ou de canard : ★★★
Cuisson rôti au four sans matière grasse ajoutée : ★★★
Cuisson vapeur : ★

Grillé : ★
Pierrade : ★
Poêlé avec beurre doux : ★★★
Poêlé avec beurre salé : ★★★
Poêlé avec huile végétale : ★★★★
Poêlé avec margarine végétale non salée : ★★★
Poêlé avec margarine végétale salée : ★★★
Poêlé avec saindoux ou graisse d'oie ou de canard : ★★★
Poêlé sans matière grasse : ★
Salé et fumé : ★★
Séché : ★★
Surgelé : ★★

Remarque : n'hésitez pas à cuisiner avec de bonnes quantités d'huile végétale.

Ombrine : poisson marin à chair blanche.
Conservée par le sel : ★★
Conservée sous vide : ★★
Consommation crue
Cuisson à la milanaise avec beurre doux : ★★★
Cuisson à la milanaise avec beurre salé : ★★★
Cuisson à la milanaise avec huile végétale : ★★★★
Cuisson à la milanaise avec margarine végétale non salée : ★★★
Cuisson à la milanaise avec margarine végétale salée : ★★★
Cuisson à la milanaise avec saindoux ou graisse d'oie ou de canard : ★★★
Cuisson à la milanaise sans matière grasse : ★
Cuisson à l'étouffée avec beurre doux : ★★★
Cuisson à l'étouffée avec beurre salé : ★★★
Cuisson à l'étouffée avec huile végétale : ★★★★
Cuisson à l'étouffée avec margarine végétale non salée : ★★★
Cuisson à l'étouffée avec margarine végétale salée : ★★★
Cuisson à l'étouffée avec saindoux ou graisse d'oie ou de canard : ★★★
Cuisson à l'étouffée sans matière grasse : ★
Cuisson au court bouillon : ★
Cuisson en braisé avec beurre doux : ★★★
Cuisson en braisé avec beurre salé : ★★★
Cuisson en braisé avec huile végétale : ★★★★

Ombrine

Cuisson en braisé avec margarine végétale non salée : ★ ★ ★
Cuisson en braisé avec margarine végétale salée : ★ ★ ★
Cuisson en braisé avec saindoux ou graisse d'oie ou de canard : ★ ★ ★
Cuisson en braisé sans matière grasse : ★
Cuisson en friture : ★ ★ ★
Cuisson en meunière avec beurre doux : ★ ★ ★
Cuisson en meunière avec beurre salé : ★ ★ ★
Cuisson en meunière avec huile végétale : ★ ★ ★ ★
Cuisson en meunière avec margarine végétale non salée : ★ ★ ★
Cuisson en meunière avec margarine végétale salée : ★ ★ ★
Cuisson en meunière avec saindoux ou graisse d'oie ou de canard : ★ ★ ★
Cuisson en meunière sans matière grasse : ★
Cuisson en sauté (idem poêlée).
Cuisson rôtie à la broche : ★
Cuisson rôtie au four avec beurre doux : ★ ★ ★
Cuisson rôtie au four avec beurre salé : ★ ★ ★
Cuisson rôtie au four avec huile végétale : ★ ★ ★
Cuisson rôtie au four avec margarine végétale non salée : ★ ★ ★
Cuisson rôtie au four avec margarine végétale salée : ★ ★ ★
Cuisson rôtie au four avec saindoux ou graisse d'oie ou de canard : ★ ★ ★
Cuisson rôtie au four sans matière grasse ajoutée : ★ ★ ★
Cuisson vapeur : ★
Grillée : ★
Pierrade : ★
Poêlée avec beurre doux : ★ ★ ★
Poêlée avec beurre salé : ★ ★ ★
Poêlée avec huile végétale : ★ ★ ★ ★
Poêlée avec margarine végétale non salée : ★ ★ ★
Poêlée avec margarine végétale salée : ★ ★ ★
Poêlée avec saindoux ou graisse d'oie ou de canard : ★ ★ ★
Poêlée sans matière grasse : ★
Salée et fumée : ★ ★
Séchée : ★ ★
Surgelée : ★ ★
Remarque : n'hésitez pas à cuisiner avec de bonnes quantités d'huile végétale.

Onglet : voir « Bœuf (viande de) ».

Orange : fruit de l'oranger. Agrume.
A l'anglaise : ★★★★
Au sirop : ★★★★
Au sirop léger : ★★★
Confite : ★★★★
Conserve au naturel : ★★
Conservée dans l'alcool : ★★★
Conservée sous vide : ★★
Consommation crue : ★★
En beignet : ★★★
En compote (avec sucre ajouté) : ★★
En compote sans sucre ajouté : ★★
En confiture : ★★★★
En confiture allégée en sucre : ★★★
En confiture sans sucre : ★
Fraîchement récoltée : ★★
Pochée sans sucre : ★
Séchée : ★★★★
Surgelée : ★★

Origan : plante aromatique condimentaire.
Conservé sous vide : ★★
Consommation cru : ★★
Consommation cuit : ★★
Déshydraté : ★★
Fraîchement récolté : ★★
Surgelé : ★★

Ormeau : voir « Palourde ».

Oronge : voir « Champignon ».

Orphie : poisson gras marin à corps long et fin.
Conservée par le sel : ★★
Conservée sous vide : ★★
Consommation crue
Cuisson à la milanaise avec beurre doux : ★★★
Cuisson à la milanaise avec beurre salé : ★★★

Cuisson à la milanaise avec huile végétale : ★★★★
Cuisson à la milanaise avec margarine végétale non salée : ★★★
Cuisson à la milanaise avec margarine végétale salée : ★★★
Cuisson à la milanaise avec saindoux ou graisse d'oie ou de canard : ★★★
Cuisson à la milanaise sans matière grasse : ★
Cuisson à l'étouffée avec beurre doux : ★★★
Cuisson à l'étouffée avec beurre salé : ★★★
Cuisson à l'étouffée avec huile végétale : ★★★★
Cuisson à l'étouffée avec margarine végétale non salée : ★★★
Cuisson à l'étouffée avec margarine végétale salée : ★★★
Cuisson à l'étouffée avec saindoux ou graisse d'oie ou de canard : ★★★
Cuisson à l'étouffée sans matière grasse : ★
Cuisson au court bouillon : ★
Cuisson en braisé avec beurre doux : ★★★
Cuisson en braisé avec beurre salé : ★★★
Cuisson en braisé avec huile végétale : ★★★★
Cuisson en braisé avec margarine végétale non salée : ★★★
Cuisson en braisé avec margarine végétale salée : ★★★
Cuisson en braisé avec saindoux ou graisse d'oie ou de canard : ★★★
Cuisson en braisé sans matière grasse : ★
Cuisson en friture : ★★★
Cuisson en meunière avec beurre doux : ★★★
Cuisson en meunière avec beurre salé : ★★★
Cuisson en meunière avec huile végétale : ★★★★
Cuisson en meunière avec margarine végétale non salée : ★★★
Cuisson en meunière avec margarine végétale salée : ★★★
Cuisson en meunière avec saindoux ou graisse d'oie ou de canard : ★★★
Cuisson en meunière sans matière grasse : ★
Cuisson en ragoût avec beurre doux : ★★★
Cuisson en ragoût avec beurre salé : ★★★
Cuisson en ragoût avec huile végétale : ★★★★
Cuisson en ragoût avec margarine végétale non salée : ★★★
Cuisson en ragoût avec margarine végétale salée : ★★★
Cuisson en ragoût avec saindoux ou graisse d'oie ou de canard : ★★★

Cuisson en sauté (idem poêlée).
Cuisson rôtie au four avec beurre doux : ★★★
Cuisson rôtie au four avec beurre salé : ★★★
Cuisson rôtie au four avec huile végétale : ★★★
Cuisson rôtie au four avec margarine végétale non salée : ★★★
Cuisson rôtie au four avec margarine végétale salée : ★★★
Cuisson rôtie au four avec saindoux ou graisse d'oie ou de canard : ★★★
Cuisson rôtie au four sans matière grasse ajoutée : ★★★
Cuisson vapeur : ★
Grillée : ★
Pierrade : ★
Poêlée avec beurre doux : ★★★
Poêlée avec beurre salé : ★★★
Poêlée avec huile végétale : ★★★★
Poêlée avec margarine végétale non salée : ★★★
Poêlée avec margarine végétale salée : ★★★
Poêlée avec saindoux ou graisse d'oie ou de canard : ★★★
Poêlée sans matière grasse : ★
Salée et fumée : ★★
Séchée : ★★
Surgelée : ★★
Remarque : n'hésitez pas à cuisiner avec de bonnes quantités d'huile végétale.

𝓟

Paleron de bœuf : voir « Bœuf (viande de) ».

Palette d'agneau : voir « Agneau (viande de) ».

Palette de porc : voir « Porc (viande de) ».

Palourde : mollusque comestible marin.
Conservée en saumure : ★★
Conservée sous vide : ★★

Palourde

Consommation crue
Cuisson à la milanaise avec beurre doux : ★★★
Cuisson à la milanaise avec beurre salé : ★★★
Cuisson à la milanaise avec huile végétale : ★★★★
Cuisson à la milanaise avec margarine végétale non salée : ★★★
Cuisson à la milanaise avec margarine végétale salée : ★★★
Cuisson à la milanaise avec saindoux ou graisse d'oie ou de canard : ★★★
Cuisson à la milanaise sans matière grasse : ★
Cuisson à l'étouffée avec beurre doux : ★★★
Cuisson à l'étouffée avec beurre salé : ★★★
Cuisson à l'étouffée avec huile végétale : ★★★★
Cuisson à l'étouffée avec margarine végétale non salée : ★★★
Cuisson à l'étouffée avec margarine végétale salée : ★★★
Cuisson à l'étouffée avec saindoux ou graisse d'oie ou de canard : ★★★
Cuisson à l'étouffée sans matière grasse : ★
Cuisson au court bouillon : ★
Cuisson au beurre persillé : ★★★
Cuisson en friture : ★★★
Cuisson en meunière avec beurre doux : ★★★
Cuisson en meunière avec beurre salé : ★★★
Cuisson en meunière avec huile végétale : ★★★★
Cuisson en meunière avec margarine végétale non salée : ★★★
Cuisson en meunière avec margarine végétale salée : ★★★
Cuisson en meunière avec saindoux ou graisse d'oie ou de canard : ★★★
Cuisson en meunière sans matière grasse : ★
Cuisson en sauté (idem poêlée).
Cuisson vapeur : ★
Grillée en brochette : ★
Pierrade : ★
Poêlée avec beurre doux : ★★★
Poêlée avec beurre salé : ★★★
Poêlée avec huile végétale : ★★★★
Poêlée avec margarine végétale non salée : ★★★
Poêlée avec margarine végétale salée : ★★★
Poêlée avec saindoux ou graisse d'oie ou de canard : ★★★
Poêlée sans matière grasse : ★

Surgelée : ★★
Remarque : n'hésitez pas à cuisiner avec de bonnes quantités d'huile végétale.

Pamplemousse : fruit comestible du pamplemoussier. Agrume.
A l'anglaise :
A l'anglaise : ★★★★
Au sirop : ★★★★
Au sirop léger : ★★★
Confit : ★★★★
Conserve au naturel : ★★
Conservé dans l'alcool : ★★★
Conservé sous vide : ★★
Consommation cru : ★★
En beignet : ★★★
En compote (avec sucre ajouté) : ★★
En compote sans sucre ajouté : ★★
En confiture : ★★★★
En confiture allégée en sucre : ★★★
En confiture sans sucre : ★
Fraîchement récolté : ★★
Poché sans sucre : ★
Séché : ★★★★
Surgelé : ★★

Panais : plante potagère cultivée pour sa racine comestible. Légume vert.
Conservé en saumure : ★★
Conservé sous vide : ★★
Consommation cru : ★★
Cuisson à l'étouffée avec beurre doux : ★★
Cuisson à l'étouffée avec beurre salé : ★★
Cuisson à l'étouffée avec huile végétale : ★★★
Cuisson à l'étouffée avec margarine végétale non salée : ★★
Cuisson à l'étouffée avec margarine végétale salée : ★★
Cuisson à l'étouffée avec saindoux ou graisse d'oie ou de canard : ★★
Cuisson à l'étouffée sans matière grasse : ★
Cuisson au court bouillon : ★

Panais - Papaye

Cuisson en braisé avec beurre doux : ★★
Cuisson en braisé avec beurre salé : ★★
Cuisson en braisé avec huile végétale : ★★★
Cuisson en braisé avec margarine végétale non salée : ★★
Cuisson en braisé avec margarine végétale salée : ★★
Cuisson en braisé avec saindoux ou graisse d'oie ou de canard :
★★
Cuisson en braisé sans matière grasse : ★
Cuisson en friture : ★★
Cuisson en papillote : ★
Cuisson en ragoût avec beurre doux : ★★
Cuisson en ragoût avec beurre salé : ★★
Cuisson en ragoût avec huile végétale : ★★★
Cuisson en ragoût avec margarine végétale non salée : ★★
Cuisson en ragoût avec margarine végétale salée : ★★
Cuisson en ragoût avec saindoux ou graisse d'oie ou de canard :
★★
Cuisson en sauté (idem poêlé).
Cuisson vapeur : ★
Poêlé avec beurre doux : ★★
Poêlé avec beurre salé : ★★
Poêlé avec huile végétale : ★★★
Poêlé avec margarine végétale non salée : ★★
Poêlé avec margarine végétale salée : ★★
Poêlé avec saindoux ou graisse d'oie ou de canard : ★★
Poêlé sans matière grasse : ★
Potage crème : ★★★★
Potage nature sans matière grasse ajoutée
Potage velouté : ★★
Surgelé : ★★

Remarque : n'hésitez pas à cuisiner avec de bonnes quantités d'huile végétale. Modérez fortement votre consommation de légumes verts car ils sont presque acaloriques.

Panga : voir « Poisson-chat ».

Papaye : fruit du papayer. Fruit exotique.
A l'anglaise : ★★★★
Au sirop : ★★★★

Au sirop léger : ★★★
Confite : ★★★★
Conserve au naturel : ★★
Conservée dans l'alcool : ★★★
Conservée sous vide : ★★
Consommation crue : ★★
En beignet : ★★★
En compote (avec sucre ajouté) : ★★
En compote sans sucre ajouté : ★★
En confiture : ★★★★
En confiture allégée en sucre : ★★★
En confiture sans sucre : ★
Fraîchement récoltée : ★★
Pochée sans sucre : ★
Séchée : ★★★★
Surgelée : ★★

Pastèque : gros fruit à pulpe rouge très juteuse.
A l'anglaise : ★★★★
Au sirop : ★★★★
Au sirop léger : ★★★
Confite : ★★★★
Conserve au naturel : ★★
Conservée dans l'alcool : ★★★
Conservée sous vide : ★★
Consommation crue : ★★
En beignet : ★★★
En compote (avec sucre ajouté) : ★★
En compote sans sucre ajouté : ★★
En confiture : ★★★★
En confiture allégée en sucre : ★★★
En confiture sans sucre : ★
Fraîchement récoltée : ★★
Pochée sans sucre : ★
Séchée : ★★★★
Surgelée : ★★

Patate douce : tubercule comestible. Féculent.
Conservée sous vide : ★★
Consommation crue

Patate douce

Cuisson à la milanaise avec beurre doux : ★★★
Cuisson à la milanaise avec beurre salé : ★★★
Cuisson à la milanaise avec huile végétale : ★★★★
Cuisson à la milanaise avec margarine végétale non salée : ★★★
Cuisson à la milanaise avec margarine végétale salée : ★★★
Cuisson à la milanaise avec saindoux ou graisse d'oie ou de canard : ★★★
Cuisson à la milanaise sans matière grasse : ★
Cuisson à l'étouffée avec beurre doux : ★★★
Cuisson à l'étouffée avec beurre salé : ★★★
Cuisson à l'étouffée avec huile végétale : ★★★★
Cuisson à l'étouffée avec margarine végétale non salée : ★★★
Cuisson à l'étouffée avec margarine végétale salée : ★★★
Cuisson à l'étouffée avec saindoux ou graisse d'oie ou de canard : ★★★
Cuisson à l'étouffée sans matière grasse : ★
Cuisson au court bouillon : ★
Cuisson en beignet : ★★★
Cuisson en braisé avec beurre doux : ★★★
Cuisson en braisé avec beurre salé : ★★★
Cuisson en braisé avec huile végétale : ★★★★
Cuisson en braisé avec margarine végétale non salée : ★★★
Cuisson en braisé avec margarine végétale salée : ★★★
Cuisson en braisé avec saindoux ou graisse d'oie ou de canard : ★★★
Cuisson en braisé sans matière grasse : ★
Cuisson en friture : ★★★★
Cuisson en meunière avec beurre doux : ★★★
Cuisson en meunière avec beurre salé : ★★★
Cuisson en meunière avec huile végétale : ★★★★
Cuisson en meunière avec margarine végétale non salée : ★★★
Cuisson en meunière avec margarine végétale salée : ★★★
Cuisson en meunière avec saindoux ou graisse d'oie ou de canard : ★★★
Cuisson en meunière sans matière grasse : ★
Cuisson en papillote : ★
Cuisson en ragoût avec beurre doux : ★★★
Cuisson en ragoût avec beurre salé : ★★★
Cuisson en ragoût avec huile végétale : ★★★★

Cuisson en ragoût avec margarine végétale non salée : ★★★
Cuisson en ragoût avec margarine végétale salée : ★★★
Cuisson en ragoût avec saindoux ou graisse d'oie ou de canard :
★★★
Cuisson en sauté (idem poêlée).
Cuisson vapeur : ★
Poêlée avec beurre doux : ★★★
Poêlée avec beurre salé : ★★★
Poêlée avec huile végétale : ★★★★
Poêlée avec margarine végétale non salée : ★★★
Poêlée avec margarine végétale salée : ★★★
Poêlée avec saindoux ou graisse d'oie ou de canard : ★★★
Poêlée sans matière grasse : ★
Potage crème : ★★★★
Potage nature sans matière grasse ajoutée
Potage velouté : ★★
Surgelée : ★★
**Remarque : n'hésitez pas à cuisiner avec de bonnes
quantités d'huile végétale.**

Pâte d'abricot : voir « Abricot » section *Sec*.

Pâte de coing : voir « Coing » section *Sec*.

Pâte de datte : voir « Datte » section *Séchée*.

Pâte de figue : voir « Figue » section *Séchée*.

Pâte de goyave : voir « Goyave » section *En compote (avec
sucre ajouté)*.

Pâte de piment : voir « Piment » section *Séché*.

Pâtisson : voir « Courgette ».

Pêche : fruit comestible du pêcher.
A l'anglaise : ★★★★
Au sirop : ★★★★
Au sirop léger : ★★★
Confite : ★★★★

Pêche - Perche

Conserve au naturel : ★★
Conservée dans l'alcool : ★★★
Conservée sous vide : ★★
Consommation crue : ★★
En beignet : ★★★
En compote (avec sucre ajouté) : ★★
En compote sans sucre ajouté : ★★
En confiture : ★★★★
En confiture allégée en sucre : ★★★
En confiture sans sucre : ★
Flambée (pêche pochée) : ★★★
Fraîchement récoltée : ★★
Pochée sans sucre : ★
Séchée : ★★★★
Surgelée : ★★

Perche : poisson d'eau douce à chair blanche.
Conservée par le sel : ★★
Conservée sous vide : ★★
Consommation crue
Cuisson à la milanaise avec beurre doux : ★★★
Cuisson à la milanaise avec beurre salé : ★★★
Cuisson à la milanaise avec huile végétale : ★★★★
Cuisson à la milanaise avec margarine végétale non salée : ★★★
Cuisson à la milanaise avec margarine végétale salée : ★★★
Cuisson à la milanaise avec saindoux ou graisse d'oie ou de canard : ★★★
Cuisson à la milanaise sans matière grasse : ★
Cuisson à l'étouffée avec beurre doux : ★★★
Cuisson à l'étouffée avec beurre salé : ★★★
Cuisson à l'étouffée avec huile végétale : ★★★★
Cuisson à l'étouffée avec margarine végétale non salée : ★★★
Cuisson à l'étouffée avec margarine végétale salée : ★★★
Cuisson à l'étouffée avec saindoux ou graisse d'oie ou de canard : ★★★
Cuisson à l'étouffée sans matière grasse : ★
Cuisson au court bouillon : ★
Cuisson en braisé avec beurre doux : ★★★
Cuisson en braisé avec beurre salé : ★★★

Cuisson en braisé avec huile végétale : ★★★★
Cuisson en braisé avec margarine végétale non salée : ★★★
Cuisson en braisé avec margarine végétale salée : ★★★
Cuisson en braisé avec saindoux ou graisse d'oie ou de canard : ★★★
Cuisson en braisé sans matière grasse : ★
Cuisson en friture : ★★★
Cuisson en meunière avec beurre doux : ★★★
Cuisson en meunière avec beurre salé : ★★★
Cuisson en meunière avec huile végétale : ★★★★
Cuisson en meunière avec margarine végétale non salée : ★★★
Cuisson en meunière avec margarine végétale salée : ★★★
Cuisson en meunière avec saindoux ou graisse d'oie ou de canard : ★★★
Cuisson en meunière sans matière grasse : ★
Cuisson en sauté (idem poêlée).
Cuisson rôtie à la broche : ★
Cuisson rôtie au four avec beurre doux : ★★★
Cuisson rôtie au four avec beurre salé : ★★★
Cuisson rôtie au four avec huile végétale : ★★★
Cuisson rôtie au four avec margarine végétale non salée : ★★★
Cuisson rôtie au four avec margarine végétale salée : ★★★
Cuisson rôtie au four avec saindoux ou graisse d'oie ou de canard : ★★★
Cuisson rôtie au four sans matière grasse ajoutée : ★★★
Cuisson vapeur : ★
Grillée : ★
Pierrade : ★
Poêlée avec beurre doux : ★★★
Poêlée avec beurre salé : ★★★
Poêlée avec huile végétale : ★★★★
Poêlée avec margarine végétale non salée : ★★★
Poêlée avec margarine végétale salée : ★★★
Poêlée avec saindoux ou graisse d'oie ou de canard : ★★★
Poêlée sans matière grasse : ★
Salée et fumée : ★★
Séchée : ★★
Surgelée : ★★
Remarque : n'hésitez pas à cuisiner avec de bonnes quantités d'huile végétale.

Perdrix

Perdrix : volatile comestible et très apprécié. Gibier.

Conservée par le sel : ★★

Conservée sous vide : ★★

Consommation crue

Cuisson à la milanaise avec beurre doux : ★★★

Cuisson à la milanaise avec beurre salé : ★★★

Cuisson à la milanaise avec huile végétale : ★★★★

Cuisson à la milanaise avec margarine végétale non salée : ★★★

Cuisson à la milanaise avec margarine végétale salée : ★★★

Cuisson à la milanaise avec saindoux ou graisse d'oie ou de canard : ★★★

Cuisson à la milanaise sans matière grasse : ★

Cuisson à l'étouffée avec beurre doux : ★★★

Cuisson à l'étouffée avec beurre salé : ★★★

Cuisson à l'étouffée avec huile végétale : ★★★★

Cuisson à l'étouffée avec margarine végétale non salée : ★★★

Cuisson à l'étouffée avec margarine végétale salée : ★★★

Cuisson à l'étouffée avec saindoux ou graisse d'oie ou de canard : ★★★

Cuisson à l'étouffée sans matière grasse : ★

Cuisson au court bouillon : ★

Cuisson en braisé avec beurre doux : ★★★

Cuisson en braisé avec beurre salé : ★★★

Cuisson en braisé avec huile végétale : ★★★★

Cuisson en braisé avec margarine végétale non salée : ★★★

Cuisson en braisé avec margarine végétale salée : ★★★

Cuisson en braisé avec saindoux ou graisse d'oie ou de canard : ★★★

Cuisson en braisé sans matière grasse : ★

Cuisson en friture : ★★★

Cuisson en meunière avec beurre doux : ★★★

Cuisson en meunière avec beurre salé : ★★★

Cuisson en meunière avec huile végétale : ★★★★

Cuisson en meunière avec margarine végétale non salée : ★★★

Cuisson en meunière avec margarine végétale salée : ★★★

Cuisson en meunière avec saindoux ou graisse d'oie ou de canard : ★★★

Cuisson en meunière sans matière grasse : ★

Cuisson en ragoût avec beurre doux : ★★★

Cuisson en ragoût avec beurre salé : ★★★
Cuisson en ragoût avec huile végétale : ★★★★
Cuisson en ragoût avec margarine végétale non salée : ★★★
Cuisson en ragoût avec margarine végétale salée : ★★★
Cuisson en ragoût avec saindoux ou graisse d'oie ou de canard : ★★★
Cuisson en sauté (idem poêlée).
Cuisson rôtie à la broche : ★
Cuisson rôtie au four avec beurre doux : ★★★
Cuisson rôtie au four avec beurre salé : ★★★
Cuisson rôtie au four avec huile végétale : ★★★
Cuisson rôtie au four avec margarine végétale non salée : ★★★
Cuisson rôtie au four avec margarine végétale salée : ★★★
Cuisson rôtie au four avec saindoux ou graisse d'oie ou de canard : ★★★
Cuisson rôtie au four sans matière grasse ajoutée : ★★★
Cuisson vapeur : ★
Faisandée : ★★
Grillée : ★
Pierrade : ★
Poêlée avec beurre doux : ★★★
Poêlée avec beurre salé : ★★★
Poêlée avec huile végétale : ★★★★
Poêlée avec margarine végétale non salée : ★★★
Poêlée avec margarine végétale salée : ★★★
Poêlée avec saindoux ou graisse d'oie ou de canard : ★★★
Poêlée sans matière grasse : ★
Salée et fumée : ★★
Séchée : ★★
Surgelée : ★★
Remarque : n'hésitez pas à cuisiner avec de bonnes quantités d'huile végétale.

Perlon : voir « Grondin ».

Persil : plante potagère utilisée comme condiment. Légume vert.
Conservé sous vide : ★★
Consommation cru : ★★
Consommation cuit : ★★

Persil - Persil à grosse racine

Déshydraté : ★★
Fraîchement récolté : ★★
Surgelé : ★★

Persil à grosse racine : plante potagère cultivée pour sa racine comestible. Légume vert.
Conservé en saumure : ★★
Conservé sous vide : ★★
Consommation cru : ★★
Cuisson à l'étouffée avec beurre doux : ★★
Cuisson à l'étouffée avec beurre salé : ★★
Cuisson à l'étouffée avec huile végétale : ★★★
Cuisson à l'étouffée avec margarine végétale non salée : ★★
Cuisson à l'étouffée avec margarine végétale salée : ★★
Cuisson à l'étouffée avec saindoux ou graisse d'oie ou de canard : ★★
Cuisson à l'étouffée sans matière grasse : ★
Cuisson au court bouillon : ★
Cuisson en braisé avec beurre doux : ★★
Cuisson en braisé avec beurre salé : ★★
Cuisson en braisé avec huile végétale : ★★★
Cuisson en braisé avec margarine végétale non salée : ★★
Cuisson en braisé avec margarine végétale salée : ★★
Cuisson en braisé avec saindoux ou graisse d'oie ou de canard : ★★
Cuisson en braisé sans matière grasse : ★
Cuisson en friture : ★★
Cuisson en papillote : ★
Cuisson en ragoût avec beurre doux : ★★
Cuisson en ragoût avec beurre salé : ★★
Cuisson en ragoût avec huile végétale : ★★★
Cuisson en ragoût avec margarine végétale non salée : ★★
Cuisson en ragoût avec margarine végétale salée : ★★
Cuisson en ragoût avec saindoux ou graisse d'oie ou de canard : ★★
Cuisson en sauté (idem poêlé).
Cuisson vapeur : ★
Poêlé avec beurre doux : ★★
Poêlé avec beurre salé : ★★
Poêlé avec huile végétale : ★★★

Poêlé avec margarine végétale non salée : ★★
Poêlé avec margarine végétale salée : ★★
Poêlé avec saindoux ou graisse d'oie ou de canard : ★★
Poêlé sans matière grasse : ★
Potage crème : ★★★★
Potage nature sans matière grasse ajoutée
Potage velouté : ★★
Surgelé : ★★
Remarque : n'hésitez pas à cuisiner avec de bonnes quantités d'huile végétale. Modérez fortement votre consommation de légumes verts car ils sont presque acaloriques.

Petit pois : graine ronde et verte du pois récoltée fraîche. Légume vert.
Conservé en saumure : ★★
Conservé sous vide : ★★
Consommation cru
Cuisson à l'étouffée avec beurre doux : ★★
Cuisson à l'étouffée avec beurre salé : ★★
Cuisson à l'étouffée avec huile végétale : ★★★
Cuisson à l'étouffée avec margarine végétale non salée : ★★
Cuisson à l'étouffée avec margarine végétale salée : ★★
Cuisson à l'étouffée avec saindoux ou graisse d'oie ou de canard : ★★
Cuisson à l'étouffée sans matière grasse : ★
Cuisson au court bouillon : ★
Cuisson en braisé avec beurre doux : ★★
Cuisson en braisé avec beurre salé : ★★
Cuisson en braisé avec huile végétale : ★★★
Cuisson en braisé avec margarine végétale non salée : ★★
Cuisson en braisé avec margarine végétale salée : ★★
Cuisson en braisé avec saindoux ou graisse d'oie ou de canard : ★★
Cuisson en braisé sans matière grasse : ★
Cuisson en papillote : ★
Cuisson en ragoût avec beurre doux : ★★
Cuisson en ragoût avec beurre salé : ★★
Cuisson en ragoût avec huile végétale : ★★★
Cuisson en ragoût avec margarine végétale non salée : ★★

Petit pois - Pigeon

Cuisson en ragoût avec margarine végétale salée : ★★
Cuisson en ragoût avec saindoux ou graisse d'oie ou de canard :
★★
Cuisson vapeur : ★
Potage crème : ★★★★
Potage nature sans matière grasse ajoutée
Potage velouté : ★★
Sec : voir « Pois cassés ».
Surgelé : ★★
**Remarque : n'hésitez pas à cuisiner avec de bonnes
quantités d'huile végétale. Modérez fortement votre
consommation de légumes verts car ils sont presque
acaloriques.**

Petit salé : voir « Porc (viande de) », section *Conservée par le
sel.*

Pétoncle : voir « Palourde ».

Pézize : voir « Champignon ».

Pied-de-mouton : voir « Champignon ».

Pigeon : petit volatile comestible. Gibier.
Conservé par le sel : ★★
Conservé sous vide : ★★
Consommation cru
Cuisson à la milanaise avec beurre doux : ★★★
Cuisson à la milanaise avec beurre salé : ★★★
Cuisson à la milanaise avec huile végétale : ★★★★
Cuisson à la milanaise avec margarine végétale non salée :
★★★
Cuisson à la milanaise avec margarine végétale salée : ★★★
*Cuisson à la milanaise avec saindoux ou graisse d'oie ou de
canard :* ★★★
Cuisson à la milanaise sans matière grasse : ★
Cuisson à l'étouffée avec beurre doux : ★★★
Cuisson à l'étouffée avec beurre salé : ★★★
Cuisson à l'étouffée avec huile végétale : ★★★★
Cuisson à l'étouffée avec margarine végétale non salée : ★★★

Cuisson à l'étouffée avec margarine végétale salée : ★★★
Cuisson à l'étouffée avec saindoux ou graisse d'oie ou de canard : ★★★
Cuisson à l'étouffée sans matière grasse : ★
Cuisson au court bouillon : ★
Cuisson en braisé avec beurre doux : ★★★
Cuisson en braisé avec beurre salé : ★★★
Cuisson en braisé avec huile végétale : ★★★★
Cuisson en braisé avec margarine végétale non salée : ★★★
Cuisson en braisé avec margarine végétale salée : ★★★
Cuisson en braisé avec saindoux ou graisse d'oie ou de canard : ★★★
Cuisson en braisé sans matière grasse : ★
Cuisson en friture : ★★★
Cuisson en meunière avec beurre doux : ★★★
Cuisson en meunière avec beurre salé : ★★★
Cuisson en meunière avec huile végétale : ★★★★
Cuisson en meunière avec margarine végétale non salée : ★★★
Cuisson en meunière avec margarine végétale salée : ★★★
Cuisson en meunière avec saindoux ou graisse d'oie ou de canard : ★★★
Cuisson en meunière sans matière grasse : ★
Cuisson en ragoût avec beurre doux : ★★★
Cuisson en ragoût avec beurre salé : ★★★
Cuisson en ragoût avec huile végétale : ★★★★
Cuisson en ragoût avec margarine végétale non salée : ★★★
Cuisson en ragoût avec margarine végétale salée : ★★★
Cuisson en ragoût avec saindoux ou graisse d'oie ou de canard : ★★★
Cuisson en sauté (idem poêlé).
Cuisson rôti à la broche : ★
Cuisson rôti au four avec beurre doux : ★★★
Cuisson rôti au four avec beurre salé : ★★★
Cuisson rôti au four avec huile végétale : ★★★
Cuisson rôti au four avec margarine végétale non salée : ★★★
Cuisson rôti au four avec margarine végétale salée : ★★★
Cuisson rôti au four avec saindoux ou graisse d'oie ou de canard : ★★★
Cuisson rôti au four sans matière grasse ajoutée : ★★★
Cuisson vapeur : ★

Faisandé : ★★
Grillé : ★
Pierrade : ★
Poêlé avec beurre doux : ★★★
Poêlé avec beurre salé : ★★★
Poêlé avec huile végétale : ★★★★
Poêlé avec margarine végétale non salée : ★★★
Poêlé avec margarine végétale salée : ★★★
Poêlé avec saindoux ou graisse d'oie ou de canard : ★★★
Poêlé sans matière grasse : ★
Salé et fumé : ★★
Séché : ★★
Surgelé : ★★

Remarque : n'hésitez pas à cuisiner avec de bonnes quantités d'huile végétale.

Piment : plante potagère dont on consomme le fruit à la saveur plus ou moins brûlante. Légume vert.
Confit : ★★★
Conservé dans le vinaigre : ★★
Conservé en saumure : ★★
Conservé sous vide : ★★
Consommation cru : ★★
Cuisson à l'étouffée avec beurre doux : ★★
Cuisson à l'étouffée avec beurre salé : ★★
Cuisson à l'étouffée avec huile végétale : ★★★
Cuisson à l'étouffée avec margarine végétale non salée : ★★
Cuisson à l'étouffée avec margarine végétale salée : ★★
Cuisson à l'étouffée avec saindoux ou graisse d'oie ou de canard : ★★
Cuisson à l'étouffée sans matière grasse : ★
Cuisson au court bouillon : ★
Cuisson en beignet : ★★★
Cuisson en braisé avec beurre doux : ★★
Cuisson en braisé avec beurre salé : ★★
Cuisson en braisé avec huile végétale : ★★★
Cuisson en braisé avec margarine végétale non salée : ★★
Cuisson en braisé avec margarine végétale salée : ★★
Cuisson en braisé avec saindoux ou graisse d'oie ou de canard : ★★

Cuisson en braisé sans matière grasse : ★
Cuisson en friture : ★★
Cuisson en papillote : ★
Cuisson en ragoût avec beurre doux : ★★
Cuisson en ragoût avec beurre salé : ★★
Cuisson en ragoût avec huile végétale : ★★★
Cuisson en ragoût avec margarine végétale non salée : ★★
Cuisson en ragoût avec margarine végétale salée : ★★
Cuisson en ragoût avec saindoux ou graisse d'oie ou de canard : ★★
Cuisson en sauté (idem poêlé).
Cuisson vapeur : ★
Grillé : ★
Pierrade : ★
Poêlé avec beurre doux : ★★
Poêlé avec beurre salé : ★★
Poêlé avec huile végétale : ★★★
Poêlé avec margarine végétale non salée : ★★
Poêlé avec margarine végétale salée : ★★
Poêlé avec saindoux ou graisse d'oie ou de canard : ★★
Poêlé sans matière grasse : ★
Séché : ★★
Surgelé : ★★

Remarque : n'hésitez pas à cuisiner avec de bonnes quantités d'huile végétale. Modérez fortement votre consommation de légumes verts car ils sont presque acaloriques.

Pimprenelle : plante aromatique condimentaire.
Conservée sous vide : ★★
Consommation crue : ★★
Consommation cuite : ★★
Déshydratée : ★★
Fraîchement récoltée : ★★
Surgelée : ★★

Pintade : volaille un peu plus petite que le poulet.
Conservée par le sel : ★★
Conservée sous vide : ★★
Consommation crue

Pintade

Cuisson à la milanaise avec beurre doux : ★★★
Cuisson à la milanaise avec beurre salé : ★★★
Cuisson à la milanaise avec huile végétale : ★★★★
Cuisson à la milanaise avec margarine végétale non salée : ★★★
Cuisson à la milanaise avec margarine végétale salée : ★★★
Cuisson à la milanaise avec saindoux ou graisse d'oie ou de canard : ★★★
Cuisson à la milanaise sans matière grasse : ★
Cuisson à l'étouffée avec beurre doux : ★★★
Cuisson à l'étouffée avec beurre salé : ★★★
Cuisson à l'étouffée avec huile végétale : ★★★★
Cuisson à l'étouffée avec margarine végétale non salée : ★★★
Cuisson à l'étouffée avec margarine végétale salée : ★★★
Cuisson à l'étouffée avec saindoux ou graisse d'oie ou de canard : ★★★
Cuisson à l'étouffée sans matière grasse : ★
Cuisson au court bouillon : ★
Cuisson en braisé avec beurre doux : ★★★
Cuisson en braisé avec beurre salé : ★★★
Cuisson en braisé avec huile végétale : ★★★★
Cuisson en braisé avec margarine végétale non salée : ★★★
Cuisson en braisé avec margarine végétale salée : ★★★
Cuisson en braisé avec saindoux ou graisse d'oie ou de canard : ★★★
Cuisson en braisé sans matière grasse : ★
Cuisson en friture : ★★★
Cuisson en meunière avec beurre doux : ★★★
Cuisson en meunière avec beurre salé : ★★★
Cuisson en meunière avec huile végétale : ★★★★
Cuisson en meunière avec margarine végétale non salée : ★★★
Cuisson en meunière avec margarine végétale salée : ★★★
Cuisson en meunière avec saindoux ou graisse d'oie ou de canard : ★★★
Cuisson en meunière sans matière grasse : ★
Cuisson en ragoût avec beurre doux : ★★★
Cuisson en ragoût avec beurre salé : ★★★
Cuisson en ragoût avec huile végétale : ★★★★
Cuisson en ragoût avec margarine végétale non salée : ★★★
Cuisson en ragoût avec margarine végétale salée : ★★★

Cuisson en ragoût avec saindoux ou graisse d'oie ou de canard :
★★★
Cuisson en sauté (idem poêlée).
Cuisson rôtie à la broche : ★
Cuisson rôtie au four avec beurre doux : ★★★
Cuisson rôtie au four avec beurre salé : ★★★
Cuisson rôtie au four avec huile végétale : ★★★
Cuisson rôtie au four avec margarine végétale non salée : ★★★
Cuisson rôtie au four avec margarine végétale salée : ★★★
Cuisson rôtie au four avec saindoux ou graisse d'oie ou de canard : ★★★
Cuisson rôtie au four sans matière grasse ajoutée : ★★★
Cuisson vapeur : ★
Grillée : ★
Pierrade : ★
Poêlée avec beurre doux : ★★★
Poêlée avec beurre salé : ★★★
Poêlée avec huile végétale : ★★★★
Poêlée avec margarine végétale non salée : ★★★
Poêlée avec margarine végétale salée : ★★★
Poêlée avec saindoux ou graisse d'oie ou de canard : ★★★
Poêlée sans matière grasse : ★
Salée et fumée : ★★
Séchée : ★★
Surgelée : ★★
Remarque : n'hésitez pas à cuisiner avec de bonnes quantités d'huile végétale.

Plaquemine : voir « Kaki ».

Plat de côte (de bœuf) : voir « Bœuf (viande de) ».

Pleurote : voir « Champignon ».

Plie : poisson plat à chair blanche.
Conservée par le sel : ★★
Conservée sous vide : ★★
Consommation crue
Cuisson à la milanaise avec beurre doux : ★★★
Cuisson à la milanaise avec beurre salé : ★★★

Plie

Cuisson à la milanaise avec huile végétale : ★★★★
Cuisson à la milanaise avec margarine végétale non salée : ★★★
Cuisson à la milanaise avec margarine végétale salée : ★★★
Cuisson à la milanaise avec saindoux ou graisse d'oie ou de canard : ★★★
Cuisson à la milanaise sans matière grasse : ★
Cuisson à l'étouffée avec beurre doux : ★★★
Cuisson à l'étouffée avec beurre salé : ★★★
Cuisson à l'étouffée avec huile végétale : ★★★★
Cuisson à l'étouffée avec margarine végétale non salée : ★★★
Cuisson à l'étouffée avec margarine végétale salée : ★★★
Cuisson à l'étouffée avec saindoux ou graisse d'oie ou de canard : ★★★
Cuisson à l'étouffée sans matière grasse : ★
Cuisson au court bouillon : ★
Cuisson en braisé avec beurre doux : ★★★
Cuisson en braisé avec beurre salé : ★★★
Cuisson en braisé avec huile végétale : ★★★★
Cuisson en braisé avec margarine végétale non salée : ★★★
Cuisson en braisé avec margarine végétale salée : ★★★
Cuisson en braisé avec saindoux ou graisse d'oie ou de canard : ★★★
Cuisson en braisé sans matière grasse : ★
Cuisson en friture : ★★★
Cuisson en meunière avec beurre doux : ★★★
Cuisson en meunière avec beurre salé : ★★★
Cuisson en meunière avec huile végétale : ★★★★
Cuisson en meunière avec margarine végétale non salée : ★★★
Cuisson en meunière avec margarine végétale salée : ★★★
Cuisson en meunière avec saindoux ou graisse d'oie ou de canard : ★★★
Cuisson en meunière sans matière grasse : ★
Cuisson en sauté (idem poêlée).
Cuisson rôtie au four avec beurre doux : ★★★
Cuisson rôtie au four avec beurre salé : ★★★
Cuisson rôtie au four avec huile végétale : ★★★
Cuisson rôtie au four avec margarine végétale non salée : ★★★
Cuisson rôtie au four avec margarine végétale salée : ★★★

Cuisson rôtie au four avec saindoux ou graisse d'oie ou de canard : ★★★
Cuisson rôtie au four sans matière grasse ajoutée : ★★★
Cuisson vapeur : ★
Grillée : ★
Pierrade : ★
Poêlée avec beurre doux : ★★★
Poêlée avec beurre salé : ★★★
Poêlée avec huile végétale : ★★★★
Poêlée avec margarine végétale non salée : ★★★
Poêlée avec margarine végétale salée : ★★★
Poêlée avec saindoux ou graisse d'oie ou de canard : ★★★
Poêlée sans matière grasse : ★
Salée et fumée : ★★
Séchée : ★★
Surgelée : ★★
Remarque : n'hésitez pas à cuisiner avec de bonnes quantités d'huile végétale.

Poire : fruit du poirier.
A l'anglaise : ★★★★
Au sirop : ★★★★
Au sirop léger : ★★★
Confite : ★★★★
Conserve au naturel : ★★
Conservée dans l'alcool : ★★★
Conservée sous vide : ★★
Consommation crue : ★★
En beignet : ★★★
En compote (avec sucre ajouté) : ★★
En compote sans sucre ajouté : ★★
En confiture : ★★★★
En confiture allégée en sucre : ★★★
En confiture sans sucre : ★
Flambée (poire pochée) : ★★★
Fraîchement récoltée : ★★
Pochée sans sucre : ★
Séchée : ★★★★
Surgelée : ★★

Poireau

Poireau : plante potagère entièrement comestible. Légume vert.
Conservé en saumure : ★★
Conservé sous vide : ★★
Consommation cru
Cuisson à l'étouffée avec beurre doux : ★★
Cuisson à l'étouffée avec beurre salé : ★★
Cuisson à l'étouffée avec huile végétale : ★★★
Cuisson à l'étouffée avec margarine végétale non salée : ★★
Cuisson à l'étouffée avec margarine végétale salée : ★★
Cuisson à l'étouffée avec saindoux ou graisse d'oie ou de canard : ★★
Cuisson à l'étouffée sans matière grasse : ★
Cuisson au court bouillon : ★
Cuisson en braisé avec beurre doux : ★★
Cuisson en braisé avec beurre salé : ★★
Cuisson en braisé avec huile végétale : ★★★
Cuisson en braisé avec margarine végétale non salée : ★★
Cuisson en braisé avec margarine végétale salée : ★★
Cuisson en braisé avec saindoux ou graisse d'oie ou de canard : ★★
Cuisson en braisé sans matière grasse : ★
Cuisson en friture : ★★
Cuisson en papillote : ★
Cuisson en ragoût avec beurre doux : ★★
Cuisson en ragoût avec beurre salé : ★★
Cuisson en ragoût avec huile végétale : ★★★
Cuisson en ragoût avec margarine végétale non salée : ★★
Cuisson en ragoût avec margarine végétale salée : ★★
Cuisson en ragoût avec saindoux ou graisse d'oie ou de canard : ★★
Cuisson en sauté (idem poêlé).
Cuisson vapeur : ★
Poêlé avec beurre doux : ★★
Poêlé avec beurre salé : ★★
Poêlé avec huile végétale : ★★★
Poêlé avec margarine végétale non salée : ★★
Poêlé avec margarine végétale salée : ★★
Poêlé avec saindoux ou graisse d'oie ou de canard : ★★
Poêlé sans matière grasse : ★
Potage crème : ★★★★

Potage nature sans matière grasse ajoutée
Potage velouté : ★★
Surgelé : ★★
Remarque : n'hésitez pas à cuisiner avec de bonnes quantités d'huile végétale. Modérez fortement votre consommation de légumes verts car ils sont presque acaloriques.

Poire de terre : plante potagère dont on consomme les tubercules. Féculent. Sans gluten.
Conservée sous vide : ★★
Consommation crue
Cuisson à la milanaise avec beurre doux : ★★★
Cuisson à la milanaise avec beurre salé : ★★★
Cuisson à la milanaise avec huile végétale : ★★★★
Cuisson à la milanaise avec margarine végétale non salée : ★★★
Cuisson à la milanaise avec margarine végétale salée : ★★★
Cuisson à la milanaise avec saindoux ou graisse d'oie ou de canard : ★★★
Cuisson à la milanaise sans matière grasse : ★
Cuisson à l'étouffée avec beurre doux : ★★★
Cuisson à l'étouffée avec beurre salé : ★★★
Cuisson à l'étouffée avec huile végétale : ★★★★
Cuisson à l'étouffée avec margarine végétale non salée : ★★★
Cuisson à l'étouffée avec margarine végétale salée : ★★★
Cuisson à l'étouffée avec saindoux ou graisse d'oie ou de canard : ★★★
Cuisson à l'étouffée sans matière grasse : ★
Cuisson au court bouillon : ★
Cuisson en beignet : ★★★
Cuisson en braisé avec beurre doux : ★★★
Cuisson en braisé avec beurre salé : ★★★
Cuisson en braisé avec huile végétale : ★★★★
Cuisson en braisé avec margarine végétale non salée : ★★★
Cuisson en braisé avec margarine végétale salée : ★★★
Cuisson en braisé avec saindoux ou graisse d'oie ou de canard : ★★★
Cuisson en braisé sans matière grasse : ★
Cuisson en friture : ★★★★

Poire de terre - Pois-asperge

Cuisson en meunière avec beurre doux : ★★★
Cuisson en meunière avec beurre salé : ★★★
Cuisson en meunière avec huile végétale : ★★★★
Cuisson en meunière avec margarine végétale non salée : ★★★
Cuisson en meunière avec margarine végétale salée : ★★★
Cuisson en meunière avec saindoux ou graisse d'oie ou de canard : ★★★
Cuisson en meunière sans matière grasse : ★
Cuisson en papillote : ★
Cuisson en ragoût avec beurre doux : ★★★
Cuisson en ragoût avec beurre salé : ★★★
Cuisson en ragoût avec huile végétale : ★★★★
Cuisson en ragoût avec margarine végétale non salée : ★★★
Cuisson en ragoût avec margarine végétale salée : ★★★
Cuisson en ragoût avec saindoux ou graisse d'oie ou de canard : ★★★
Cuisson en sauté (idem poêlée).
Cuisson vapeur : ★
Poêlée avec beurre doux : ★★★
Poêlée avec beurre salé : ★★★
Poêlée avec huile végétale : ★★★★
Poêlée avec margarine végétale non salée : ★★★
Poêlée avec margarine végétale salée : ★★★
Poêlée avec saindoux ou graisse d'oie ou de canard : ★★★
Poêlée sans matière grasse : ★
Potage crème : ★★★★
Potage nature sans matière grasse ajoutée
Potage velouté : ★★
Surgelée : ★★
Remarque : n'hésitez pas à cuisiner avec de bonnes quantités d'huile végétale.

Poirée : voir « Bette ».

Pois-asperge : plante potagère dont on consomme les gousses et les graines. Légume vert.
Conservé en saumure : ★★
Conservé sous vide : ★★
Consommation cru
Cuisson à l'étouffée avec beurre doux : ★★

Cuisson à l'étouffée avec beurre salé : ★★
Cuisson à l'étouffée avec huile végétale : ★★★
Cuisson à l'étouffée avec margarine végétale non salée : ★★
Cuisson à l'étouffée avec margarine végétale salée : ★★
Cuisson à l'étouffée avec saindoux ou graisse d'oie ou de canard : ★★
Cuisson à l'étouffée sans matière grasse : ★
Cuisson au court bouillon : ★
Cuisson en braisé avec beurre doux : ★★
Cuisson en braisé avec beurre salé : ★★
Cuisson en braisé avec huile végétale : ★★★
Cuisson en braisé avec margarine végétale non salée : ★★
Cuisson en braisé avec margarine végétale salée : ★★
Cuisson en braisé avec saindoux ou graisse d'oie ou de canard : ★★
Cuisson en braisé sans matière grasse : ★
Cuisson en friture : ★★
Cuisson en papillote : ★
Cuisson en ragoût avec beurre doux : ★★
Cuisson en ragoût avec beurre salé : ★★
Cuisson en ragoût avec huile végétale : ★★★
Cuisson en ragoût avec margarine végétale non salée : ★★
Cuisson en ragoût avec margarine végétale salée : ★★
Cuisson en ragoût avec saindoux ou graisse d'oie ou de canard : ★★
Cuisson en sauté (idem poêlé).
Cuisson vapeur : ★
Poêlé avec beurre doux : ★★
Poêlé avec beurre salé : ★★
Poêlé avec huile végétale : ★★★
Poêlé avec margarine végétale non salée : ★★
Poêlé avec margarine végétale salée : ★★
Poêlé avec saindoux ou graisse d'oie ou de canard : ★★
Poêlé sans matière grasse : ★
Potage crème : ★★★★
Potage nature sans matière grasse ajoutée
Potage velouté : ★★
Surgelé : ★★
Remarque : n'hésitez pas à cuisiner avec de bonnes quantités d'huile végétale. Modérez fortement votre

Pois cassés

consommation de légumes verts car ils sont presque acaloriques.

Pois cassés : petits pois secs. Féculent. Sans gluten.
Conservé à l'étuvé : ★★
Conservé en saumure : ★★
Conservé sous vide : ★★
Consommation cru
Cuisson à l'étouffée avec beurre doux : ★★★
Cuisson à l'étouffée avec beurre salé : ★★★
Cuisson à l'étouffée avec huile végétale : ★★★★
Cuisson à l'étouffée avec margarine végétale non salée : ★★★
Cuisson à l'étouffée avec margarine végétale salée : ★★★
Cuisson à l'étouffée avec saindoux ou graisse d'oie ou de canard : ★★★
Cuisson à l'étouffée sans matière grasse : ★
Cuisson au court bouillon : ★
Cuisson en braisé avec beurre doux : ★★★
Cuisson en braisé avec beurre salé : ★★★
Cuisson en braisé avec huile végétale : ★★★★
Cuisson en braisé avec margarine végétale non salée : ★★★
Cuisson en braisé avec margarine végétale salée : ★★★
Cuisson en braisé avec saindoux ou graisse d'oie ou de canard : ★★★
Cuisson en braisé sans matière grasse : ★
Cuisson en ragoût avec beurre doux : ★★★
Cuisson en ragoût avec beurre salé : ★★★
Cuisson en ragoût avec huile végétale : ★★★★
Cuisson en ragoût avec margarine végétale non salée : ★★★
Cuisson en ragoût avec margarine végétale salée : ★★★
Cuisson en ragoût avec saindoux ou graisse d'oie ou de canard : ★★★
Potage crème : ★★★★
Potage nature sans matière grasse ajoutée : ★★
Potage velouté : ★★★
Sec : ★★
Surgelé : ★★
Remarque : n'hésitez pas à cuisiner avec de bonnes quantités d'huile végétale.

Pois chiche : gros pois gris-jaune. Féculent. Sans gluten.
Conservé à l'étuvé : ★★
Conservé en saumure : ★★
Conservé sous vide : ★★
Consommation cru
Cuisson à l'étouffée avec beurre doux : ★★★
Cuisson à l'étouffée avec beurre salé : ★★★
Cuisson à l'étouffée avec huile végétale : ★★★★
Cuisson à l'étouffée avec margarine végétale non salée : ★★★
Cuisson à l'étouffée avec margarine végétale salée : ★★★
Cuisson à l'étouffée avec saindoux ou graisse d'oie ou de canard : ★★★
Cuisson à l'étouffée sans matière grasse : ★
Cuisson au court bouillon : ★
Cuisson en braisé avec beurre doux : ★★★
Cuisson en braisé avec beurre salé : ★★★
Cuisson en braisé avec huile végétale : ★★★★
Cuisson en braisé avec margarine végétale non salée : ★★★
Cuisson en braisé avec margarine végétale salée : ★★★
Cuisson en braisé avec saindoux ou graisse d'oie ou de canard : ★★★
Cuisson en braisé sans matière grasse : ★
Cuisson en ragoût avec beurre doux : ★★★
Cuisson en ragoût avec beurre salé : ★★★
Cuisson en ragoût avec huile végétale : ★★★★
Cuisson en ragoût avec margarine végétale non salée : ★★★
Cuisson en ragoût avec margarine végétale salée : ★★★
Cuisson en ragoût avec saindoux ou graisse d'oie ou de canard : ★★★
Potage crème : ★★★★
Potage nature sans matière grasse ajoutée : ★★
Potage velouté : ★★★
Sec : ★★
Surgelé : ★★
Remarque : n'hésitez pas à cuisiner avec de bonnes quantités d'huile végétale.

Pois de bambara : pois de terre. Féculent. Sans gluten.
Conservé à l'étuvé : ★★
Conservé en saumure : ★★

Pois de bambara - Pois mange-tout

Conservé sous vide : ★★
Consommation cru
Cuisson à l'étouffée avec beurre doux : ★★★
Cuisson à l'étouffée avec beurre salé : ★★★
Cuisson à l'étouffée avec huile végétale : ★★★★
Cuisson à l'étouffée avec margarine végétale non salée : ★★★
Cuisson à l'étouffée avec margarine végétale salée : ★★★
Cuisson à l'étouffée avec saindoux ou graisse d'oie ou de canard : ★★★
Cuisson à l'étouffée sans matière grasse : ★
Cuisson au court bouillon : ★
Cuisson en braisé avec beurre doux : ★★★
Cuisson en braisé avec beurre salé : ★★★
Cuisson en braisé avec huile végétale : ★★★★
Cuisson en braisé avec margarine végétale non salée : ★★★
Cuisson en braisé avec margarine végétale salée : ★★★
Cuisson en braisé avec saindoux ou graisse d'oie ou de canard : ★★★
Cuisson en braisé sans matière grasse : ★
Cuisson en ragoût avec beurre doux : ★★★
Cuisson en ragoût avec beurre salé : ★★★
Cuisson en ragoût avec huile végétale : ★★★★
Cuisson en ragoût avec margarine végétale non salée : ★★★
Cuisson en ragoût avec margarine végétale salée : ★★★
Cuisson en ragoût avec saindoux ou graisse d'oie ou de canard : ★★★
Potage crème : ★★★★
Potage nature sans matière grasse ajoutée : ★★
Potage velouté : ★★★
Sec : ★★
Surgelé : ★★
Remarque : n'hésitez pas à cuisiner avec de bonnes quantités d'huile végétale.

Pois mange-tout : variété de pois dont on mange la gousse et les graines. Légume vert.
Conservé en saumure : ★★
Conservé sous vide : ★★
Consommation cru
Cuisson à l'étouffée avec beurre doux : ★★

Cuisson à l'étouffée avec beurre salé : ★★
Cuisson à l'étouffée avec huile végétale : ★★★
Cuisson à l'étouffée avec margarine végétale non salée : ★★
Cuisson à l'étouffée avec margarine végétale salée : ★★
Cuisson à l'étouffée avec saindoux ou graisse d'oie ou de canard : ★★
Cuisson à l'étouffée sans matière grasse : ★
Cuisson au court bouillon : ★
Cuisson en braisé avec beurre doux : ★★
Cuisson en braisé avec beurre salé : ★★
Cuisson en braisé avec huile végétale : ★★★
Cuisson en braisé avec margarine végétale non salée : ★★
Cuisson en braisé avec margarine végétale salée : ★★
Cuisson en braisé avec saindoux ou graisse d'oie ou de canard : ★★
Cuisson en braisé sans matière grasse : ★
Cuisson en friture : ★★
Cuisson en papillote : ★
Cuisson en sauté (idem poêlé).
Cuisson vapeur : ★
Poêlé avec beurre doux : ★★
Poêlé avec beurre salé : ★★
Poêlé avec huile végétale : ★★★
Poêlé avec margarine végétale non salée : ★★
Poêlé avec margarine végétale salée : ★★
Poêlé avec saindoux ou graisse d'oie ou de canard : ★★
Poêlé sans matière grasse : ★
Potage crème : ★★★★
Potage nature sans matière grasse ajoutée
Potage velouté : ★★
Surgelé : ★★

Remarque : n'hésitez pas à cuisiner avec de bonnes quantités d'huile végétale. Modérez fortement votre consommation de légumes verts car ils sont presque acaloriques.

Poisson-chat : poisson d'eau douce à chair blanche.
Conservé par le sel : ★★
Conservé sous vide : ★★
Consommation cru

269

Poisson-chat

Cuisson à la milanaise avec beurre doux : ★★★
Cuisson à la milanaise avec beurre salé : ★★★
Cuisson à la milanaise avec huile végétale : ★★★★
Cuisson à la milanaise avec margarine végétale non salée : ★★★
Cuisson à la milanaise avec margarine végétale salée : ★★★
Cuisson à la milanaise avec saindoux ou graisse d'oie ou de canard : ★★★
Cuisson à la milanaise sans matière grasse : ★
Cuisson à l'étouffée avec beurre doux : ★★★
Cuisson à l'étouffée avec beurre salé : ★★★
Cuisson à l'étouffée avec huile végétale : ★★★★
Cuisson à l'étouffée avec margarine végétale non salée : ★★★
Cuisson à l'étouffée avec margarine végétale salée : ★★★
Cuisson à l'étouffée avec saindoux ou graisse d'oie ou de canard : ★★★
Cuisson à l'étouffée sans matière grasse : ★
Cuisson au court bouillon : ★
Cuisson en braisé avec beurre doux : ★★★
Cuisson en braisé avec beurre salé : ★★★
Cuisson en braisé avec huile végétale : ★★★★
Cuisson en braisé avec margarine végétale non salée : ★★★
Cuisson en braisé avec margarine végétale salée : ★★★
Cuisson en braisé avec saindoux ou graisse d'oie ou de canard : ★★★
Cuisson en braisé sans matière grasse : ★
Cuisson en friture : ★★★
Cuisson en meunière avec beurre doux : ★★★
Cuisson en meunière avec beurre salé : ★★★
Cuisson en meunière avec huile végétale : ★★★★
Cuisson en meunière avec margarine végétale non salée : ★★★
Cuisson en meunière avec margarine végétale salée : ★★★
Cuisson en meunière avec saindoux ou graisse d'oie ou de canard : ★★★
Cuisson en meunière sans matière grasse : ★
Cuisson en ragoût avec beurre doux : ★★★
Cuisson en ragoût avec beurre salé : ★★★
Cuisson en ragoût avec huile végétale : ★★★★
Cuisson en ragoût avec margarine végétale non salée : ★★★
Cuisson en ragoût avec margarine végétale salée : ★★★

Cuisson en ragoût avec saindoux ou graisse d'oie ou de canard : ★★★

Cuisson en sauté (idem poêlé).

Cuisson rôti à la broche : ★

Cuisson rôti au four avec beurre doux : ★★★

Cuisson rôti au four avec beurre salé : ★★★

Cuisson rôti au four avec huile végétale : ★★★

Cuisson rôti au four avec margarine végétale non salée : ★★★

Cuisson rôti au four avec margarine végétale salée : ★★★

Cuisson rôti au four avec saindoux ou graisse d'oie ou de canard : ★★★

Cuisson rôti au four sans matière grasse ajoutée : ★★★

Cuisson vapeur : ★

Grillé : ★

Pierrade : ★

Poêlé avec beurre doux : ★★★

Poêlé avec beurre salé : ★★★

Poêlé avec huile végétale : ★★★★

Poêlé avec margarine végétale non salée : ★★★

Poêlé avec margarine végétale salée : ★★★

Poêlé avec saindoux ou graisse d'oie ou de canard : ★★★

Poêlé sans matière grasse : ★

Salé et fumé : ★★

Séché : ★★

Surgelé : ★★

Remarque : n'hésitez pas à cuisiner avec de bonnes quantités d'huile végétale.

Poisson gras : poisson à chair brune, riche en oméga 3 et en acides gras polyinsaturés : maquereau, sardine, thon, hareng, truite, omble, saumon, anchois, anguille, congre, etc.

Conservé par le sel : ★★

Conservé sous vide : ★★

Consommation cru

Cuisson à la milanaise avec beurre doux : ★★★

Cuisson à la milanaise avec beurre salé : ★★★

Cuisson à la milanaise avec huile végétale : ★★★★

Cuisson à la milanaise avec margarine végétale non salée : ★★★

Cuisson à la milanaise avec margarine végétale salée : ★★★

Poisson gras

Cuisson à la milanaise avec saindoux ou graisse d'oie ou de canard : ★★★
Cuisson à la milanaise sans matière grasse : ★
Cuisson à l'étouffée avec beurre doux : ★★★
Cuisson à l'étouffée avec beurre salé : ★★★
Cuisson à l'étouffée avec huile végétale : ★★★★
Cuisson à l'étouffée avec margarine végétale non salée : ★★★
Cuisson à l'étouffée avec margarine végétale salée : ★★★
Cuisson à l'étouffée avec saindoux ou graisse d'oie ou de canard : ★★★
Cuisson à l'étouffée sans matière grasse : ★
Cuisson au court bouillon : ★
Cuisson en braisé avec beurre doux : ★★★
Cuisson en braisé avec beurre salé : ★★★
Cuisson en braisé avec huile végétale : ★★★★
Cuisson en braisé avec margarine végétale non salée : ★★★
Cuisson en braisé avec margarine végétale salée : ★★★
Cuisson en braisé avec saindoux ou graisse d'oie ou de canard : ★★★
Cuisson en braisé sans matière grasse : ★
Cuisson en friture : ★★★
Cuisson en meunière avec beurre doux : ★★★
Cuisson en meunière avec beurre salé : ★★★
Cuisson en meunière avec huile végétale : ★★★★
Cuisson en meunière avec margarine végétale non salée : ★★★
Cuisson en meunière avec margarine végétale salée : ★★★
Cuisson en meunière avec saindoux ou graisse d'oie ou de canard : ★★★
Cuisson en meunière sans matière grasse : ★
Cuisson en ragoût avec beurre doux : ★★★
Cuisson en ragoût avec beurre salé : ★★★
Cuisson en ragoût avec huile végétale : ★★★★
Cuisson en ragoût avec margarine végétale non salée : ★★★
Cuisson en ragoût avec margarine végétale salée : ★★★
Cuisson en ragoût avec saindoux ou graisse d'oie ou de canard : ★★★
Cuisson en sauté (idem poêlé).
Cuisson rôti à la broche : ★
Cuisson rôti au four avec beurre doux : ★★★
Cuisson rôti au four avec beurre salé : ★★★

Cuisson rôti au four avec huile végétale : ★★★
Cuisson rôti au four avec margarine végétale non salée : ★★★
Cuisson rôti au four avec margarine végétale salée : ★★★
Cuisson rôti au four avec saindoux ou graisse d'oie ou de canard : ★★★
Cuisson rôti au four sans matière grasse ajoutée : ★★★
Cuisson vapeur : ★
Grillé : ★
Pierrade : ★
Poêlé avec beurre doux : ★★★
Poêlé avec beurre salé : ★★★
Poêlé avec huile végétale : ★★★★
Poêlé avec margarine végétale non salée : ★★★
Poêlé avec margarine végétale salée : ★★★
Poêlé avec saindoux ou graisse d'oie ou de canard : ★★★
Poêlé sans matière grasse : ★
Salé et fumé : ★★
Séché : ★★
Surgelé : ★★
Remarque : n'hésitez pas à cuisiner avec de bonnes quantités d'huile végétale.

Poisson maigre : poisson à chair blanche, moyennement riche en acides gras polyinsaturés et en oméga 3 : sole, cabillaud, lieu, grondin, carpe, gardon, brochet, sandre, etc.
Conservé par le sel : ★★
Conservé sous vide : ★★
Consommation cru
Cuisson à la milanaise avec beurre doux : ★★★
Cuisson à la milanaise avec beurre salé : ★★★
Cuisson à la milanaise avec huile végétale : ★★★★
Cuisson à la milanaise avec margarine végétale non salée : ★★★
Cuisson à la milanaise avec margarine végétale salée : ★★★
Cuisson à la milanaise avec saindoux ou graisse d'oie ou de canard : ★★★
Cuisson à la milanaise sans matière grasse : ★
Cuisson à l'étouffée avec beurre doux : ★★★
Cuisson à l'étouffée avec beurre salé : ★★★
Cuisson à l'étouffée avec huile végétale : ★★★★

Poisson maigre

Cuisson à l'étouffée avec margarine végétale non salée : ★★★
Cuisson à l'étouffée avec margarine végétale salée : ★★★
Cuisson à l'étouffée avec saindoux ou graisse d'oie ou de canard : ★★★
Cuisson à l'étouffée sans matière grasse : ★
Cuisson au court bouillon : ★
Cuisson en braisé avec beurre doux : ★★★
Cuisson en braisé avec beurre salé : ★★★
Cuisson en braisé avec huile végétale : ★★★★
Cuisson en braisé avec margarine végétale non salée : ★★★
Cuisson en braisé avec margarine végétale salée : ★★★
Cuisson en braisé avec saindoux ou graisse d'oie ou de canard : ★★★
Cuisson en braisé sans matière grasse : ★
Cuisson en friture : ★★★
Cuisson en meunière avec beurre doux : ★★★
Cuisson en meunière avec beurre salé : ★★★
Cuisson en meunière avec huile végétale : ★★★★
Cuisson en meunière avec margarine végétale non salée : ★★★
Cuisson en meunière avec margarine végétale salée : ★★★
Cuisson en meunière avec saindoux ou graisse d'oie ou de canard : ★★★
Cuisson en meunière sans matière grasse : ★
Cuisson en ragoût avec beurre doux : ★★★
Cuisson en ragoût avec beurre salé : ★★★
Cuisson en ragoût avec huile végétale : ★★★★
Cuisson en ragoût avec margarine végétale non salée : ★★★
Cuisson en ragoût avec margarine végétale salée : ★★★
Cuisson en ragoût avec saindoux ou graisse d'oie ou de canard : ★★★
Cuisson en sauté (idem poêlé).
Cuisson rôti à la broche : ★
Cuisson rôti au four avec beurre doux : ★★★
Cuisson rôti au four avec beurre salé : ★★★
Cuisson rôti au four avec huile végétale : ★★★
Cuisson rôti au four avec margarine végétale non salée : ★★★
Cuisson rôti au four avec margarine végétale salée : ★★★
Cuisson rôti au four avec saindoux ou graisse d'oie ou de canard : ★★★
Cuisson rôti au four sans matière grasse ajoutée : ★★★

Cuisson vapeur : ★
Grillé : ★
Pierrade : ★
Poêlé avec beurre doux : ★★★
Poêlé avec beurre salé : ★★★
Poêlé avec huile végétale : ★★★★
Poêlé avec margarine végétale non salée : ★★★
Poêlé avec margarine végétale salée : ★★★
Poêlé avec saindoux ou graisse d'oie ou de canard : ★★★
Poêlé sans matière grasse : ★
Salé et fumé : ★★
Séché : ★★
Surgelé : ★★
Remarque : n'hésitez pas à cuisiner avec de bonnes quantités d'huile végétale.

Poitrine d'agneau : voir « Agneau (viande d') ».

Poitrine de bœuf : voir « Bœuf (viande de) ».

Poitrine de porc : voir « Porc (viande de) ».

Poitrine de veau : voir « Veau (viande de) ».

Poivron : piment doux. Légume vert.
Confit : ★★★
Conservé dans le vinaigre : ★★
Conservé en saumure : ★★
Conservé sous vide : ★★
Consommation cru
Cuisson à l'étouffée avec beurre doux : ★★
Cuisson à l'étouffée avec beurre salé : ★★
Cuisson à l'étouffée avec huile végétale : ★★★
Cuisson à l'étouffée avec margarine végétale non salée : ★★
Cuisson à l'étouffée avec margarine végétale salée : ★★
Cuisson à l'étouffée avec saindoux ou graisse d'oie ou de canard : ★★
Cuisson à l'étouffée sans matière grasse : ★
Cuisson au court bouillon : ★
Cuisson en braisé avec beurre doux : ★★

Poivron - Pomelo

Cuisson en braisé avec beurre salé : ★★
Cuisson en braisé avec huile végétale : ★★★
Cuisson en braisé avec margarine végétale non salée : ★★
Cuisson en braisé avec margarine végétale salée : ★★
Cuisson en braisé avec saindoux ou graisse d'oie ou de canard :
★★
Cuisson en braisé sans matière grasse : ★
Cuisson en friture : ★★
Cuisson en papillote : ★
Cuisson en ragoût avec beurre doux : ★★
Cuisson en ragoût avec beurre salé : ★★
Cuisson en ragoût avec huile végétale : ★★★
Cuisson en ragoût avec margarine végétale non salée : ★★
Cuisson en ragoût avec margarine végétale salée : ★★
Cuisson en ragoût avec saindoux ou graisse d'oie ou de canard :
★★
Cuisson en sauté (idem poêlé).
Cuisson vapeur : ★
Grillé : ★
Pierrade : ★
Poêlé avec beurre doux : ★★
Poêlé avec beurre salé : ★★
Poêlé avec huile végétale : ★★★
Poêlé avec margarine végétale non salée : ★★
Poêlé avec margarine végétale salée : ★★
Poêlé avec saindoux ou graisse d'oie ou de canard : ★★
Poêlé sans matière grasse : ★
Potage crème : ★★★★
Potage nature sans matière grasse ajoutée
Potage velouté : ★★
Séché : ★★
Surgelé : ★★

Remarque : n'hésitez pas à cuisiner avec de bonnes quantités d'huile végétale. Modérez fortement votre consommation de légumes verts car ils sont presque acaloriques.

Pomelo : voir « Pamplemousse ».

Pomme : fruit comestible du pommier.
A l'anglaise : ★★★★
Au sirop : ★★★★
Au sirop léger : ★★★
Confite : ★★★★
Conserve au naturel : ★★
Conservée dans l'alcool : ★★★
Conservée sous vide : ★★
Consommation crue : ★★
En beignet : ★★★
En compote (avec sucre ajouté) : ★★
En compote sans sucre ajouté : ★★
En confiture : ★★★★
En confiture allégée en sucre : ★★★
En confiture sans sucre : ★
Flambée (pomme pochée) : ★★★
Fraîchement récoltée : ★★
Pochée sans sucre : ★
Séchée : ★★★★
Surgelée : ★★

Pomme de terre : plante potagère dont on consomme les tubercules. Féculent. Sans gluten.
Conservée sous vide : ★★
Consommation crue
Cuisson à la milanaise avec beurre doux : ★★★
Cuisson à la milanaise avec beurre salé : ★★★
Cuisson à la milanaise avec huile végétale : ★★★★
Cuisson à la milanaise avec margarine végétale non salée : ★★★
Cuisson à la milanaise avec margarine végétale salée : ★★★
Cuisson à la milanaise avec saindoux ou graisse d'oie ou de canard : ★★★
Cuisson à la milanaise sans matière grasse : ★
Cuisson à l'étouffée avec beurre doux : ★★★
Cuisson à l'étouffée avec beurre salé : ★★★
Cuisson à l'étouffée avec huile végétale : ★★★★
Cuisson à l'étouffée avec margarine végétale non salée : ★★★
Cuisson à l'étouffée avec margarine végétale salée : ★★★

Pomme de terre

Cuisson à l'étouffée avec saindoux ou graisse d'oie ou de canard : ★★★

Cuisson à l'étouffée sans matière grasse : ★

Cuisson au court bouillon : ★

Cuisson en beignet : ★★★

Cuisson en braisé avec beurre doux : ★★★

Cuisson en braisé avec beurre salé : ★★★

Cuisson en braisé avec huile végétale : ★★★★

Cuisson en braisé avec margarine végétale non salée : ★★★

Cuisson en braisé avec margarine végétale salée : ★★★

Cuisson en braisé avec saindoux ou graisse d'oie ou de canard : ★★★

Cuisson en braisé sans matière grasse : ★

Cuisson en friture : ★★★★

Cuisson en meunière avec beurre doux : ★★★

Cuisson en meunière avec beurre salé : ★★★

Cuisson en meunière avec huile végétale : ★★★★

Cuisson en meunière avec margarine végétale non salée : ★★★

Cuisson en meunière avec margarine végétale salée : ★★★

Cuisson en meunière avec saindoux ou graisse d'oie ou de canard : ★★★

Cuisson en meunière sans matière grasse : ★

Cuisson en papillote : ★

Cuisson en ragoût avec beurre doux : ★★★

Cuisson en ragoût avec beurre salé : ★★★

Cuisson en ragoût avec huile végétale : ★★★★

Cuisson en ragoût avec margarine végétale non salée : ★★★

Cuisson en ragoût avec margarine végétale salée : ★★★

Cuisson en ragoût avec saindoux ou graisse d'oie ou de canard : ★★★

Cuisson en sauté (idem poêlée).

Cuisson vapeur : ★

Poêlée avec beurre doux : ★★★

Poêlée avec beurre salé : ★★★

Poêlée avec huile végétale : ★★★★

Poêlée avec margarine végétale non salée : ★★★

Poêlée avec margarine végétale salée : ★★★

Poêlée avec saindoux ou graisse d'oie ou de canard : ★★★

Poêlée sans matière grasse : ★

Potage crème : ★★★★

Potage nature sans matière grasse ajoutée
Potage velouté : ★★
Surgelée : ★★
Remarque : n'hésitez pas à cuisiner avec de bonnes quantités d'huile végétale.

Porc (viande de...) : représente les viandes non préparées ni transformées, nature, prêtes à être cuisinées provenant du cochon.
Conservée par le sel : ★★
Conservée sous vide : ★★
Consommation crue
Cuisson à la milanaise avec beurre doux : ★★★
Cuisson à la milanaise avec beurre salé : ★★★
Cuisson à la milanaise avec huile végétale : ★★★★
Cuisson à la milanaise avec margarine végétale non salée : ★★★
Cuisson à la milanaise avec margarine végétale salée : ★★★
Cuisson à la milanaise avec saindoux ou graisse d'oie ou de canard : ★★★
Cuisson à la milanaise sans matière grasse : ★
Cuisson à l'étouffée avec beurre doux : ★★★
Cuisson à l'étouffée avec beurre salé : ★★★
Cuisson à l'étouffée avec huile végétale : ★★★★
Cuisson à l'étouffée avec margarine végétale non salée : ★★★
Cuisson à l'étouffée avec margarine végétale salée : ★★★
Cuisson à l'étouffée avec saindoux ou graisse d'oie ou de canard : ★★★
Cuisson à l'étouffée sans matière grasse : ★
Cuisson au court bouillon : ★
Cuisson en braisé avec beurre doux : ★★★
Cuisson en braisé avec beurre salé : ★★★
Cuisson en braisé avec huile végétale : ★★★★
Cuisson en braisé avec margarine végétale non salée : ★★★
Cuisson en braisé avec margarine végétale salée : ★★★
Cuisson en braisé avec saindoux ou graisse d'oie ou de canard : ★★★
Cuisson en braisé sans matière grasse : ★
Cuisson en friture : ★★★
Cuisson en meunière avec beurre doux : ★★★

Porc (viande de)

Cuisson en meunière avec beurre salé : ★★★
Cuisson en meunière avec huile végétale : ★★★★
Cuisson en meunière avec margarine végétale non salée : ★★★
Cuisson en meunière avec margarine végétale salée : ★★★
Cuisson en meunière avec saindoux ou graisse d'oie ou de canard : ★★★
Cuisson en meunière sans matière grasse : ★
Cuisson en ragoût avec beurre doux : ★★★
Cuisson en ragoût avec beurre salé : ★★★
Cuisson en ragoût avec huile végétale : ★★★★
Cuisson en ragoût avec margarine végétale non salée : ★★★
Cuisson en ragoût avec margarine végétale salée : ★★★
Cuisson en ragoût avec saindoux ou graisse d'oie ou de canard : ★★★
Cuisson en sauté (idem poêlée).
Cuisson rôtie à la broche : ★
Cuisson rôtie au four avec beurre doux : ★★★
Cuisson rôtie au four avec beurre salé : ★★★
Cuisson rôtie au four avec huile végétale : ★★★
Cuisson rôtie au four avec margarine végétale non salée : ★★★
Cuisson rôtie au four avec margarine végétale salée : ★★★
Cuisson rôtie au four avec saindoux ou graisse d'oie ou de canard : ★★★
Cuisson rôtie au four sans matière grasse ajoutée : ★★★
Cuisson vapeur : ★
Grillée : ★
Pierrade : ★
Poêlée avec beurre doux : ★★★
Poêlée avec beurre salé : ★★★
Poêlée avec huile végétale : ★★★★
Poêlée avec margarine végétale non salée : ★★★
Poêlée avec margarine végétale salée : ★★★
Poêlée avec saindoux ou graisse d'oie ou de canard : ★★★
Poêlée sans matière grasse : ★
Salée et fumée : ★★
Séchée : ★★
Surgelée : ★★
Remarque : n'hésitez pas à cuisiner avec de bonnes quantités d'huile végétale.

Potimarron : courge dont le goût rappelle celui de la châtaigne. Légume vert.

Conservé en saumure : ★★

Conservé sous vide : ★★

Consommation cru

Cuisson à l'étouffée avec beurre doux : ★★

Cuisson à l'étouffée avec beurre salé : ★★

Cuisson à l'étouffée avec huile végétale : ★★★

Cuisson à l'étouffée avec margarine végétale non salée : ★★

Cuisson à l'étouffée avec margarine végétale salée : ★★

Cuisson à l'étouffée avec saindoux ou graisse d'oie ou de canard : ★★

Cuisson à l'étouffée sans matière grasse : ★

Cuisson au court bouillon : ★

Cuisson en braisé avec beurre doux : ★★

Cuisson en braisé avec beurre salé : ★★

Cuisson en braisé avec huile végétale : ★★★

Cuisson en braisé avec margarine végétale non salée : ★★

Cuisson en braisé avec margarine végétale salée : ★★

Cuisson en braisé avec saindoux ou graisse d'oie ou de canard : ★★

Cuisson en braisé sans matière grasse : ★

Cuisson en friture : ★★

Cuisson en papillote : ★

Cuisson en ragoût avec beurre doux : ★★

Cuisson en ragoût avec beurre salé : ★★

Cuisson en ragoût avec huile végétale : ★★★

Cuisson en ragoût avec margarine végétale non salée : ★★

Cuisson en ragoût avec margarine végétale salée : ★★

Cuisson en ragoût avec saindoux ou graisse d'oie ou de canard : ★★

Cuisson en sauté (idem poêlé).

Cuisson vapeur : ★

En confiture : ★★★★

En confiture allégée en sucre : ★★

En confiture sans sucre : ★

Poêlé avec beurre doux : ★★

Poêlé avec beurre salé : ★★

Poêlé avec huile végétale : ★★★

Poêlé avec margarine végétale non salée : ★★

Potimarron - Poule

Poêlé avec margarine végétale salée : ★ ★
Poêlé avec saindoux ou graisse d'oie ou de canard : ★ ★
Poêlé sans matière grasse : ★
Potage crème : ★ ★ ★ ★
Potage nature sans matière grasse ajoutée
Potage velouté : ★ ★
Surgelé : ★ ★
Remarque : n'hésitez pas à cuisiner avec de bonnes quantités d'huile végétale. Modérez fortement votre consommation de légumes verts car ils sont presque acaloriques.

Potiron : voir « Potimarron ».

Poule : femelle du coq. Volaille.
Conservée par le sel : ★ ★
Conservée sous vide : ★ ★
Consommation crue
Cuisson à la milanaise avec beurre doux : ★ ★ ★
Cuisson à la milanaise avec beurre salé : ★ ★ ★
Cuisson à la milanaise avec huile végétale : ★ ★ ★ ★
Cuisson à la milanaise avec margarine végétale non salée : ★ ★ ★
Cuisson à la milanaise avec margarine végétale salée : ★ ★ ★
Cuisson à la milanaise avec saindoux ou graisse d'oie ou de canard : ★ ★ ★
Cuisson à la milanaise sans matière grasse : ★
Cuisson à l'étouffée avec beurre doux : ★ ★ ★
Cuisson à l'étouffée avec beurre salé : ★ ★ ★
Cuisson à l'étouffée avec huile végétale : ★ ★ ★ ★
Cuisson à l'étouffée avec margarine végétale non salée : ★ ★ ★
Cuisson à l'étouffée avec margarine végétale salée : ★ ★ ★
Cuisson à l'étouffée avec saindoux ou graisse d'oie ou de canard : ★ ★ ★
Cuisson à l'étouffée sans matière grasse : ★
Cuisson au court bouillon : ★
Cuisson en braisé avec beurre doux : ★ ★ ★
Cuisson en braisé avec beurre salé : ★ ★ ★
Cuisson en braisé avec huile végétale : ★ ★ ★ ★
Cuisson en braisé avec margarine végétale non salée : ★ ★ ★

Cuisson en braisé avec margarine végétale salée : ★★★
Cuisson en braisé avec saindoux ou graisse d'oie ou de canard : ★★★
Cuisson en braisé sans matière grasse : ★
Cuisson en friture : ★★★
Cuisson en meunière avec beurre doux : ★★★
Cuisson en meunière avec beurre salé : ★★★
Cuisson en meunière avec huile végétale : ★★★★
Cuisson en meunière avec margarine végétale non salée : ★★★
Cuisson en meunière avec margarine végétale salée : ★★★
Cuisson en meunière avec saindoux ou graisse d'oie ou de canard : ★★★
Cuisson en meunière sans matière grasse : ★
Cuisson en ragoût avec beurre doux : ★★★
Cuisson en ragoût avec beurre salé : ★★★
Cuisson en ragoût avec huile végétale : ★★★★
Cuisson en ragoût avec margarine végétale non salée : ★★★
Cuisson en ragoût avec margarine végétale salée : ★★★
Cuisson en ragoût avec saindoux ou graisse d'oie ou de canard : ★★★
Cuisson vapeur : ★
Salée et fumée : ★★
Séchée : ★★
Surgelée : ★★
Remarque : n'hésitez pas à cuisiner avec de bonnes quantités d'huile végétale.

Poulet : petit de la poule, abattu avant son âge adulte. Volaille.
Conservé par le sel : ★★
Conservé sous vide : ★★
Consommation cru
Cuisson à la milanaise avec beurre doux : ★★★
Cuisson à la milanaise avec beurre salé : ★★★
Cuisson à la milanaise avec huile végétale : ★★★★
Cuisson à la milanaise avec margarine végétale non salée : ★★★
Cuisson à la milanaise avec margarine végétale salée : ★★★
Cuisson à la milanaise avec saindoux ou graisse d'oie ou de canard : ★★★
Cuisson à la milanaise sans matière grasse : ★

Poulet

Cuisson à l'étouffée avec beurre doux : ★★★
Cuisson à l'étouffée avec beurre salé : ★★★
Cuisson à l'étouffée avec huile végétale : ★★★★
Cuisson à l'étouffée avec margarine végétale non salée : ★★★
Cuisson à l'étouffée avec margarine végétale salée : ★★★
Cuisson à l'étouffée avec saindoux ou graisse d'oie ou de canard : ★★★
Cuisson à l'étouffée sans matière grasse : ★
Cuisson au court bouillon : ★
Cuisson en braisé avec beurre doux : ★★★
Cuisson en braisé avec beurre salé : ★★★
Cuisson en braisé avec huile végétale : ★★★★
Cuisson en braisé avec margarine végétale non salée : ★★★
Cuisson en braisé avec margarine végétale salée : ★★★
Cuisson en braisé avec saindoux ou graisse d'oie ou de canard : ★★★
Cuisson en braisé sans matière grasse : ★
Cuisson en friture : ★★★
Cuisson en meunière avec beurre doux : ★★★
Cuisson en meunière avec beurre salé : ★★★
Cuisson en meunière avec huile végétale : ★★★★
Cuisson en meunière avec margarine végétale non salée : ★★★
Cuisson en meunière avec margarine végétale salée : ★★★
Cuisson en meunière avec saindoux ou graisse d'oie ou de canard : ★★★
Cuisson en meunière sans matière grasse : ★
Cuisson en ragoût avec beurre doux : ★★★
Cuisson en ragoût avec beurre salé : ★★★
Cuisson en ragoût avec huile végétale : ★★★★
Cuisson en ragoût avec margarine végétale non salée : ★★★
Cuisson en ragoût avec margarine végétale salée : ★★★
Cuisson en ragoût avec saindoux ou graisse d'oie ou de canard : ★★★
Cuisson en sauté (idem poêlé).
Cuisson rôti à la broche : ★
Cuisson rôti au four avec beurre doux : ★★★
Cuisson rôti au four avec beurre salé : ★★★
Cuisson rôti au four avec huile végétale : ★★★
Cuisson rôti au four avec margarine végétale non salée : ★★★
Cuisson rôti au four avec margarine végétale salée : ★★★

Cuisson rôti au four avec saindoux ou graisse d'oie ou de canard : ★★★
Cuisson rôti au four sans matière grasse ajoutée : ★★★
Cuisson vapeur : ★
Grillé : ★
Pierrade : ★
Poêlé avec beurre doux : ★★★
Poêlé avec beurre salé : ★★★
Poêlé avec huile végétale : ★★★★
Poêlé avec margarine végétale non salée : ★★★
Poêlé avec margarine végétale salée : ★★★
Poêlé avec saindoux ou graisse d'oie ou de canard : ★★★
Poêlé sans matière grasse : ★
Salé et fumé : ★★
Séché : ★★
Surgelé : ★★
Remarque : n'hésitez pas à cuisiner avec de bonnes quantités d'huile végétale.

Poulpe : pieuvre dont on consomme les tentacules.
Conservé par le sel : ★★
Conservé sous vide : ★★
Consommation cru
Cuisson à la milanaise avec beurre doux : ★★★
Cuisson à la milanaise avec beurre salé : ★★★
Cuisson à la milanaise avec huile végétale : ★★★★
Cuisson à la milanaise avec margarine végétale non salée : ★★★
Cuisson à la milanaise avec margarine végétale salée : ★★★
Cuisson à la milanaise avec saindoux ou graisse d'oie ou de canard : ★★★
Cuisson à la milanaise sans matière grasse : ★
Cuisson à l'étouffée avec beurre doux : ★★★
Cuisson à l'étouffée avec beurre salé : ★★★
Cuisson à l'étouffée avec huile végétale : ★★★★
Cuisson à l'étouffée avec margarine végétale non salée : ★★★
Cuisson à l'étouffée avec margarine végétale salée : ★★★
Cuisson à l'étouffée avec saindoux ou graisse d'oie ou de canard : ★★★
Cuisson à l'étouffée sans matière grasse : ★

Poulpe

Cuisson au court bouillon : ★

Cuisson en braisé avec beurre doux : ★★★

Cuisson en braisé avec beurre salé : ★★★

Cuisson en braisé avec huile végétale : ★★★★

Cuisson en braisé avec margarine végétale non salée : ★★★

Cuisson en braisé avec margarine végétale salée : ★★★

Cuisson en braisé avec saindoux ou graisse d'oie ou de canard : ★★★

Cuisson en braisé sans matière grasse : ★

Cuisson en friture : ★★★

Cuisson en meunière avec beurre doux : ★★★

Cuisson en meunière avec beurre salé : ★★★

Cuisson en meunière avec huile végétale : ★★★★

Cuisson en meunière avec margarine végétale non salée : ★★★

Cuisson en meunière avec margarine végétale salée : ★★★

Cuisson en meunière avec saindoux ou graisse d'oie ou de canard : ★★★

Cuisson en meunière sans matière grasse : ★

Cuisson en ragoût avec beurre doux : ★★★

Cuisson en ragoût avec beurre salé : ★★★

Cuisson en ragoût avec huile végétale : ★★★★

Cuisson en ragoût avec margarine végétale non salée : ★★★

Cuisson en ragoût avec margarine végétale salée : ★★★

Cuisson en ragoût avec saindoux ou graisse d'oie ou de canard : ★★★

Cuisson en sauté (idem poêlé).

Cuisson rôti au four avec beurre doux : ★★★

Cuisson rôti au four avec beurre salé : ★★★

Cuisson rôti au four avec huile végétale : ★★★

Cuisson rôti au four avec margarine végétale non salée : ★★★

Cuisson rôti au four avec margarine végétale salée : ★★★

Cuisson rôti au four avec saindoux ou graisse d'oie ou de canard : ★★★

Cuisson rôti au four sans matière grasse ajoutée : ★★★

Cuisson vapeur : ★

Grillé : ★

Pierrade : ★

Poêlé avec beurre doux : ★★★

Poêlé avec beurre salé : ★★★

Poêlé avec huile végétale : ★★★★

Poêlé avec margarine végétale non salée : ★★★
Poêlé avec margarine végétale salée : ★★★
Poêlé avec saindoux ou graisse d'oie ou de canard : ★★★
Poêlé sans matière grasse : ★
Salé et fumé : ★★
Séché : ★★
Surgelé : ★★
Remarque : n'hésitez pas à cuisiner avec de bonnes quantités d'huile végétale.

Pousse de haricot mungo : jeune pousse du haricot mungo. Légume vert.
Conservée en saumure : ★★
Conservée sous vide : ★★
Consommation crue : ★★
Cuisson à l'étouffée avec beurre doux : ★★
Cuisson à l'étouffée avec beurre salé : ★★
Cuisson à l'étouffée avec huile végétale : ★★★
Cuisson à l'étouffée avec margarine végétale non salée : ★★
Cuisson à l'étouffée avec margarine végétale salée : ★★
Cuisson à l'étouffée avec saindoux ou graisse d'oie ou de canard : ★★
Cuisson à l'étouffée sans matière grasse : ★
Cuisson au court bouillon : ★
Cuisson en friture : ★★
Cuisson en papillote : ★
Cuisson en sauté (idem poêlée).
Cuisson vapeur : ★
Pierrade : ★
Poêlée avec beurre doux : ★★
Poêlée avec beurre salé : ★★
Poêlée avec huile végétale : ★★★
Poêlée avec margarine végétale non salée : ★★
Poêlée avec margarine végétale salée : ★★
Poêlée avec saindoux ou graisse d'oie ou de canard : ★★
Poêlée sans matière grasse : ★
Surgelée : ★★
Remarque : n'hésitez pas à cuisiner avec de bonnes quantités d'huile végétale. Modérez fortement votre

consommation de légumes verts car ils sont presque acaloriques.

Pousse de soja : voir « Germe de soja ».

Praire : voir « Palourde ».

Prune : fruit du prunier.
A l'anglaise : ★★★★
Au sirop : ★★★★
Au sirop léger : ★★★
Confite : ★★★★
Conserve au naturel : ★★
Conservée dans l'alcool : ★★★
Conservée sous vide : ★★
Consommation crue : ★★
En beignet : ★★★
En compote (avec sucre ajouté) : ★★
En compote sans sucre ajouté : ★★
En confiture : ★★★★
En confiture allégée en sucre : ★★★
En confiture sans sucre : ★
Flambée (pruneau) : ★★★
Fraîchement récoltée : ★★
Pochée sans sucre : ★
Séchée : ★★★★
Surgelée : ★★

Pruneau : voir « Prune » section *Séchée*.

Prune de coton : voir « Icaque ».

Prunelle : fruit du prunelier.
A l'anglaise : ★★★★
Au sirop : ★★★★
Au sirop léger : ★★★
Confite : ★★★★
Conserve au naturel : ★★
Conservée dans l'alcool : ★★★
Conservée sous vide : ★★

Consommation crue : ★★
En beignet : ★★★
En compote (avec sucre ajouté) : ★★
En compote sans sucre ajouté : ★★
En confiture : ★★★★
En confiture allégée en sucre : ★★★
En confiture sans sucre : ★
Fraîchement récoltée : ★★
Pochée sans sucre : ★
Séchée : ★★★★
Surgelée : ★★

Psalliote : voir « Champignon ».

Q

Quasi de veau : voir « Veau (viande de) ».

R

Raie (aile de) : poisson cartilagineux marin. Poisson à chair blanche.
Conservée par le sel : ★★
Conservée sous vide : ★★
Consommation crue
Cuisson à la milanaise avec beurre doux : ★★★
Cuisson à la milanaise avec beurre salé : ★★★
Cuisson à la milanaise avec huile végétale : ★★★★
Cuisson à la milanaise avec margarine végétale non salée : ★★★
Cuisson à la milanaise avec margarine végétale salée : ★★★

Raie (aile de)

Cuisson à la milanaise avec saindoux ou graisse d'oie ou de canard : ★★★
Cuisson à la milanaise sans matière grasse : ★
Cuisson à l'étouffée avec beurre doux : ★★★
Cuisson à l'étouffée avec beurre salé : ★★★
Cuisson à l'étouffée avec huile végétale : ★★★★
Cuisson à l'étouffée avec margarine végétale non salée : ★★★
Cuisson à l'étouffée avec margarine végétale salée : ★★★
Cuisson à l'étouffée avec saindoux ou graisse d'oie ou de canard : ★★★
Cuisson à l'étouffée sans matière grasse : ★
Cuisson au court bouillon : ★
Cuisson en braisé avec beurre doux : ★★★
Cuisson en braisé avec beurre salé : ★★★
Cuisson en braisé avec huile végétale : ★★★★
Cuisson en braisé avec margarine végétale non salée : ★★★
Cuisson en braisé avec margarine végétale salée : ★★★
Cuisson en braisé avec saindoux ou graisse d'oie ou de canard : ★★★
Cuisson en braisé sans matière grasse : ★
Cuisson en friture : ★★★
Cuisson en meunière avec beurre doux : ★★★
Cuisson en meunière avec beurre salé : ★★★
Cuisson en meunière avec huile végétale : ★★★★
Cuisson en meunière avec margarine végétale non salée : ★★★
Cuisson en meunière avec margarine végétale salée : ★★★
Cuisson en meunière avec saindoux ou graisse d'oie ou de canard : ★★★
Cuisson en meunière sans matière grasse : ★
Cuisson en sauté (idem poêlée).
Cuisson rôtie au four avec beurre doux : ★★★
Cuisson rôtie au four avec beurre salé : ★★★
Cuisson rôtie au four avec huile végétale : ★★★
Cuisson rôtie au four avec margarine végétale non salée : ★★★
Cuisson rôtie au four avec margarine végétale salée : ★★★
Cuisson rôtie au four avec saindoux ou graisse d'oie ou de canard : ★★★
Cuisson rôtie au four sans matière grasse ajoutée : ★★★
Cuisson vapeur : ★
Grillée : ★

Pierrade : ★
Poêlée avec beurre doux : ★★★
Poêlée avec beurre salé : ★★★
Poêlée avec huile végétale : ★★★★
Poêlée avec margarine végétale non salée : ★★★
Poêlée avec margarine végétale salée : ★★★
Poêlée avec saindoux ou graisse d'oie ou de canard : ★★★
Poêlée sans matière grasse : ★
Salée et fumée : ★★
Séchée : ★★
Surgelée : ★★
Remarque : n'hésitez pas à cuisiner avec de bonnes quantités d'huile végétale.

Raifort : plante potagère cultivée pour sa racine charnue à la saveur poivrée. Légume vert.
Conservé en saumure : ★★
Conservé sous vide : ★★
Consommation cru : ★★
Cuisson à l'étouffée avec beurre doux : ★★
Cuisson à l'étouffée avec beurre salé : ★★
Cuisson à l'étouffée avec huile végétale : ★★★
Cuisson à l'étouffée avec margarine végétale non salée : ★★
Cuisson à l'étouffée avec margarine végétale salée : ★★
Cuisson à l'étouffée avec saindoux ou graisse d'oie ou de canard : ★★
Cuisson à l'étouffée sans matière grasse : ★
Cuisson au court bouillon : ★
Cuisson en braisé avec beurre doux : ★★
Cuisson en braisé avec beurre salé : ★★
Cuisson en braisé avec huile végétale : ★★★
Cuisson en braisé avec margarine végétale non salée : ★★
Cuisson en braisé avec margarine végétale salée : ★★
Cuisson en braisé avec saindoux ou graisse d'oie ou de canard : ★★
Cuisson en braisé sans matière grasse : ★
Cuisson en friture : ★★
Cuisson en papillote : ★
Cuisson en ragoût avec beurre doux : ★★
Cuisson en ragoût avec beurre salé : ★★

Raifort - Raisin

Cuisson en ragoût avec huile végétale : ★ ★ ★
Cuisson en ragoût avec margarine végétale non salée : ★ ★
Cuisson en ragoût avec margarine végétale salée : ★ ★
Cuisson en ragoût avec saindoux ou graisse d'oie ou de canard :
★ ★
Cuisson en sauté (idem poêlé).
Cuisson vapeur : ★
Poêlé avec beurre doux : ★ ★
Poêlé avec beurre salé : ★ ★
Poêlé avec huile végétale : ★ ★ ★
Poêlé avec margarine végétale non salée : ★ ★
Poêlé avec margarine végétale salée : ★ ★
Poêlé avec saindoux ou graisse d'oie ou de canard : ★ ★
Poêlé sans matière grasse : ★
Potage crème : ★ ★ ★ ★
Potage nature sans matière grasse ajoutée
Potage velouté : ★ ★
Surgelé : ★ ★

Remarque : n'hésitez pas à cuisiner avec de bonnes quantités d'huile végétale. Modérez fortement votre consommation de légumes verts car ils sont presque acaloriques.

Raisin : fruit de la vigne.
A l'anglaise :
A l'anglaise : ★ ★ ★ ★
Au sirop : ★ ★ ★ ★
Au sirop léger : ★ ★ ★
Confit : ★ ★ ★ ★
Conserve au naturel : ★ ★
Conservé dans l'alcool : ★ ★ ★
Conservé sous vide : ★ ★
Consommation cru : ★ ★
En beignet : ★ ★ ★
En compote (avec sucre ajouté) : ★ ★
En compote sans sucre ajouté : ★ ★
En confiture : ★ ★ ★ ★
En confiture allégée en sucre : ★ ★ ★
En confiture sans sucre : ★
Fraîchement récolté : ★ ★

Poché sans sucre : ★
Sec : ★★★★
Surgelé : ★★

Ramboutan : fruit du ramboutan. Fruit exotique.
A l'anglaise :
A l'anglaise : ★★★★
Au sirop : ★★★★
Au sirop léger : ★★★
Confit : ★★★★
Conserve au naturel : ★★
Conservé dans l'alcool : ★★★
Conservé sous vide : ★★
Consommation cru : ★★
En beignet : ★★★
En compote (avec sucre ajouté) : ★★
En compote sans sucre ajouté : ★★
En confiture : ★★★★
En confiture allégée en sucre : ★★★
En confiture sans sucre : ★
Fraîchement récolté : ★★
Poché sans sucre : ★
Séché : ★★★★
Surgelé : ★★

Rascasse : poisson marin à chair blanche.
Conservée par le sel : ★★
Conservée sous vide : ★★
Consommation crue
Cuisson à la milanaise avec beurre doux : ★★★
Cuisson à la milanaise avec beurre salé : ★★★
Cuisson à la milanaise avec huile végétale : ★★★★
Cuisson à la milanaise avec margarine végétale non salée : ★★★
Cuisson à la milanaise avec margarine végétale salée : ★★★
Cuisson à la milanaise avec saindoux ou graisse d'oie ou de canard : ★★★
Cuisson à la milanaise sans matière grasse : ★
Cuisson à l'étouffée avec beurre doux : ★★★
Cuisson à l'étouffée avec beurre salé : ★★★

Rascasse

Cuisson à l'étouffée avec huile végétale : ★★★★
Cuisson à l'étouffée avec margarine végétale non salée : ★★★
Cuisson à l'étouffée avec margarine végétale salée : ★★★
Cuisson à l'étouffée avec saindoux ou graisse d'oie ou de canard : ★★★
Cuisson à l'étouffée sans matière grasse : ★
Cuisson au court bouillon : ★
Cuisson en braisé avec beurre doux : ★★★
Cuisson en braisé avec beurre salé : ★★★
Cuisson en braisé avec huile végétale : ★★★★
Cuisson en braisé avec margarine végétale non salée : ★★★
Cuisson en braisé avec margarine végétale salée : ★★★
Cuisson en braisé avec saindoux ou graisse d'oie ou de canard : ★★★
Cuisson en braisé sans matière grasse : ★
Cuisson en friture : ★★★
Cuisson en meunière avec beurre doux : ★★★
Cuisson en meunière avec beurre salé : ★★★
Cuisson en meunière avec huile végétale : ★★★★
Cuisson en meunière avec margarine végétale non salée : ★★★
Cuisson en meunière avec margarine végétale salée : ★★★
Cuisson en meunière avec saindoux ou graisse d'oie ou de canard : ★★★
Cuisson en meunière sans matière grasse : ★
Cuisson en sauté (idem poêlée).
Cuisson rôtie à la broche : ★
Cuisson rôtie au four avec beurre doux : ★★★
Cuisson rôtie au four avec beurre salé : ★★★
Cuisson rôtie au four avec huile végétale : ★★★
Cuisson rôtie au four avec margarine végétale non salée : ★★★
Cuisson rôtie au four avec margarine végétale salée : ★★★
Cuisson rôtie au four avec saindoux ou graisse d'oie ou de canard : ★★★
Cuisson rôtie au four sans matière grasse ajoutée : ★★★
Cuisson vapeur : ★
Grillée : ★
Pierrade : ★
Poêlée avec beurre doux : ★★★
Poêlée avec beurre salé : ★★★
Poêlée avec huile végétale : ★★★★

Poêlée avec margarine végétale non salée : ★★★
Poêlée avec margarine végétale salée : ★★★
Poêlée avec saindoux ou graisse d'oie ou de canard : ★★★
Poêlée sans matière grasse : ★
Salée et fumée : ★★
Séchée : ★★
Surgelée : ★★
Remarque : n'hésitez pas à cuisiner avec de bonnes quantités d'huile végétale.

Rhubarbe : plante potagère dont on consomme les cardes après cuisson. Légume vert.
A l'anglaise : ★★★
Au sirop : ★★★
Au sirop léger : ★★
Confite : ★★★
Conservée sous vide : ★★
Consommation crue
Cuisson à l'étouffée avec beurre doux : ★★
Cuisson à l'étouffée avec beurre salé : ★★
Cuisson à l'étouffée avec huile végétale : ★★
Cuisson à l'étouffée avec margarine végétale non salée : ★★
Cuisson à l'étouffée avec margarine végétale salée : ★★
Cuisson à l'étouffée avec saindoux ou graisse d'oie ou de canard : ★★
Cuisson à l'étouffée sans matière grasse : ★
Cuisson au court bouillon : ★
Cuisson en beignet : ★★
Cuisson en braisé avec beurre doux : ★★
Cuisson en braisé avec beurre salé : ★★
Cuisson en braisé avec huile végétale : ★★
Cuisson en braisé avec margarine végétale non salée : ★★
Cuisson en braisé avec margarine végétale salée : ★★
Cuisson en braisé avec saindoux ou graisse d'oie ou de canard : ★★
Cuisson en braisé sans matière grasse : ★
Cuisson en friture : ★★
Cuisson en papillote : ★
Cuisson en sauté (idem poêlée).
Cuisson vapeur : ★

En compote (avec sucre ajouté) : ★
En compote sans sucre ajouté : ★
En confiture : ★★★★
En confiture allégée en sucre : ★★
En confiture sans sucre : ★
Poêlée avec beurre doux : ★★
Poêlée avec beurre salé : ★★
Poêlée avec huile végétale : ★★
Poêlée avec margarine végétale non salée : ★★
Poêlée avec margarine végétale salée : ★★
Poêlée avec saindoux ou graisse d'oie ou de canard : ★★
Poêlée sans matière grasse : ★
Potage crème : ★★★★
Potage nature sans matière grasse ajoutée
Potage velouté : ★★
Surgelée : ★★

Rillons : voir « Porc (viande de) » section *Cuisson en friture.*

Ris d'agneau : voir « Agneau (viande de) ».

Ris de veau : voir « Veau (viande de) ».

Rognon d'agneau : voir « Agneau (viande de) ».

Rognon de bœuf : voir « Bœuf (viande de) ».

Rognon de porc : voir « Porc (viande de) ».

Rognon de veau : voir « Veau (viande de) ».

Rollmops : Voir « Hareng » section *Conservé dans du vinaigre.*

Romarin : plante aromatique.
Conservé sous vide : ★★
Consommation cru : ★★
Consommation cuit : ★★
Déshydraté : ★★
Fraîchement récolté : ★★
Surgelé : ★★

Rond de tranche : voir « Bœuf (viande de) ».

Rosbif : voir « Bœuf (viande de) ».

Rosé des prés : voir « Champignon ».

Rotengle : voir « Gardon ».

Rouelle de porc : voir « Porc (viande de) ».

Rouelle de veau : voir « Veau (viande de) ».

Rouget : poisson marin à chair blanche.
Conservé par le sel : ★ ★
Conservé sous vide : ★ ★
Consommation cru
Cuisson à la milanaise avec beurre doux : ★ ★ ★
Cuisson à la milanaise avec beurre salé : ★ ★ ★
Cuisson à la milanaise avec huile végétale : ★ ★ ★ ★
Cuisson à la milanaise avec margarine végétale non salée : ★ ★ ★
Cuisson à la milanaise avec margarine végétale salée : ★ ★ ★
Cuisson à la milanaise avec saindoux ou graisse d'oie ou de canard : ★ ★ ★
Cuisson à la milanaise sans matière grasse : ★
Cuisson à l'étouffée avec beurre doux : ★ ★ ★
Cuisson à l'étouffée avec beurre salé : ★ ★ ★
Cuisson à l'étouffée avec huile végétale : ★ ★ ★ ★
Cuisson à l'étouffée avec margarine végétale non salée : ★ ★ ★
Cuisson à l'étouffée avec margarine végétale salée : ★ ★ ★
Cuisson à l'étouffée avec saindoux ou graisse d'oie ou de canard : ★ ★ ★
Cuisson à l'étouffée sans matière grasse : ★
Cuisson au court bouillon : ★
Cuisson en braisé avec beurre doux : ★ ★ ★
Cuisson en braisé avec beurre salé : ★ ★ ★
Cuisson en braisé avec huile végétale : ★ ★ ★ ★
Cuisson en braisé avec margarine végétale non salée : ★ ★ ★
Cuisson en braisé avec margarine végétale salée : ★ ★ ★

Rouget - Rousseau

Cuisson en braisé avec saindoux ou graisse d'oie ou de canard :
★★★
Cuisson en braisé sans matière grasse : ★
Cuisson en friture : ★★★
Cuisson en meunière avec beurre doux : ★★★
Cuisson en meunière avec beurre salé : ★★★
Cuisson en meunière avec huile végétale : ★★★★
Cuisson en meunière avec margarine végétale non salée : ★★★
Cuisson en meunière avec margarine végétale salée : ★★★
Cuisson en meunière avec saindoux ou graisse d'oie ou de canard : ★★★
Cuisson en meunière sans matière grasse : ★
Cuisson en sauté (idem poêlé).
Cuisson rôti à la broche : ★
Cuisson rôti au four avec beurre doux : ★★★
Cuisson rôti au four avec beurre salé : ★★★
Cuisson rôti au four avec huile végétale : ★★★
Cuisson rôti au four avec margarine végétale non salée : ★★★
Cuisson rôti au four avec margarine végétale salée : ★★★
Cuisson rôti au four avec saindoux ou graisse d'oie ou de canard : ★★★
Cuisson rôti au four sans matière grasse ajoutée : ★★★
Cuisson vapeur : ★
Grillé : ★
Pierrade : ★
Poêlé avec beurre doux : ★★★
Poêlé avec beurre salé : ★★★
Poêlé avec huile végétale : ★★★★
Poêlé avec margarine végétale non salée : ★★★
Poêlé avec margarine végétale salée : ★★★
Poêlé avec saindoux ou graisse d'oie ou de canard : ★★★
Poêlé sans matière grasse : ★
Salé et fumé : ★★
Séché : ★★
Surgelé : ★★
Remarque : n'hésitez pas à cuisiner avec de bonnes quantités d'huile végétale.

Rousseau : poisson marin à chair blanche.
Conservé par le sel : ★★

Conservé sous vide : ★★
Consommation cru
Cuisson à la milanaise avec beurre doux : ★★★
Cuisson à la milanaise avec beurre salé : ★★★
Cuisson à la milanaise avec huile végétale : ★★★★
Cuisson à la milanaise avec margarine végétale non salée : ★★★
Cuisson à la milanaise avec margarine végétale salée : ★★★
Cuisson à la milanaise avec saindoux ou graisse d'oie ou de canard : ★★★
Cuisson à la milanaise sans matière grasse : ★
Cuisson à l'étouffée avec beurre doux : ★★★
Cuisson à l'étouffée avec beurre salé : ★★★
Cuisson à l'étouffée avec huile végétale : ★★★★
Cuisson à l'étouffée avec margarine végétale non salée : ★★★
Cuisson à l'étouffée avec margarine végétale salée : ★★★
Cuisson à l'étouffée avec saindoux ou graisse d'oie ou de canard : ★★★
Cuisson à l'étouffée sans matière grasse : ★
Cuisson au court bouillon : ★
Cuisson en braisé avec beurre doux : ★★★
Cuisson en braisé avec beurre salé : ★★★
Cuisson en braisé avec huile végétale : ★★★★
Cuisson en braisé avec margarine végétale non salée : ★★★
Cuisson en braisé avec margarine végétale salée : ★★★
Cuisson en braisé avec saindoux ou graisse d'oie ou de canard : ★★★
Cuisson en braisé sans matière grasse : ★
Cuisson en friture : ★★★
Cuisson en meunière avec beurre doux : ★★★
Cuisson en meunière avec beurre salé : ★★★
Cuisson en meunière avec huile végétale : ★★★★
Cuisson en meunière avec margarine végétale non salée : ★★★
Cuisson en meunière avec margarine végétale salée : ★★★
Cuisson en meunière avec saindoux ou graisse d'oie ou de canard : ★★★
Cuisson en meunière sans matière grasse : ★
Cuisson en sauté (idem poêlé).
Cuisson rôti à la broche : ★
Cuisson rôti au four avec beurre doux : ★★★

Cuisson rôti au four avec beurre salé : ★★★
Cuisson rôti au four avec huile végétale : ★★★
Cuisson rôti au four avec margarine végétale non salée : ★★★
Cuisson rôti au four avec margarine végétale salée : ★★★
Cuisson rôti au four avec saindoux ou graisse d'oie ou de canard : ★★★
Cuisson rôti au four sans matière grasse ajoutée : ★★★
Cuisson vapeur : ★
Grillé : ★
Pierrade : ★
Poêlé avec beurre doux : ★★★
Poêlé avec beurre salé : ★★★
Poêlé avec huile végétale : ★★★★
Poêlé avec margarine végétale non salée : ★★★
Poêlé avec margarine végétale salée : ★★★
Poêlé avec saindoux ou graisse d'oie ou de canard : ★★★
Poêlé sans matière grasse : ★
Salé et fumé : ★★
Séché : ★★
Surgelé : ★★

Remarque : n'hésitez pas à cuisiner avec de bonnes quantités d'huile végétale.

Roussette : poisson marin cartilagineux (petit requin) à chair blanche.
Conservée par le sel : ★★
Conservée sous vide : ★★
Consommation crue
Cuisson à la milanaise avec beurre doux : ★★★
Cuisson à la milanaise avec beurre salé : ★★★
Cuisson à la milanaise avec huile végétale : ★★★★
Cuisson à la milanaise avec margarine végétale non salée : ★★★
Cuisson à la milanaise avec margarine végétale salée : ★★★
Cuisson à la milanaise avec saindoux ou graisse d'oie ou de canard : ★★★
Cuisson à la milanaise sans matière grasse : ★
Cuisson à l'étouffée avec beurre doux : ★★★
Cuisson à l'étouffée avec beurre salé : ★★★
Cuisson à l'étouffée avec huile végétale : ★★★★

Cuisson à l'étouffée avec margarine végétale non salée : ★★★
Cuisson à l'étouffée avec margarine végétale salée : ★★★
Cuisson à l'étouffée avec saindoux ou graisse d'oie ou de canard : ★★★
Cuisson à l'étouffée sans matière grasse : ★
Cuisson au court bouillon : ★
Cuisson en braisé avec beurre doux : ★★★
Cuisson en braisé avec beurre salé : ★★★
Cuisson en braisé avec huile végétale : ★★★★
Cuisson en braisé avec margarine végétale non salée : ★★★
Cuisson en braisé avec margarine végétale salée : ★★★
Cuisson en braisé avec saindoux ou graisse d'oie ou de canard : ★★★
Cuisson en braisé sans matière grasse : ★
Cuisson en friture : ★★★
Cuisson en meunière avec beurre doux : ★★★
Cuisson en meunière avec beurre salé : ★★★
Cuisson en meunière avec huile végétale : ★★★★
Cuisson en meunière avec margarine végétale non salée : ★★★
Cuisson en meunière avec margarine végétale salée : ★★★
Cuisson en meunière avec saindoux ou graisse d'oie ou de canard : ★★★
Cuisson en meunière sans matière grasse : ★
Cuisson en ragoût avec beurre doux : ★★★
Cuisson en ragoût avec beurre salé : ★★★
Cuisson en ragoût avec huile végétale : ★★★★
Cuisson en ragoût avec margarine végétale non salée : ★★★
Cuisson en ragoût avec margarine végétale salée : ★★★
Cuisson en ragoût avec saindoux ou graisse d'oie ou de canard : ★★★
Cuisson en sauté (idem poêlée).
Cuisson rôtie au four avec beurre doux : ★★★
Cuisson rôtie au four avec beurre salé : ★★★
Cuisson rôtie au four avec huile végétale : ★★★
Cuisson rôtie au four avec margarine végétale non salée : ★★★
Cuisson rôtie au four avec margarine végétale salée : ★★★
Cuisson rôtie au four avec saindoux ou graisse d'oie ou de canard : ★★★
Cuisson rôtie au four sans matière grasse ajoutée : ★★★
Cuisson vapeur : ★

Grillée : ✦
Pierrade : ✦
Poêlée avec beurre doux : ✦✦✦
Poêlée avec beurre salé : ✦✦✦
Poêlée avec huile végétale : ✦✦✦✦
Poêlée avec margarine végétale non salée : ✦✦✦
Poêlée avec margarine végétale salée : ✦✦✦
Poêlée avec saindoux ou graisse d'oie ou de canard : ✦✦✦
Poêlée sans matière grasse : ✦
Salée et fumée : ✦✦
Séchée : ✦✦
Surgelée : ✦✦
Remarque : n'hésitez pas à cuisiner avec de bonnes quantités d'huile végétale.

Rumsteck : voir Bœuf (viande de) ».

Russule charbonnière : voir « Champignon ».

Rutabaga : plante potagère dont on consomme la racine boursoufflée. Légume vert.
Conservé en saumure : ✦✦
Conservé sous vide : ✦✦
Consommation cru : ✦✦
Cuisson à l'étouffée avec beurre doux : ✦✦
Cuisson à l'étouffée avec beurre salé : ✦✦
Cuisson à l'étouffée avec huile végétale : ✦✦✦
Cuisson à l'étouffée avec margarine végétale non salée : ✦✦
Cuisson à l'étouffée avec margarine végétale salée : ✦✦
Cuisson à l'étouffée avec saindoux ou graisse d'oie ou de canard : ✦✦
Cuisson à l'étouffée sans matière grasse : ✦
Cuisson au court bouillon : ✦
Cuisson en braisé avec beurre doux : ✦✦
Cuisson en braisé avec beurre salé : ✦✦
Cuisson en braisé avec huile végétale : ✦✦✦
Cuisson en braisé avec margarine végétale non salée : ✦✦
Cuisson en braisé avec margarine végétale salée : ✦✦
Cuisson en braisé avec saindoux ou graisse d'oie ou de canard : ✦✦

Cuisson en braisé sans matière grasse : ★
Cuisson en friture : ★★
Cuisson en papillote : ★
Cuisson en ragoût avec beurre doux : ★★
Cuisson en ragoût avec beurre salé : ★★
Cuisson en ragoût avec huile végétale : ★★★
Cuisson en ragoût avec margarine végétale non salée : ★★
Cuisson en ragoût avec margarine végétale salée : ★★
Cuisson en ragoût avec saindoux ou graisse d'oie ou de canard :
★★
Cuisson en sauté (idem poêlé).
Cuisson vapeur : ★
Poêlé avec beurre doux : ★★
Poêlé avec beurre salé : ★★
Poêlé avec huile végétale : ★★★
Poêlé avec margarine végétale non salée : ★★
Poêlé avec margarine végétale salée : ★★
Poêlé avec saindoux ou graisse d'oie ou de canard : ★★
Poêlé sans matière grasse : ★
Potage crème : ★★★★
Potage nature sans matière grasse ajoutée
Potage velouté : ★★
Surgelé : ★★
Remarque : n'hésitez pas à cuisiner avec de bonnes quantités d'huile végétale. Modérez fortement votre consommation de légumes verts car ils sont presque acaloriques.

S

Sabre : poisson marin à chair blanche.
Conservé par le sel : ★★
Conservé sous vide : ★★
Consommation cru
Cuisson à la milanaise avec beurre doux : ★★★
Cuisson à la milanaise avec beurre salé : ★★★

Cuisson à la milanaise avec huile végétale : ★★★★
Cuisson à la milanaise avec margarine végétale non salée : ★★★
Cuisson à la milanaise avec margarine végétale salée : ★★★
Cuisson à la milanaise avec saindoux ou graisse d'oie ou de canard : ★★★
Cuisson à la milanaise sans matière grasse : ★
Cuisson à l'étouffée avec beurre doux : ★★★
Cuisson à l'étouffée avec beurre salé : ★★★
Cuisson à l'étouffée avec huile végétale : ★★★★
Cuisson à l'étouffée avec margarine végétale non salée : ★★★
Cuisson à l'étouffée avec margarine végétale salée : ★★★
Cuisson à l'étouffée avec saindoux ou graisse d'oie ou de canard : ★★★
Cuisson à l'étouffée sans matière grasse : ★
Cuisson au court bouillon : ★
Cuisson en braisé avec beurre doux : ★★★
Cuisson en braisé avec beurre salé : ★★★
Cuisson en braisé avec huile végétale : ★★★★
Cuisson en braisé avec margarine végétale non salée : ★★★
Cuisson en braisé avec margarine végétale salée : ★★★
Cuisson en braisé avec saindoux ou graisse d'oie ou de canard : ★★★
Cuisson en braisé sans matière grasse : ★
Cuisson en friture : ★★★
Cuisson en meunière avec beurre doux : ★★★
Cuisson en meunière avec beurre salé : ★★★
Cuisson en meunière avec huile végétale : ★★★★
Cuisson en meunière avec margarine végétale non salée : ★★★
Cuisson en meunière avec margarine végétale salée : ★★★
Cuisson en meunière avec saindoux ou graisse d'oie ou de canard : ★★★
Cuisson en meunière sans matière grasse : ★
Cuisson en sauté (idem poêlé).
Cuisson rôti à la broche : ★
Cuisson rôti au four avec beurre doux : ★★★
Cuisson rôti au four avec beurre salé : ★★★
Cuisson rôti au four avec huile végétale : ★★★
Cuisson rôti au four avec margarine végétale non salée : ★★★
Cuisson rôti au four avec margarine végétale salée : ★★★

Cuisson rôti au four avec saindoux ou graisse d'oie ou de canard : ★★★
Cuisson rôti au four sans matière grasse ajoutée : ★★★
Cuisson vapeur : ★
Grillé : ★
Pierrade : ★
Poêlé avec beurre doux : ★★★
Poêlé avec beurre salé : ★★★
Poêlé avec huile végétale : ★★★★
Poêlé avec margarine végétale non salée : ★★★
Poêlé avec margarine végétale salée : ★★★
Poêlé avec saindoux ou graisse d'oie ou de canard : ★★★
Poêlé sans matière grasse : ★
Salé et fumé : ★★
Séché : ★★
Surgelé : ★★
Remarque : n'hésitez pas à cuisiner avec de bonnes quantités d'huile végétale.

Saint-pierre : poisson marin à chair blanche.
Conservé par le sel : ★★
Conservé sous vide : ★★
Consommation cru
Cuisson à la milanaise avec beurre doux : ★★★
Cuisson à la milanaise avec beurre salé : ★★★
Cuisson à la milanaise avec huile végétale : ★★★★
Cuisson à la milanaise avec margarine végétale non salée : ★★★
Cuisson à la milanaise avec margarine végétale salée : ★★★
Cuisson à la milanaise avec saindoux ou graisse d'oie ou de canard : ★★★
Cuisson à la milanaise sans matière grasse : ★
Cuisson à l'étouffée avec beurre doux : ★★★
Cuisson à l'étouffée avec beurre salé : ★★★
Cuisson à l'étouffée avec huile végétale : ★★★★
Cuisson à l'étouffée avec margarine végétale non salée : ★★★
Cuisson à l'étouffée avec margarine végétale salée : ★★★
Cuisson à l'étouffée avec saindoux ou graisse d'oie ou de canard : ★★★
Cuisson à l'étouffée sans matière grasse : ★

Saint-pierre

Cuisson au court bouillon : ★
Cuisson en braisé avec beurre doux : ★★★
Cuisson en braisé avec beurre salé : ★★★
Cuisson en braisé avec huile végétale : ★★★★
Cuisson en braisé avec margarine végétale non salée : ★★★
Cuisson en braisé avec margarine végétale salée : ★★★
Cuisson en braisé avec saindoux ou graisse d'oie ou de canard :
★★★
Cuisson en braisé sans matière grasse : ★
Cuisson en friture : ★★★
Cuisson en meunière avec beurre doux : ★★★
Cuisson en meunière avec beurre salé : ★★★
Cuisson en meunière avec huile végétale : ★★★★
Cuisson en meunière avec margarine végétale non salée : ★★★
Cuisson en meunière avec margarine végétale salée : ★★★
Cuisson en meunière avec saindoux ou graisse d'oie ou de
canard : ★★★
Cuisson en meunière sans matière grasse : ★
Cuisson en sauté (idem poêlé).
Cuisson rôti au four avec beurre doux : ★★★
Cuisson rôti au four avec beurre salé : ★★★
Cuisson rôti au four avec huile végétale : ★★★
Cuisson rôti au four avec margarine végétale non salée : ★★★
Cuisson rôti au four avec margarine végétale salée : ★★★
Cuisson rôti au four avec saindoux ou graisse d'oie ou de
canard : ★★★
Cuisson rôti au four sans matière grasse ajoutée : ★★★
Cuisson vapeur : ★
Grillé : ★
Pierrade : ★
Poêlé avec beurre doux : ★★★
Poêlé avec beurre salé : ★★★
Poêlé avec huile végétale : ★★★★
Poêlé avec margarine végétale non salée : ★★★
Poêlé avec margarine végétale salée : ★★★
Poêlé avec saindoux ou graisse d'oie ou de canard : ★★★
Poêlé sans matière grasse : ★
Salé et fumé : ★★
Séché : ★★
Surgelé : ★★

Remarque : n'hésitez pas à cuisiner avec de bonnes quantités d'huile végétale.

Salacca : fruit provenant d'une famille de palmiers, fruit exotique.
A l'anglaise :
A l'anglaise : ★★★★
Au sirop : ★★★★
Au sirop léger : ★★★
Confit : ★★★★
Conserve au naturel : ★★
Conservé dans l'alcool : ★★★
Conservé sous vide : ★★
Consommation cru : ★★
En beignet : ★★★
En compote (avec sucre ajouté) : ★★
En compote sans sucre ajouté : ★★
En confiture : ★★★★
En confiture allégée en sucre : ★★★
En confiture sans sucre : ★
Fraîchement récolté : ★★
Poché sans sucre : ★
Surgelé : ★★

Salicorne : plante des rivages marins dont on consomme les tiges comme condiment. Légume vert.
Conservée dans le vinaigre : ★★
Conservée en saumure : ★★
Conservée sous vide : ★★
Consommation crue
Cuisson à l'étouffée avec beurre doux : ★★
Cuisson à l'étouffée avec beurre salé : ★★
Cuisson à l'étouffée avec huile végétale : ★★★
Cuisson à l'étouffée avec margarine végétale non salée : ★★
Cuisson à l'étouffée avec margarine végétale salée : ★★
Cuisson à l'étouffée avec saindoux ou graisse d'oie ou de canard : ★★
Cuisson à l'étouffée sans matière grasse : ★
Cuisson au court bouillon : ★
Cuisson en braisé avec beurre doux : ★★

Cuisson en braisé avec beurre salé : ★★
Cuisson en braisé avec huile végétale : ★★★
Cuisson en braisé avec margarine végétale non salée : ★★
Cuisson en braisé avec margarine végétale salée : ★★
Cuisson en braisé avec saindoux ou graisse d'oie ou de canard :
★★
Cuisson en braisé sans matière grasse : ★
Cuisson en friture : ★★
Cuisson en papillote : ★
Cuisson en ragoût avec beurre doux : ★★
Cuisson en ragoût avec beurre salé : ★★
Cuisson en ragoût avec huile végétale : ★★★
Cuisson en ragoût avec margarine végétale non salée : ★★
Cuisson en ragoût avec margarine végétale salée : ★★
Cuisson en ragoût avec saindoux ou graisse d'oie ou de canard :
★★
Cuisson en sauté (idem poêlée).
Cuisson vapeur : ★
Poêlée avec beurre doux : ★★
Poêlée avec beurre salé : ★★
Poêlée avec huile végétale : ★★★
Poêlée avec margarine végétale non salée : ★★
Poêlée avec margarine végétale salée : ★★
Poêlée avec saindoux ou graisse d'oie ou de canard : ★★
Poêlée sans matière grasse : ★
Potage crème : ★★★★
Potage nature sans matière grasse ajoutée
Potage velouté : ★★
Surgelée : ★★
Remarque : n'hésitez pas à cuisiner avec de bonnes quantités d'huile végétale. Modérez fortement votre consommation de légumes verts car ils sont presque acaloriques.

Salsifis : plante potagère dont on consomme la racine. Légume vert.
Conservé en saumure : ★★
Conservé sous vide : ★★
Consommation cru
Cuisson à l'étouffée avec beurre doux : ★★

Cuisson à l'étouffée avec beurre salé : ★★
Cuisson à l'étouffée avec huile végétale : ★★★
Cuisson à l'étouffée avec margarine végétale non salée : ★★
Cuisson à l'étouffée avec margarine végétale salée : ★★
Cuisson à l'étouffée avec saindoux ou graisse d'oie ou de canard : ★★
Cuisson à l'étouffée sans matière grasse : ★
Cuisson au court bouillon : ★
Cuisson en braisé avec beurre doux : ★★
Cuisson en braisé avec beurre salé : ★★
Cuisson en braisé avec huile végétale : ★★★
Cuisson en braisé avec margarine végétale non salée : ★★
Cuisson en braisé avec margarine végétale salée : ★★
Cuisson en braisé avec saindoux ou graisse d'oie ou de canard : ★★
Cuisson en braisé sans matière grasse : ★
Cuisson en friture : ★★
Cuisson en papillote : ★
Cuisson en ragoût avec beurre doux : ★★
Cuisson en ragoût avec beurre salé : ★★
Cuisson en ragoût avec huile végétale : ★★★
Cuisson en ragoût avec margarine végétale non salée : ★★
Cuisson en ragoût avec margarine végétale salée : ★★
Cuisson en ragoût avec saindoux ou graisse d'oie ou de canard : ★★
Cuisson en sauté (idem poêlé).
Cuisson vapeur : ★
Poêlé avec beurre doux : ★★
Poêlé avec beurre salé : ★★
Poêlé avec huile végétale : ★★★
Poêlé avec margarine végétale non salée : ★★
Poêlé avec margarine végétale salée : ★★
Poêlé avec saindoux ou graisse d'oie ou de canard : ★★
Poêlé sans matière grasse : ★
Potage crème : ★★★★
Potage nature sans matière grasse ajoutée
Potage velouté : ★★
Surgelé : ★★
Remarque : n'hésitez pas à cuisiner avec de bonnes quantités d'huile végétale. Modérez fortement votre

Sandre

Sandre : poisson d'eau douce à chair blanche.
Conservé par le sel : ★★
Conservé sous vide : ★★
Consommation cru
Cuisson à la milanaise avec beurre doux : ★★★
Cuisson à la milanaise avec beurre salé : ★★★
Cuisson à la milanaise avec huile végétale : ★★★★
Cuisson à la milanaise avec margarine végétale non salée : ★★★
Cuisson à la milanaise avec margarine végétale salée : ★★★
Cuisson à la milanaise avec saindoux ou graisse d'oie ou de canard : ★★★
Cuisson à la milanaise sans matière grasse : ★
Cuisson à l'étouffée avec beurre doux : ★★★
Cuisson à l'étouffée avec beurre salé : ★★★
Cuisson à l'étouffée avec huile végétale : ★★★★
Cuisson à l'étouffée avec margarine végétale non salée : ★★★
Cuisson à l'étouffée avec margarine végétale salée : ★★★
Cuisson à l'étouffée avec saindoux ou graisse d'oie ou de canard : ★★★
Cuisson à l'étouffée sans matière grasse : ★
Cuisson au court bouillon : ★
Cuisson en braisé avec beurre doux : ★★★
Cuisson en braisé avec beurre salé : ★★★
Cuisson en braisé avec huile végétale : ★★★★
Cuisson en braisé avec margarine végétale non salée : ★★★
Cuisson en braisé avec margarine végétale salée : ★★★
Cuisson en braisé avec saindoux ou graisse d'oie ou de canard : ★★★
Cuisson en braisé sans matière grasse : ★
Cuisson en friture : ★★★
Cuisson en meunière avec beurre doux : ★★★
Cuisson en meunière avec beurre salé : ★★★
Cuisson en meunière avec huile végétale : ★★★★
Cuisson en meunière avec margarine végétale non salée : ★★★
Cuisson en meunière avec margarine végétale salée : ★★★

Cuisson en meunière avec saindoux ou graisse d'oie ou de canard : ★★★
Cuisson en meunière sans matière grasse : ★
Cuisson en sauté (idem poêlé).
Cuisson rôti à la broche : ★
Cuisson rôti au four avec beurre doux : ★★★
Cuisson rôti au four avec beurre salé : ★★★
Cuisson rôti au four avec huile végétale : ★★★
Cuisson rôti au four avec margarine végétale non salée : ★★★
Cuisson rôti au four avec margarine végétale salée : ★★★
Cuisson rôti au four avec saindoux ou graisse d'oie ou de canard : ★★★
Cuisson rôti au four sans matière grasse ajoutée : ★★★
Cuisson vapeur : ★
Grillé : ★
Pierrade : ★
Poêlé avec beurre doux : ★★★
Poêlé avec beurre salé : ★★★
Poêlé avec huile végétale : ★★★★
Poêlé avec margarine végétale non salée : ★★★
Poêlé avec margarine végétale salée : ★★★
Poêlé avec saindoux ou graisse d'oie ou de canard : ★★★
Poêlé sans matière grasse : ★
Salé et fumé : ★★
Séché : ★★
Surgelé : ★★
Remarque : n'hésitez pas à cuisiner avec de bonnes quantités d'huile végétale.

Sanglier (viande de…) : représente les viandes non préparées ni transformées, nature, prêtes à être cuisinées provenant du sanglier. Gibier.
Conservée par le sel : ★★
Conservée sous vide : ★★
Consommation crue
Cuisson à la milanaise avec beurre doux : ★★★
Cuisson à la milanaise avec beurre salé : ★★★
Cuisson à la milanaise avec huile végétale : ★★★★
Cuisson à la milanaise avec margarine végétale non salée : ★★★

Sanglier (viande de)

Cuisson à la milanaise avec margarine végétale salée : ★★★
Cuisson à la milanaise avec saindoux ou graisse d'oie ou de canard : ★★★
Cuisson à la milanaise sans matière grasse : ★
Cuisson à l'étouffée avec beurre doux : ★★★
Cuisson à l'étouffée avec beurre salé : ★★★
Cuisson à l'étouffée avec huile végétale : ★★★★
Cuisson à l'étouffée avec margarine végétale non salée : ★★★
Cuisson à l'étouffée avec margarine végétale salée : ★★★
Cuisson à l'étouffée avec saindoux ou graisse d'oie ou de canard : ★★★
Cuisson à l'étouffée sans matière grasse : ★
Cuisson au court bouillon : ★
Cuisson en braisé avec beurre doux : ★★★
Cuisson en braisé avec beurre salé : ★★★
Cuisson en braisé avec huile végétale : ★★★★
Cuisson en braisé avec margarine végétale non salée : ★★★
Cuisson en braisé avec margarine végétale salée : ★★★
Cuisson en braisé avec saindoux ou graisse d'oie ou de canard : ★★★
Cuisson en braisé sans matière grasse : ★
Cuisson en friture : ★★★
Cuisson en meunière avec beurre doux : ★★★
Cuisson en meunière avec beurre salé : ★★★
Cuisson en meunière avec huile végétale : ★★★★
Cuisson en meunière avec margarine végétale non salée : ★★★
Cuisson en meunière avec margarine végétale salée : ★★★
Cuisson en meunière avec saindoux ou graisse d'oie ou de canard : ★★★
Cuisson en meunière sans matière grasse : ★
Cuisson en ragoût avec beurre doux : ★★★
Cuisson en ragoût avec beurre salé : ★★★
Cuisson en ragoût avec huile végétale : ★★★★
Cuisson en ragoût avec margarine végétale non salée : ★★★
Cuisson en ragoût avec margarine végétale salée : ★★★
Cuisson en ragoût avec saindoux ou graisse d'oie ou de canard : ★★★
Cuisson en sauté (idem poêlée).
Cuisson rôtie à la broche : ★
Cuisson rôtie au four avec beurre doux : ★★★

Cuisson rôtie au four avec beurre salé : ★★★
Cuisson rôtie au four avec huile végétale : ★★★
Cuisson rôtie au four avec margarine végétale non salée : ★★★
Cuisson rôtie au four avec margarine végétale salée : ★★★
Cuisson rôtie au four avec saindoux ou graisse d'oie ou de canard : ★★★
Cuisson rôtie au four sans matière grasse ajoutée : ★★★
Cuisson vapeur : ★
Faisandée : ★★
Grillée : ★
Pierrade : ★
Poêlée avec beurre doux : ★★★
Poêlée avec beurre salé : ★★★
Poêlée avec huile végétale : ★★★★
Poêlée avec margarine végétale non salée : ★★★
Poêlée avec margarine végétale salée : ★★★
Poêlée avec saindoux ou graisse d'oie ou de canard : ★★★
Poêlée sans matière grasse : ★
Salée et fumée : ★★
Séchée : ★★
Surgelée : ★★
Remarque : n'hésitez pas à cuisiner avec de bonnes quantités d'huile végétale.

Sapotille : fruit du sapotier. Fruit exotique.
A l'anglaise : ★★★★
Au sirop : ★★★★
Au sirop léger : ★★★
Confite : ★★★★
Conserve au naturel : ★★
Conservée dans l'alcool : ★★★
Conservée sous vide : ★★
Consommation crue : ★★
En beignet : ★★★
En compote (avec sucre ajouté) : ★★
En compote sans sucre ajouté : ★★
En confiture : ★★★★
En confiture allégée en sucre : ★★★
En confiture sans sucre : ★
Fraîchement récoltée : ★★

Pochée sans sucre : ★
Séchée : ★ ★ ★ ★
Surgelée : ★ ★

Sar : poisson marin à chair blanche.
Conservé par le sel : ★ ★
Conservé sous vide : ★ ★
Consommation cru
Cuisson à la milanaise avec beurre doux : ★ ★ ★
Cuisson à la milanaise avec beurre salé : ★ ★ ★
Cuisson à la milanaise avec huile végétale : ★ ★ ★ ★
Cuisson à la milanaise avec margarine végétale non salée : ★ ★ ★
Cuisson à la milanaise avec margarine végétale salée : ★ ★ ★
Cuisson à la milanaise avec saindoux ou graisse d'oie ou de canard : ★ ★ ★
Cuisson à la milanaise sans matière grasse : ★
Cuisson à l'étouffée avec beurre doux : ★ ★ ★
Cuisson à l'étouffée avec beurre salé : ★ ★ ★
Cuisson à l'étouffée avec huile végétale : ★ ★ ★ ★
Cuisson à l'étouffée avec margarine végétale non salée : ★ ★ ★
Cuisson à l'étouffée avec margarine végétale salée : ★ ★ ★
Cuisson à l'étouffée avec saindoux ou graisse d'oie ou de canard : ★ ★ ★
Cuisson à l'étouffée sans matière grasse : ★
Cuisson au court bouillon : ★
Cuisson en braisé avec beurre doux : ★ ★ ★
Cuisson en braisé avec beurre salé : ★ ★ ★
Cuisson en braisé avec huile végétale : ★ ★ ★ ★
Cuisson en braisé avec margarine végétale non salée : ★ ★ ★
Cuisson en braisé avec margarine végétale salée : ★ ★ ★
Cuisson en braisé avec saindoux ou graisse d'oie ou de canard : ★ ★ ★
Cuisson en braisé sans matière grasse : ★
Cuisson en friture : ★ ★ ★
Cuisson en meunière avec beurre doux : ★ ★ ★
Cuisson en meunière avec beurre salé : ★ ★ ★
Cuisson en meunière avec huile végétale : ★ ★ ★ ★
Cuisson en meunière avec margarine végétale non salée : ★ ★ ★
Cuisson en meunière avec margarine végétale salée : ★ ★ ★

Cuisson en meunière avec saindoux ou graisse d'oie ou de canard : ★★★
Cuisson en meunière sans matière grasse : ★
Cuisson en sauté (idem poêlé).
Cuisson rôti à la broche : ★
Cuisson rôti au four avec beurre doux : ★★★
Cuisson rôti au four avec beurre salé : ★★★
Cuisson rôti au four avec huile végétale : ★★★
Cuisson rôti au four avec margarine végétale non salée : ★★★
Cuisson rôti au four avec margarine végétale salée : ★★★
Cuisson rôti au four avec saindoux ou graisse d'oie ou de canard : ★★★
Cuisson rôti au four sans matière grasse ajoutée : ★★★
Cuisson vapeur : ★
Grillé : ★
Pierrade : ★
Poêlé avec beurre doux : ★★★
Poêlé avec beurre salé : ★★★
Poêlé avec huile végétale : ★★★★
Poêlé avec margarine végétale non salée : ★★★
Poêlé avec margarine végétale salée : ★★★
Poêlé avec saindoux ou graisse d'oie ou de canard : ★★★
Poêlé sans matière grasse : ★
Salé et fumé : ★★
Séché : ★★
Surgelé : ★★
Remarque : n'hésitez pas à cuisiner avec de bonnes quantités d'huile végétale.

Sarcelle : voir « Canard sauvage ».

Sardine : poisson gras marin fraîchement péché.
Conservée à l'huile : ★★★★
Conservée au naturel : ★★★
Conservée par le sel : ★★
Conservée sous vide : ★★
Consommation crue
Cuisson à la milanaise avec beurre doux : ★★★
Cuisson à la milanaise avec beurre salé : ★★★
Cuisson à la milanaise avec huile végétale : ★★★★

Sardine - Sardinelle

Cuisson à la milanaise avec margarine végétale non salée :
★★★
Cuisson à la milanaise avec margarine végétale salée : ★★★
Cuisson à la milanaise avec saindoux ou graisse d'oie ou de canard : ★★★
Cuisson à la milanaise sans matière grasse : ★
Cuisson en beignet : ★★★
Cuisson en friture : ★★★
Cuisson en meunière avec beurre doux : ★★★
Cuisson en meunière avec beurre salé : ★★★
Cuisson en meunière avec huile végétale : ★★★★
Cuisson en meunière avec margarine végétale non salée : ★★★
Cuisson en meunière avec margarine végétale salée : ★★★
Cuisson en meunière avec saindoux ou graisse d'oie ou de canard : ★★★
Cuisson en meunière sans matière grasse : ★
Cuisson en sauté (idem poêlée).
Cuisson vapeur : ★
Grillée : ★
Pierrade : ★
Poêlée avec beurre doux : ★★★
Poêlée avec beurre salé : ★★★
Poêlée avec huile végétale : ★★★★
Poêlée avec margarine végétale non salée : ★★★
Poêlée avec margarine végétale salée : ★★★
Poêlée avec saindoux ou graisse d'oie ou de canard : ★★★
Poêlée sans matière grasse : ★
Salée et fumée : ★★
Séchée : ★★
Surgelée : ★★
Remarque : n'hésitez pas à cuisiner avec de bonnes quantités d'huile végétale.

Sardinelle : poisson gras marin.
Conservée par le sel : ★★
Conservée sous vide : ★★
Consommation crue
Cuisson à la milanaise avec beurre doux : ★★★
Cuisson à la milanaise avec beurre salé : ★★★
Cuisson à la milanaise avec huile végétale : ★★★★

Cuisson à la milanaise avec margarine végétale non salée : ★★★
Cuisson à la milanaise avec margarine végétale salée : ★★★
Cuisson à la milanaise avec saindoux ou graisse d'oie ou de canard : ★★★
Cuisson à la milanaise sans matière grasse : ★
Cuisson en beignet : ★★★
Cuisson en friture : ★★★
Cuisson en meunière avec beurre doux : ★★★
Cuisson en meunière avec beurre salé : ★★★
Cuisson en meunière avec huile végétale : ★★★★
Cuisson en meunière avec margarine végétale non salée : ★★★
Cuisson en meunière avec margarine végétale salée : ★★★
Cuisson en meunière avec saindoux ou graisse d'oie ou de canard : ★★★
Cuisson en meunière sans matière grasse : ★
Cuisson en sauté (idem poêlée).
Cuisson vapeur : ★
Grillée : ★
Pierrade : ★
Poêlée avec beurre doux : ★★★
Poêlée avec beurre salé : ★★★
Poêlée avec huile végétale : ★★★★
Poêlée avec margarine végétale non salée : ★★★
Poêlée avec margarine végétale salée : ★★★
Poêlée avec saindoux ou graisse d'oie ou de canard : ★★★
Poêlée sans matière grasse : ★
Salée et fumée : ★★
Séchée : ★★
Surgelée : ★★
Remarque : n'hésitez pas à cuisiner avec de bonnes quantités d'huile végétale.

Sarriette : plante condimentaire.
Conservée sous vide : ★★
Consommation crue : ★★
Consommation cuite : ★★
Déshydratée : ★★
Fraîchement récoltée : ★★
Surgelée : ★★

Saucisse à l'oignon - Saumon

Saucisse à l'oignon : voir « Porc (viande de) ».

Saucisse de Francfort : voir « Porc (viande de) » section *Salée et fumée*.

Saucisse de Montbéliard : voir « Porc (viande de) » section *Salée et fumée*.

Saucisse de Morteau : voir « Porc (viande de) » section *Salée et fumée*.

Saucisse de Strasbourg : voir « Porc (viande de) ».

Saucisse de Toulouse : voir « Porc (viande de) ».

Saucisse de volaille : voir « Poulet (viande de) ».

Saucisse fumée : voir « Porc (viande de) » section *Salée et fumée*.

Sauge : plante condimentaire.
Conservée sous vide : ★★
Consommation crue : ★★
Consommation cuite : ★★
Déshydratée : ★★
Fraîchement récoltée : ★★
Surgelée : ★★

Saumon : poisson gras d'eau douce.
Conservé par le sel : ★★
Conservé sous vide : ★★
Consommation cru
Cuisson à la milanaise avec beurre doux : ★★★
Cuisson à la milanaise avec beurre salé : ★★★
Cuisson à la milanaise avec huile végétale : ★★★★
Cuisson à la milanaise avec margarine végétale non salée : ★★★
Cuisson à la milanaise avec margarine végétale salée : ★★★
Cuisson à la milanaise avec saindoux ou graisse d'oie ou de canard : ★★★

Cuisson à la milanaise sans matière grasse : ★

Cuisson à l'étouffée avec beurre doux : ★★★

Cuisson à l'étouffée avec beurre salé : ★★★

Cuisson à l'étouffée avec huile végétale : ★★★★

Cuisson à l'étouffée avec margarine végétale non salée : ★★★

Cuisson à l'étouffée avec margarine végétale salée : ★★★

Cuisson à l'étouffée avec saindoux ou graisse d'oie ou de canard : ★★★

Cuisson à l'étouffée sans matière grasse : ★

Cuisson au court bouillon : ★

Cuisson en braisé avec beurre doux : ★★★

Cuisson en braisé avec beurre salé : ★★★

Cuisson en braisé avec huile végétale : ★★★★

Cuisson en braisé avec margarine végétale non salée : ★★★

Cuisson en braisé avec margarine végétale salée : ★★★

Cuisson en braisé avec saindoux ou graisse d'oie ou de canard : ★★★

Cuisson en braisé sans matière grasse : ★

Cuisson en friture : ★★★

Cuisson en meunière avec beurre doux : ★★★

Cuisson en meunière avec beurre salé : ★★★

Cuisson en meunière avec huile végétale : ★★★★

Cuisson en meunière avec margarine végétale non salée : ★★★

Cuisson en meunière avec margarine végétale salée : ★★★

Cuisson en meunière avec saindoux ou graisse d'oie ou de canard : ★★★

Cuisson en meunière sans matière grasse : ★

Cuisson en sauté (idem poêlé).

Cuisson rôti à la broche : ★

Cuisson rôti au four avec beurre doux : ★★★

Cuisson rôti au four avec beurre salé : ★★★

Cuisson rôti au four avec huile végétale : ★★★

Cuisson rôti au four avec margarine végétale non salée : ★★★

Cuisson rôti au four avec margarine végétale salée : ★★★

Cuisson rôti au four avec saindoux ou graisse d'oie ou de canard : ★★★

Cuisson rôti au four sans matière grasse ajoutée : ★★★

Cuisson vapeur : ★

Grillé : ★

Pierrade : ★

Saumon - Sébaste

Poêlé avec beurre doux : ★★★
Poêlé avec beurre salé : ★★★
Poêlé avec huile végétale : ★★★★
Poêlé avec margarine végétale non salée : ★★★
Poêlé avec margarine végétale salée : ★★★
Poêlé avec saindoux ou graisse d'oie ou de canard : ★★★
Poêlé sans matière grasse : ★
Salé et fumé : ★★
Séché : ★★
Surgelé : ★★

Remarque : n'hésitez pas à cuisiner avec de bonnes quantités d'huile végétale.

Saumon blanc : voir « Merlu ».

Saumonette : voir « Roussette ».

Sciène : voir « Maigre».

Scorpène : voir « Rascasse ».

Scorsonère : voir « Salsifis ».

Sébaste : poisson marin à chair blanche.
Conservé par le sel : ★★
Conservé sous vide : ★★
Consommation cru
Cuisson à la milanaise avec beurre doux : ★★★
Cuisson à la milanaise avec beurre salé : ★★★
Cuisson à la milanaise avec huile végétale : ★★★★
Cuisson à la milanaise avec margarine végétale non salée : ★★★
Cuisson à la milanaise avec margarine végétale salée : ★★★
Cuisson à la milanaise avec saindoux ou graisse d'oie ou de canard : ★★★
Cuisson à la milanaise sans matière grasse : ★
Cuisson à l'étouffée avec beurre doux : ★★★
Cuisson à l'étouffée avec beurre salé : ★★★
Cuisson à l'étouffée avec huile végétale : ★★★★
Cuisson à l'étouffée avec margarine végétale non salée : ★★★

Cuisson à l'étouffée avec margarine végétale salée : ★★★
Cuisson à l'étouffée avec saindoux ou graisse d'oie ou de canard : ★★★
Cuisson à l'étouffée sans matière grasse : ★
Cuisson au court bouillon : ★
Cuisson en braisé avec beurre doux : ★★★
Cuisson en braisé avec beurre salé : ★★★
Cuisson en braisé avec huile végétale : ★★★★
Cuisson en braisé avec margarine végétale non salée : ★★★
Cuisson en braisé avec margarine végétale salée : ★★★
Cuisson en braisé avec saindoux ou graisse d'oie ou de canard : ★★★
Cuisson en braisé sans matière grasse : ★
Cuisson en friture : ★★★
Cuisson en meunière avec beurre doux : ★★★
Cuisson en meunière avec beurre salé : ★★★
Cuisson en meunière avec huile végétale : ★★★★
Cuisson en meunière avec margarine végétale non salée : ★★★
Cuisson en meunière avec margarine végétale salée : ★★★
Cuisson en meunière avec saindoux ou graisse d'oie ou de canard : ★★★
Cuisson en meunière sans matière grasse : ★
Cuisson en sauté (idem poêlé).
Cuisson rôti à la broche : ★
Cuisson rôti au four avec beurre doux : ★★★
Cuisson rôti au four avec beurre salé : ★★★
Cuisson rôti au four avec huile végétale : ★★★
Cuisson rôti au four avec margarine végétale non salée : ★★★
Cuisson rôti au four avec margarine végétale salée : ★★★
Cuisson rôti au four avec saindoux ou graisse d'oie ou de canard : ★★★
Cuisson rôti au four sans matière grasse ajoutée : ★★★
Cuisson vapeur : ★
Grillé : ★
Pierrade : ★
Poêlé avec beurre doux : ★★★
Poêlé avec beurre salé : ★★★
Poêlé avec huile végétale : ★★★★
Poêlé avec margarine végétale non salée : ★★★
Poêlé avec margarine végétale salée : ★★★

Poêlé avec saindoux ou graisse d'oie ou de canard : ★★★
Poêlé sans matière grasse : ★
Salé et fumé : ★★
Séché : ★★
Surgelé : ★★
Remarque : n'hésitez pas à cuisiner avec de bonnes quantités d'huile végétale.

Seiche : voir « Calamar ».

Sel d'ail : voir « Ail » section *Déshydraté.*

Sel de céleri : voir « Céleri» section *Déshydraté.*

Sel d'oignon : voir « Oignon » section *Déshydraté.*

Serpolet : plante condimentaire.
Conservé sous vide : ★★
Consommation cru : ★★
Consommation cuit : ★★
Déshydraté : ★★
Fraîchement récolté : ★★
Surgelé : ★★

Serran : poisson marin à chair blanche.
Conservé par le sel : ★★
Conservé sous vide : ★★
Consommation cru
Cuisson à la milanaise avec beurre doux : ★★★
Cuisson à la milanaise avec beurre salé : ★★★
Cuisson à la milanaise avec huile végétale : ★★★★
Cuisson à la milanaise avec margarine végétale non salée : ★★★
Cuisson à la milanaise avec margarine végétale salée : ★★★
Cuisson à la milanaise avec saindoux ou graisse d'oie ou de canard : ★★★
Cuisson à la milanaise sans matière grasse : ★
Cuisson à l'étouffée avec beurre doux : ★★★
Cuisson à l'étouffée avec beurre salé : ★★★
Cuisson à l'étouffée avec huile végétale : ★★★★

Cuisson à l'étouffée avec margarine végétale non salée : ★★★
Cuisson à l'étouffée avec margarine végétale salée : ★★★
Cuisson à l'étouffée avec saindoux ou graisse d'oie ou de canard : ★★★
Cuisson à l'étouffée sans matière grasse : ★
Cuisson au court bouillon : ★
Cuisson en braisé avec beurre doux : ★★★
Cuisson en braisé avec beurre salé : ★★★
Cuisson en braisé avec huile végétale : ★★★★
Cuisson en braisé avec margarine végétale non salée : ★★★
Cuisson en braisé avec margarine végétale salée : ★★★
Cuisson en braisé avec saindoux ou graisse d'oie ou de canard : ★★★
Cuisson en braisé sans matière grasse : ★
Cuisson en friture : ★★★
Cuisson en meunière avec beurre doux : ★★★
Cuisson en meunière avec beurre salé : ★★★
Cuisson en meunière avec huile végétale : ★★★★
Cuisson en meunière avec margarine végétale non salée : ★★★
Cuisson en meunière avec margarine végétale salée : ★★★
Cuisson en meunière avec saindoux ou graisse d'oie ou de canard : ★★★
Cuisson en meunière sans matière grasse : ★
Cuisson en sauté (idem poêlé).
Cuisson rôti à la broche : ★
Cuisson rôti au four avec beurre doux : ★★★
Cuisson rôti au four avec beurre salé : ★★★
Cuisson rôti au four avec huile végétale : ★★★
Cuisson rôti au four avec margarine végétale non salée : ★★★
Cuisson rôti au four avec margarine végétale salée : ★★★
Cuisson rôti au four avec saindoux ou graisse d'oie ou de canard : ★★★
Cuisson rôti au four sans matière grasse ajoutée : ★★★
Cuisson vapeur : ★
Grillé : ★
Pierrade : ★
Poêlé avec beurre doux : ★★★
Poêlé avec beurre salé : ★★★
Poêlé avec huile végétale : ★★★★
Poêlé avec margarine végétale non salée : ★★★

Poêlé avec margarine végétale salée : ★★★
Poêlé avec saindoux ou graisse d'oie ou de canard : ★★★
Poêlé sans matière grasse : ★
Salé et fumé : ★★
Séché : ★★
Surgelé : ★★
Remarque : n'hésitez pas à cuisiner avec de bonnes quantités d'huile végétale.

Silure : voir « Poisson-chat ».

Sole : poisson plat marin à chair blanche.
Conservée par le sel : ★★
Conservée sous vide : ★★
Consommation crue
Cuisson à la milanaise avec beurre doux : ★★★
Cuisson à la milanaise avec beurre salé : ★★★
Cuisson à la milanaise avec huile végétale : ★★★★
Cuisson à la milanaise avec margarine végétale non salée : ★★★
Cuisson à la milanaise avec margarine végétale salée : ★★★
Cuisson à la milanaise avec saindoux ou graisse d'oie ou de canard : ★★★
Cuisson à la milanaise sans matière grasse : ★
Cuisson à l'étouffée avec beurre doux : ★★★
Cuisson à l'étouffée avec beurre salé : ★★★
Cuisson à l'étouffée avec huile végétale : ★★★★
Cuisson à l'étouffée avec margarine végétale non salée : ★★★
Cuisson à l'étouffée avec margarine végétale salée : ★★★
Cuisson à l'étouffée avec saindoux ou graisse d'oie ou de canard : ★★★
Cuisson à l'étouffée sans matière grasse : ★
Cuisson au court bouillon : ★
Cuisson en braisé avec beurre doux : ★★★
Cuisson en braisé avec beurre salé : ★★★
Cuisson en braisé avec huile végétale : ★★★★
Cuisson en braisé avec margarine végétale non salée : ★★★
Cuisson en braisé avec margarine végétale salée : ★★★
Cuisson en braisé avec saindoux ou graisse d'oie ou de canard : ★★★

Cuisson en braisé sans matière grasse : ★

Cuisson en friture : ★★★

Cuisson en meunière avec beurre doux : ★★★

Cuisson en meunière avec beurre salé : ★★★

Cuisson en meunière avec huile végétale : ★★★★

Cuisson en meunière avec margarine végétale non salée : ★★★

Cuisson en meunière avec margarine végétale salée : ★★★

Cuisson en meunière avec saindoux ou graisse d'oie ou de canard : ★★★

Cuisson en meunière sans matière grasse : ★

Cuisson en sauté (idem poêlée).

Cuisson rôtie au four avec beurre doux : ★★★

Cuisson rôtie au four avec beurre salé : ★★★

Cuisson rôtie au four avec huile végétale : ★★★

Cuisson rôtie au four avec margarine végétale non salée : ★★★

Cuisson rôtie au four avec margarine végétale salée : ★★★

Cuisson rôtie au four avec saindoux ou graisse d'oie ou de canard : ★★★

Cuisson rôtie au four sans matière grasse ajoutée : ★★★

Cuisson vapeur : ★

Grillée : ★

Pierrade : ★

Poêlée avec beurre doux : ★★★

Poêlée avec beurre salé : ★★★

Poêlée avec huile végétale : ★★★★

Poêlée avec margarine végétale non salée : ★★★

Poêlée avec margarine végétale salée : ★★★

Poêlée avec saindoux ou graisse d'oie ou de canard : ★★★

Poêlée sans matière grasse : ★

Salée et fumée : ★★

Séchée : ★★

Surgelée : ★★

Remarque : n'hésitez pas à cuisiner avec de bonnes quantités d'huile végétale.

Souris d'agneau : voir « Agneau (viande d') ».

Spet : poisson marin à chair blanche.

Conservé par le sel : ★★

Conservé sous vide : ★★

Spet

Consommation cru

Cuisson à la milanaise avec beurre doux : ★★★

Cuisson à la milanaise avec beurre salé : ★★★

Cuisson à la milanaise avec huile végétale : ★★★★

Cuisson à la milanaise avec margarine végétale non salée : ★★★

Cuisson à la milanaise avec margarine végétale salée : ★★★

Cuisson à la milanaise avec saindoux ou graisse d'oie ou de canard : ★★★

Cuisson à la milanaise sans matière grasse : ★

Cuisson à l'étouffée avec beurre doux : ★★★

Cuisson à l'étouffée avec beurre salé : ★★★

Cuisson à l'étouffée avec huile végétale : ★★★★

Cuisson à l'étouffée avec margarine végétale non salée : ★★★

Cuisson à l'étouffée avec margarine végétale salée : ★★★

Cuisson à l'étouffée avec saindoux ou graisse d'oie ou de canard : ★★★

Cuisson à l'étouffée sans matière grasse : ★

Cuisson au court bouillon : ★

Cuisson en braisé avec beurre doux : ★★★

Cuisson en braisé avec beurre salé : ★★★

Cuisson en braisé avec huile végétale : ★★★★

Cuisson en braisé avec margarine végétale non salée : ★★★

Cuisson en braisé avec margarine végétale salée : ★★★

Cuisson en braisé avec saindoux ou graisse d'oie ou de canard : ★★★

Cuisson en braisé sans matière grasse : ★

Cuisson en friture : ★★★

Cuisson en meunière avec beurre doux : ★★★

Cuisson en meunière avec beurre salé : ★★★

Cuisson en meunière avec huile végétale : ★★★★

Cuisson en meunière avec margarine végétale non salée : ★★★

Cuisson en meunière avec margarine végétale salée : ★★★

Cuisson en meunière avec saindoux ou graisse d'oie ou de canard : ★★★

Cuisson en meunière sans matière grasse : ★

Cuisson en sauté (idem poêlé).

Cuisson rôti à la broche : ★

Cuisson rôti au four avec beurre doux : ★★★

Cuisson rôti au four avec beurre salé : ★★★

Cuisson rôti au four avec huile végétale : ★★★
Cuisson rôti au four avec margarine végétale non salée : ★★★
Cuisson rôti au four avec margarine végétale salée : ★★★
Cuisson rôti au four avec saindoux ou graisse d'oie ou de canard : ★★★
Cuisson rôti au four sans matière grasse ajoutée : ★★★
Cuisson vapeur : ★
Grillé : ★
Pierrade : ★
Poêlé avec beurre doux : ★★★
Poêlé avec beurre salé : ★★★
Poêlé avec huile végétale : ★★★★
Poêlé avec margarine végétale non salée : ★★★
Poêlé avec margarine végétale salée : ★★★
Poêlé avec saindoux ou graisse d'oie ou de canard : ★★★
Poêlé sans matière grasse : ★
Salé et fumé : ★★
Séché : ★★
Surgelé : ★★
Remarque : n'hésitez pas à cuisiner avec de bonnes quantités d'huile végétale.

Sprat : poisson gras marin.
Conservé dans la saumure : ★★
Conservé dans l'huile : ★★★
Conservé par le sel : ★★
Conservé sous vide : ★★
Consommation cru
Cuisson à la milanaise avec beurre doux : ★★★
Cuisson à la milanaise avec beurre salé : ★★★
Cuisson à la milanaise avec huile végétale : ★★★★
Cuisson à la milanaise avec margarine végétale non salée : ★★★
Cuisson à la milanaise avec margarine végétale salée : ★★★
Cuisson à la milanaise avec saindoux ou graisse d'oie ou de canard : ★★★
Cuisson à la milanaise sans matière grasse : ★
Cuisson en beignet : ★★★
Cuisson en friture : ★★★
Cuisson en sauté (idem poêlé).

Pierrade : ★
Poêlé avec beurre doux : ★ ★ ★
Poêlé avec beurre salé : ★ ★ ★
Poêlé avec huile végétale : ★ ★ ★ ★
Poêlé avec margarine végétale non salée : ★ ★ ★
Poêlé avec margarine végétale salée : ★ ★ ★
Poêlé avec saindoux ou graisse d'oie ou de canard : ★ ★ ★
Poêlé sans matière grasse : ★
Salé et fumé : ★ ★
Séché : ★ ★
Surgelé : ★ ★
Remarque : n'hésitez pas à cuisiner avec de bonnes quantités d'huile végétale.

Steak : voir « Bœuf (viande de) ».

Steak haché de bœuf : voir « Bœuf (viande de) ».

Steak haché de jambon : voir « Porc (viande de) ».

Steak haché de veau : voir « Veau (viande de) ».

Steak tartare : voir « Bœuf (viande de) » section *Consommation crue.*

Surlonge de bœuf : voir « Bœuf (viande de) ».

𝒯

Tacaud : poisson marin à chair blanche.
Conservé par le sel : ★ ★
Conservé sous vide : ★ ★
Consommation cru
Cuisson à la milanaise avec beurre doux : ★ ★ ★
Cuisson à la milanaise avec beurre salé : ★ ★ ★
Cuisson à la milanaise avec huile végétale : ★ ★ ★ ★

Cuisson à la milanaise avec margarine végétale non salée : ★★★

Cuisson à la milanaise avec margarine végétale salée : ★★★

Cuisson à la milanaise avec saindoux ou graisse d'oie ou de canard : ★★★

Cuisson à la milanaise sans matière grasse : ★

Cuisson à l'étouffée avec beurre doux : ★★★

Cuisson à l'étouffée avec beurre salé : ★★★

Cuisson à l'étouffée avec huile végétale : ★★★★

Cuisson à l'étouffée avec margarine végétale non salée : ★★★

Cuisson à l'étouffée avec margarine végétale salée : ★★★

Cuisson à l'étouffée avec saindoux ou graisse d'oie ou de canard : ★★★

Cuisson à l'étouffée sans matière grasse : ★

Cuisson au court bouillon : ★

Cuisson en braisé avec beurre doux : ★★★

Cuisson en braisé avec beurre salé : ★★★

Cuisson en braisé avec huile végétale : ★★★★

Cuisson en braisé avec margarine végétale non salée : ★★★

Cuisson en braisé avec margarine végétale salée : ★★★

Cuisson en braisé avec saindoux ou graisse d'oie ou de canard : ★★★

Cuisson en braisé sans matière grasse : ★

Cuisson en friture : ★★★

Cuisson en meunière avec beurre doux : ★★★

Cuisson en meunière avec beurre salé : ★★★

Cuisson en meunière avec huile végétale : ★★★★

Cuisson en meunière avec margarine végétale non salée : ★★★

Cuisson en meunière avec margarine végétale salée : ★★★

Cuisson en meunière avec saindoux ou graisse d'oie ou de canard : ★★★

Cuisson en meunière sans matière grasse : ★

Cuisson en sauté (idem poêlé).

Cuisson rôti à la broche : ★

Cuisson rôti au four avec beurre doux : ★★★

Cuisson rôti au four avec beurre salé : ★★★

Cuisson rôti au four avec huile végétale : ★★★

Cuisson rôti au four avec margarine végétale non salée : ★★★

Cuisson rôti au four avec margarine végétale salée : ★★★

Cuisson rôti au four avec saindoux ou graisse d'oie ou de canard : ★★★
Cuisson rôti au four sans matière grasse ajoutée : ★★★
Cuisson vapeur : ★
Grillé : ★
Pierrade : ★
Poêlé avec beurre doux : ★★★
Poêlé avec beurre salé : ★★★
Poêlé avec huile végétale : ★★★★
Poêlé avec margarine végétale non salée : ★★★
Poêlé avec margarine végétale salée : ★★★
Poêlé avec saindoux ou graisse d'oie ou de canard : ★★★
Poêlé sans matière grasse : ★
Salé et fumé : ★★
Séché : ★★
Surgelé : ★★

Remarque : n'hésitez pas à cuisiner avec de bonnes quantités d'huile végétale.

Tanche : poisson d'eau douce à chair blanche.
Conservée par le sel : ★★
Conservée sous vide : ★★
Consommation crue
Cuisson à la milanaise avec beurre doux : ★★★
Cuisson à la milanaise avec beurre salé : ★★★
Cuisson à la milanaise avec huile végétale : ★★★★
Cuisson à la milanaise avec margarine végétale non salée : ★★★
Cuisson à la milanaise avec margarine végétale salée : ★★★
Cuisson à la milanaise avec saindoux ou graisse d'oie ou de canard : ★★★
Cuisson à la milanaise sans matière grasse : ★
Cuisson à l'étouffée avec beurre doux : ★★★
Cuisson à l'étouffée avec beurre salé : ★★★
Cuisson à l'étouffée avec huile végétale : ★★★★
Cuisson à l'étouffée avec margarine végétale non salée : ★★★
Cuisson à l'étouffée avec margarine végétale salée : ★★★
Cuisson à l'étouffée avec saindoux ou graisse d'oie ou de canard : ★★★
Cuisson à l'étouffée sans matière grasse : ★

Cuisson au court bouillon : ★
Cuisson en braisé avec beurre doux : ★★★
Cuisson en braisé avec beurre salé : ★★★
Cuisson en braisé avec huile végétale : ★★★★
Cuisson en braisé avec margarine végétale non salée : ★★★
Cuisson en braisé avec margarine végétale salée : ★★★
Cuisson en braisé avec saindoux ou graisse d'oie ou de canard : ★★★
Cuisson en braisé sans matière grasse : ★
Cuisson en friture : ★★★
Cuisson en meunière avec beurre doux : ★★★
Cuisson en meunière avec beurre salé : ★★★
Cuisson en meunière avec huile végétale : ★★★★
Cuisson en meunière avec margarine végétale non salée : ★★★
Cuisson en meunière avec margarine végétale salée : ★★★
Cuisson en meunière avec saindoux ou graisse d'oie ou de canard : ★★★
Cuisson en meunière sans matière grasse : ★
Cuisson en sauté (idem poêlée).
Cuisson rôtie à la broche : ★
Cuisson rôtie au four avec beurre doux : ★★★
Cuisson rôtie au four avec beurre salé : ★★★
Cuisson rôtie au four avec huile végétale : ★★★
Cuisson rôtie au four avec margarine végétale non salée : ★★★
Cuisson rôtie au four avec margarine végétale salée : ★★★
Cuisson rôtie au four avec saindoux ou graisse d'oie ou de canard : ★★★
Cuisson rôtie au four sans matière grasse ajoutée : ★★★
Cuisson vapeur : ★
Grillée : ★
Pierrade : ★
Poêlée avec beurre doux : ★★★
Poêlée avec beurre salé : ★★★
Poêlée avec huile végétale : ★★★★
Poêlée avec margarine végétale non salée : ★★★
Poêlée avec margarine végétale salée : ★★★
Poêlée avec saindoux ou graisse d'oie ou de canard : ★★★
Poêlée sans matière grasse : ★
Salée et fumée : ★★
Séchée : ★★

Surgelée : ★★
Remarque : n'hésitez pas à cuisiner avec de bonnes quantités d'huile végétale.

Taro : plante tropicale cultivée pour son tubercule comestible. Légume vert.
Conservé en saumure : ★★
Conservé sous vide : ★★
Consommation cru
Cuisson à l'étouffée avec beurre doux : ★★
Cuisson à l'étouffée avec beurre salé : ★★
Cuisson à l'étouffée avec huile végétale : ★★★
Cuisson à l'étouffée avec margarine végétale non salée : ★★
Cuisson à l'étouffée avec margarine végétale salée : ★★
Cuisson à l'étouffée avec saindoux ou graisse d'oie ou de canard : ★★
Cuisson à l'étouffée sans matière grasse : ★
Cuisson au court bouillon : ★
Cuisson en braisé avec beurre doux : ★★
Cuisson en braisé avec beurre salé : ★★
Cuisson en braisé avec huile végétale : ★★★
Cuisson en braisé avec margarine végétale non salée : ★★
Cuisson en braisé avec margarine végétale salée : ★★
Cuisson en braisé avec saindoux ou graisse d'oie ou de canard : ★★
Cuisson en braisé sans matière grasse : ★
Cuisson en friture : ★★
Cuisson en papillote : ★
Cuisson en ragoût avec beurre doux : ★★
Cuisson en ragoût avec beurre salé : ★★
Cuisson en ragoût avec huile végétale : ★★★
Cuisson en ragoût avec margarine végétale non salée : ★★
Cuisson en ragoût avec margarine végétale salée : ★★
Cuisson en ragoût avec saindoux ou graisse d'oie ou de canard : ★★
Cuisson en sauté (idem poêlé).
Cuisson vapeur : ★
Poêlé avec beurre doux : ★★
Poêlé avec beurre salé : ★★
Poêlé avec huile végétale : ★★★

Poêlé avec margarine végétale non salée : ★★
Poêlé avec margarine végétale salée : ★★
Poêlé avec saindoux ou graisse d'oie ou de canard : ★★
Poêlé sans matière grasse : ★
Potage crème : ★★★★
Potage nature sans matière grasse ajoutée
Potage velouté : ★★
Surgelé : ★★
Remarque : n'hésitez pas à cuisiner avec de bonnes quantités d'huile végétale. Modérez fortement votre consommation de légumes verts car ils sont presque acaloriques.

Tende de tranche : voir « Bœuf (viande de) ».

Tendron de bœuf : voir « Bœuf (viande de) ».

Tendron de veau : voir « Veau (viande de) ».

Thon : poisson gras marin fraîchement pêché.
Conservé à l'huile : ★★★★
Conservé au naturel : ★★★
Conservé par le sel : ★★
Conservé sous vide : ★★
Consommation cru
Cuisson à la milanaise avec beurre doux : ★★★
Cuisson à la milanaise avec beurre salé : ★★★
Cuisson à la milanaise avec huile végétale : ★★★★
Cuisson à la milanaise avec margarine végétale non salée : ★★★
Cuisson à la milanaise avec margarine végétale salée : ★★★
Cuisson à la milanaise avec saindoux ou graisse d'oie ou de canard : ★★★
Cuisson à la milanaise sans matière grasse : ★
Cuisson à l'étouffée avec beurre doux : ★★★
Cuisson à l'étouffée avec beurre salé : ★★★
Cuisson à l'étouffée avec huile végétale : ★★★★
Cuisson à l'étouffée avec margarine végétale non salée : ★★★
Cuisson à l'étouffée avec margarine végétale salée : ★★★

Thon

Cuisson à l'étouffée avec saindoux ou graisse d'oie ou de canard : ★★★
Cuisson à l'étouffée sans matière grasse : ★
Cuisson au court bouillon : ★
Cuisson en braisé avec beurre doux : ★★★
Cuisson en braisé avec beurre salé : ★★★
Cuisson en braisé avec huile végétale : ★★★★
Cuisson en braisé avec margarine végétale non salée : ★★★
Cuisson en braisé avec margarine végétale salée : ★★★
Cuisson en braisé avec saindoux ou graisse d'oie ou de canard : ★★★
Cuisson en braisé sans matière grasse : ★
Cuisson en friture : ★★★
Cuisson en meunière avec beurre doux : ★★★
Cuisson en meunière avec beurre salé : ★★★
Cuisson en meunière avec huile végétale : ★★★★
Cuisson en meunière avec margarine végétale non salée : ★★★
Cuisson en meunière avec margarine végétale salée : ★★★
Cuisson en meunière avec saindoux ou graisse d'oie ou de canard : ★★★
Cuisson en meunière sans matière grasse : ★
Cuisson en ragoût avec beurre doux : ★★★
Cuisson en ragoût avec beurre salé : ★★★
Cuisson en ragoût avec huile végétale : ★★★★
Cuisson en ragoût avec margarine végétale non salée : ★★★
Cuisson en ragoût avec margarine végétale salée : ★★★
Cuisson en ragoût avec saindoux ou graisse d'oie ou de canard : ★★★
Cuisson en sauté (idem poêlé).
Cuisson rôti à la broche : ★
Cuisson rôti au four avec beurre doux : ★★★
Cuisson rôti au four avec beurre salé : ★★★
Cuisson rôti au four avec huile végétale : ★★★
Cuisson rôti au four avec margarine végétale non salée : ★★★
Cuisson rôti au four avec margarine végétale salée : ★★★
Cuisson rôti au four avec saindoux ou graisse d'oie ou de canard : ★★★
Cuisson rôti au four sans matière grasse ajoutée : ★★★
Cuisson vapeur : ★
Grillé : ★

Pierrade : ★
Poêlé avec beurre doux : ★★★
Poêlé avec beurre salé : ★★★
Poêlé avec huile végétale : ★★★★
Poêlé avec margarine végétale non salée : ★★★
Poêlé avec margarine végétale salée : ★★★
Poêlé avec saindoux ou graisse d'oie ou de canard : ★★★
Poêlé sans matière grasse : ★
Salé et fumé : ★★
Séché : ★★
Surgelé : ★★
Remarque : n'hésitez pas à cuisiner avec de bonnes quantités d'huile végétale.

Thonine : poisson gras marin.
Conservée par le sel : ★★
Conservée sous vide : ★★
Consommation crue
Cuisson à la milanaise avec beurre doux : ★★★
Cuisson à la milanaise avec beurre salé : ★★★
Cuisson à la milanaise avec huile végétale : ★★★★
Cuisson à la milanaise avec margarine végétale non salée : ★★★
Cuisson à la milanaise avec margarine végétale salée : ★★★
Cuisson à la milanaise avec saindoux ou graisse d'oie ou de canard : ★★★
Cuisson à la milanaise sans matière grasse : ★
Cuisson à l'étouffée avec beurre doux : ★★★
Cuisson à l'étouffée avec beurre salé : ★★★
Cuisson à l'étouffée avec huile végétale : ★★★★
Cuisson à l'étouffée avec margarine végétale non salée : ★★★
Cuisson à l'étouffée avec margarine végétale salée : ★★★
Cuisson à l'étouffée avec saindoux ou graisse d'oie ou de canard : ★★★
Cuisson à l'étouffée sans matière grasse : ★
Cuisson au court bouillon : ★
Cuisson en braisé avec beurre doux : ★★★
Cuisson en braisé avec beurre salé : ★★★
Cuisson en braisé avec huile végétale : ★★★★
Cuisson en braisé avec margarine végétale non salée : ★★★

Thonine

Cuisson en braisé avec margarine végétale salée : ★★★
Cuisson en braisé avec saindoux ou graisse d'oie ou de canard : ★★★
Cuisson en braisé sans matière grasse : ★
Cuisson en friture : ★★★
Cuisson en meunière avec beurre doux : ★★★
Cuisson en meunière avec beurre salé : ★★★
Cuisson en meunière avec huile végétale : ★★★★
Cuisson en meunière avec margarine végétale non salée : ★★★
Cuisson en meunière avec margarine végétale salée : ★★★
Cuisson en meunière avec saindoux ou graisse d'oie ou de canard : ★★★
Cuisson en meunière sans matière grasse : ★
Cuisson en sauté (idem poêlée).
Cuisson rôtie à la broche : ★
Cuisson rôtie au four avec beurre doux : ★★★
Cuisson rôtie au four avec beurre salé : ★★★
Cuisson rôtie au four avec huile végétale : ★★★
Cuisson rôtie au four avec margarine végétale non salée : ★★★
Cuisson rôtie au four avec margarine végétale salée : ★★★
Cuisson rôtie au four avec saindoux ou graisse d'oie ou de canard : ★★★
Cuisson rôtie au four sans matière grasse ajoutée : ★★★
Cuisson vapeur : ★
Grillée : ★
Pierrade : ★
Poêlée avec beurre doux : ★★★
Poêlée avec beurre salé : ★★★
Poêlée avec huile végétale : ★★★★
Poêlée avec margarine végétale non salée : ★★★
Poêlée avec margarine végétale salée : ★★★
Poêlée avec saindoux ou graisse d'oie ou de canard : ★★★
Poêlée sans matière grasse : ★
Salée et fumée : ★★
Séchée : ★★
Surgelée : ★★
Remarque : n'hésitez pas à cuisiner avec de bonnes quantités d'huile végétale.

Thym : plante utilisée comme aromate.
Conservé sous vide : ★★
Consommation cru : ★★
Consommation cuit : ★★
Déshydraté : ★★
Fraîchement récolté : ★★
Surgelé : ★★

Thymus de l'agneau : voir « Agneau (viande de) ».

Thymus de veau : voir « Veau (viande de) ».

Tomate : plante potagère qui produit ce fruit, considéré comme un légume vert : la tomate. Légume vert.
Confite : ★★★
Conservée en saumure : ★★
Conservée sous vide : ★★
Consommation crue : ★★
Cuisson à l'étouffée avec beurre doux : ★★
Cuisson à l'étouffée avec beurre salé : ★★
Cuisson à l'étouffée avec huile végétale : ★★★
Cuisson à l'étouffée avec margarine végétale non salée : ★★
Cuisson à l'étouffée avec margarine végétale salée : ★★
Cuisson à l'étouffée avec saindoux ou graisse d'oie ou de canard : ★★
Cuisson à l'étouffée sans matière grasse : ★
Cuisson au court bouillon : ★
Cuisson en braisé avec beurre doux : ★★
Cuisson en braisé avec beurre salé : ★★
Cuisson en braisé avec huile végétale : ★★★
Cuisson en braisé avec margarine végétale non salée : ★★
Cuisson en braisé avec margarine végétale salée : ★★
Cuisson en braisé avec saindoux ou graisse d'oie ou de canard : ★★
Cuisson en braisé sans matière grasse : ★
Cuisson en friture : ★★
Cuisson en ragoût avec beurre doux : ★★
Cuisson en ragoût avec beurre salé : ★★
Cuisson en ragoût avec huile végétale : ★★★
Cuisson en ragoût avec margarine végétale non salée : ★★

Cuisson en ragoût avec margarine végétale salée : ★★
Cuisson en ragoût avec saindoux ou graisse d'oie ou de canard :
★★
Cuisson en sauté (idem poêlée).
Cuisson vapeur : ★
En confiture : ★★★★
En confiture allégée en sucre : ★★
En confiture sans sucre : ★
Pierrade : ★
Poêlée avec beurre doux : ★★
Poêlée avec beurre salé : ★★
Poêlée avec huile végétale : ★★★
Poêlée avec margarine végétale non salée : ★★
Poêlée avec margarine végétale salée : ★★
Poêlée avec saindoux ou graisse d'oie ou de canard : ★★
Poêlée sans matière grasse : ★
Potage crème : ★★★★
Potage nature sans matière grasse ajoutée
Potage velouté : ★★
Séchée : ★★
Surgelée : ★★
Remarque : n'hésitez pas à cuisiner avec de bonnes quantités d'huile végétale. Modérez fortement votre consommation de légumes verts car ils sont presque acaloriques.

Tombe : poisson marin à chair blanche.
Conservée par le sel : ★★
Conservée sous vide : ★★
Consommation crue
Cuisson à la milanaise avec beurre doux : ★★★
Cuisson à la milanaise avec beurre salé : ★★★
Cuisson à la milanaise avec huile végétale : ★★★★
Cuisson à la milanaise avec margarine végétale non salée :
★★★
Cuisson à la milanaise avec margarine végétale salée : ★★★
Cuisson à la milanaise avec saindoux ou graisse d'oie ou de canard : ★★★
Cuisson à la milanaise sans matière grasse : ★
Cuisson à l'étouffée avec beurre doux : ★★★

Cuisson à l'étouffée avec beurre salé : ★★★
Cuisson à l'étouffée avec huile végétale : ★★★★
Cuisson à l'étouffée avec margarine végétale non salée : ★★★
Cuisson à l'étouffée avec margarine végétale salée : ★★★
Cuisson à l'étouffée avec saindoux ou graisse d'oie ou de canard : ★★★
Cuisson à l'étouffée sans matière grasse : ★
Cuisson au court bouillon : ★
Cuisson en braisé avec beurre doux : ★★★
Cuisson en braisé avec beurre salé : ★★★
Cuisson en braisé avec huile végétale : ★★★★
Cuisson en braisé avec margarine végétale non salée : ★★★
Cuisson en braisé avec margarine végétale salée : ★★★
Cuisson en braisé avec saindoux ou graisse d'oie ou de canard : ★★★
Cuisson en braisé sans matière grasse : ★
Cuisson en friture : ★★★
Cuisson en meunière avec beurre doux : ★★★
Cuisson en meunière avec beurre salé : ★★★
Cuisson en meunière avec huile végétale : ★★★★
Cuisson en meunière avec margarine végétale non salée : ★★★
Cuisson en meunière avec margarine végétale salée : ★★★
Cuisson en meunière avec saindoux ou graisse d'oie ou de canard : ★★★
Cuisson en meunière sans matière grasse : ★
Cuisson en sauté (idem poêlée).
Cuisson rôtie à la broche : ★
Cuisson rôtie au four avec beurre doux : ★★★
Cuisson rôtie au four avec beurre salé : ★★★
Cuisson rôtie au four avec huile végétale : ★★★
Cuisson rôtie au four avec margarine végétale non salée : ★★★
Cuisson rôtie au four avec margarine végétale salée : ★★★
Cuisson rôtie au four avec saindoux ou graisse d'oie ou de canard : ★★★
Cuisson rôtie au four sans matière grasse ajoutée : ★★★
Cuisson vapeur : ★
Grillée : ★
Pierrade : ★
Poêlée avec beurre doux : ★★★
Poêlée avec beurre salé : ★★★

Tombe - Topinambour

Poêlée avec huile végétale : ★★★★
Poêlée avec margarine végétale non salée : ★★★
Poêlée avec margarine végétale salée : ★★★
Poêlée avec saindoux ou graisse d'oie ou de canard : ★★★
Poêlée sans matière grasse : ★
Salée et fumée : ★★
Séchée : ★★
Surgelée : ★★

Remarque : n'hésitez pas à cuisiner avec de bonnes quantités d'huile végétale.

Topinambour : plante potagère dont on consomme les tubercules. Légume vert.
Conservé en saumure : ★★
Conservé sous vide : ★★
Consommation cru
Cuisson à l'étouffée avec beurre doux : ★★
Cuisson à l'étouffée avec beurre salé : ★★
Cuisson à l'étouffée avec huile végétale : ★★★
Cuisson à l'étouffée avec margarine végétale non salée : ★★
Cuisson à l'étouffée avec margarine végétale salée : ★★
Cuisson à l'étouffée avec saindoux ou graisse d'oie ou de canard : ★★
Cuisson à l'étouffée sans matière grasse : ★
Cuisson au court bouillon : ★
Cuisson en braisé avec beurre doux : ★★
Cuisson en braisé avec beurre salé : ★★
Cuisson en braisé avec huile végétale : ★★★
Cuisson en braisé avec margarine végétale non salée : ★★
Cuisson en braisé avec margarine végétale salée : ★★
Cuisson en braisé avec saindoux ou graisse d'oie ou de canard : ★★
Cuisson en braisé sans matière grasse : ★
Cuisson en friture : ★★
Cuisson en papillote : ★
Cuisson en ragoût avec beurre doux : ★★
Cuisson en ragoût avec beurre salé : ★★
Cuisson en ragoût avec huile végétale : ★★★
Cuisson en ragoût avec margarine végétale non salée : ★★
Cuisson en ragoût avec margarine végétale salée : ★★

Cuisson en ragoût avec saindoux ou graisse d'oie ou de canard :
★★
Cuisson en sauté (idem poêlé).
Cuisson vapeur : ★
Poêlé avec beurre doux : ★★
Poêlé avec beurre salé : ★★
Poêlé avec huile végétale : ★★★
Poêlé avec margarine végétale non salée : ★★
Poêlé avec margarine végétale salée : ★★
Poêlé avec saindoux ou graisse d'oie ou de canard : ★★
Poêlé sans matière grasse : ★
Potage crème : ★★★★
Potage nature sans matière grasse ajoutée
Potage velouté : ★★
Surgelé : ★★
Remarque : n'hésitez pas à cuisiner avec de bonnes quantités d'huile végétale. Modérez fortement votre consommation de légumes verts car ils sont presque acaloriques.

Tournedos de bœuf : voir « Bœuf (viande de) ».

Tournedos de dinde : voir « Dinde (viande de) ».

Tranche de filet : voir « Porc (viande de) ».

Tranche grasse : voir « Bœuf (viande de) ».

Travers de porc : voir « Porc (viande de) ».

Tricholome de la Saint-Georges : voir « Champignon ».

Trigle : voir « Grondin ».

Trompette-des-morts : voir « Champignon ».

Truite : poisson gras d'eau douce.
Conservée par le sel : ★★
Conservée sous vide : ★★
Consommation crue

Truite

Cuisson à la milanaise avec beurre doux : ★★★
Cuisson à la milanaise avec beurre salé : ★★★
Cuisson à la milanaise avec huile végétale : ★★★★
Cuisson à la milanaise avec margarine végétale non salée : ★★★
Cuisson à la milanaise avec margarine végétale salée : ★★★
Cuisson à la milanaise avec saindoux ou graisse d'oie ou de canard : ★★★
Cuisson à la milanaise sans matière grasse : ★
Cuisson à l'étouffée avec beurre doux : ★★★
Cuisson à l'étouffée avec beurre salé : ★★★
Cuisson à l'étouffée avec huile végétale : ★★★★
Cuisson à l'étouffée avec margarine végétale non salée : ★★★
Cuisson à l'étouffée avec margarine végétale salée : ★★★
Cuisson à l'étouffée avec saindoux ou graisse d'oie ou de canard : ★★★
Cuisson à l'étouffée sans matière grasse : ★
Cuisson au court bouillon : ★
Cuisson en braisé avec beurre doux : ★★★
Cuisson en braisé avec beurre salé : ★★★
Cuisson en braisé avec huile végétale : ★★★★
Cuisson en braisé avec margarine végétale non salée : ★★★
Cuisson en braisé avec margarine végétale salée : ★★★
Cuisson en braisé avec saindoux ou graisse d'oie ou de canard : ★★★
Cuisson en braisé sans matière grasse : ★
Cuisson en friture : ★★★
Cuisson en meunière avec beurre doux : ★★★
Cuisson en meunière avec beurre salé : ★★★
Cuisson en meunière avec huile végétale : ★★★★
Cuisson en meunière avec margarine végétale non salée : ★★★
Cuisson en meunière avec margarine végétale salée : ★★★
Cuisson en meunière avec saindoux ou graisse d'oie ou de canard : ★★★
Cuisson en meunière sans matière grasse : ★
Cuisson en sauté (idem poêlée).
Cuisson rôtie à la broche : ★
Cuisson rôtie au four avec beurre doux : ★★★
Cuisson rôtie au four avec beurre salé : ★★★
Cuisson rôtie au four avec huile végétale : ★★★

Cuisson rôtie au four avec margarine végétale non salée : ★★★
Cuisson rôtie au four avec margarine végétale salée : ★★★
Cuisson rôtie au four avec saindoux ou graisse d'oie ou de canard : ★★★
Cuisson rôtie au four sans matière grasse ajoutée : ★★★
Cuisson vapeur : ★
Grillée : ★
Pierrade : ★
Poêlée avec beurre doux : ★★★
Poêlée avec beurre salé : ★★★
Poêlée avec huile végétale : ★★★★
Poêlée avec margarine végétale non salée : ★★★
Poêlée avec margarine végétale salée : ★★★
Poêlée avec saindoux ou graisse d'oie ou de canard : ★★★
Poêlée sans matière grasse : ★
Salée et fumée : ★★
Séchée : ★★
Surgelée : ★★

Remarque : n'hésitez pas à cuisiner avec de bonnes quantités d'huile végétale.

Truite de mer : voir « Truite ».

Turbot : poisson marin plat à chair blanche.
Conservé par le sel : ★★
Conservé sous vide : ★★
Consommation cru
Cuisson à la milanaise avec beurre doux : ★★★
Cuisson à la milanaise avec beurre salé : ★★★
Cuisson à la milanaise avec huile végétale : ★★★★
Cuisson à la milanaise avec margarine végétale non salée : ★★★
Cuisson à la milanaise avec margarine végétale salée : ★★★
Cuisson à la milanaise avec saindoux ou graisse d'oie ou de canard : ★★★
Cuisson à la milanaise sans matière grasse : ★
Cuisson à l'étouffée avec beurre doux : ★★★
Cuisson à l'étouffée avec beurre salé : ★★★
Cuisson à l'étouffée avec huile végétale : ★★★★
Cuisson à l'étouffée avec margarine végétale non salée : ★★★

Turbot

Cuisson à l'étouffée avec margarine végétale salée : ★ ★ ★
Cuisson à l'étouffée avec saindoux ou graisse d'oie ou de canard : ★ ★ ★
Cuisson à l'étouffée sans matière grasse : ★
Cuisson au court bouillon : ★
Cuisson en braisé avec beurre doux : ★ ★ ★
Cuisson en braisé avec beurre salé : ★ ★ ★
Cuisson en braisé avec huile végétale : ★ ★ ★ ★
Cuisson en braisé avec margarine végétale non salée : ★ ★ ★
Cuisson en braisé avec margarine végétale salée : ★ ★ ★
Cuisson en braisé avec saindoux ou graisse d'oie ou de canard : ★ ★ ★
Cuisson en braisé sans matière grasse : ★
Cuisson en friture : ★ ★ ★
Cuisson en meunière avec beurre doux : ★ ★ ★
Cuisson en meunière avec beurre salé : ★ ★ ★
Cuisson en meunière avec huile végétale : ★ ★ ★ ★
Cuisson en meunière avec margarine végétale non salée : ★ ★ ★
Cuisson en meunière avec margarine végétale salée : ★ ★ ★
Cuisson en meunière avec saindoux ou graisse d'oie ou de canard : ★ ★ ★
Cuisson en meunière sans matière grasse : ★
Cuisson en sauté (idem poêlé).
Cuisson rôti au four avec beurre doux : ★ ★ ★
Cuisson rôti au four avec beurre salé : ★ ★ ★
Cuisson rôti au four avec huile végétale : ★ ★ ★
Cuisson rôti au four avec margarine végétale non salée : ★ ★ ★
Cuisson rôti au four avec margarine végétale salée : ★ ★ ★
Cuisson rôti au four avec saindoux ou graisse d'oie ou de canard : ★ ★ ★
Cuisson rôti au four sans matière grasse ajoutée : ★ ★ ★
Cuisson vapeur : ★
Grillé : ★
Pierrade : ★
Poêlé avec beurre doux : ★ ★ ★
Poêlé avec beurre salé : ★ ★ ★
Poêlé avec huile végétale : ★ ★ ★ ★
Poêlé avec margarine végétale non salée : ★ ★ ★
Poêlé avec margarine végétale salée : ★ ★ ★
Poêlé avec saindoux ou graisse d'oie ou de canard : ★ ★ ★

Poêlé sans matière grasse : ★
Salé et fumé : ★★
Séché : ★★
Surgelé : ★★
Remarque : n'hésitez pas à cuisiner avec de bonnes quantités d'huile végétale.

$\mathcal{V}$

Vairon : petit poisson d'eau douce à chair blanche.
Conservé dans la saumure : ★★
Conservé dans l'huile : ★★★
Conservé par le sel : ★★
Conservé sous vide : ★★
Consommation cru
Cuisson à la milanaise avec beurre doux : ★★★
Cuisson à la milanaise avec beurre salé : ★★★
Cuisson à la milanaise avec huile végétale : ★★★★
Cuisson à la milanaise avec margarine végétale non salée : ★★★
Cuisson à la milanaise avec margarine végétale salée : ★★★
Cuisson à la milanaise avec saindoux ou graisse d'oie ou de canard : ★★★
Cuisson à la milanaise sans matière grasse : ★
Cuisson en beignet : ★★★
Cuisson en friture : ★★★
Cuisson en sauté (idem poêlé).
Pierrade : ★
Poêlé avec beurre doux : ★★★
Poêlé avec beurre salé : ★★★
Poêlé avec huile végétale : ★★★★
Poêlé avec margarine végétale non salée : ★★★
Poêlé avec margarine végétale salée : ★★★
Poêlé avec saindoux ou graisse d'oie ou de canard : ★★★
Poêlé sans matière grasse : ★
Salé et fumé : ★★

Vairon - Veau (viande de)

Séché : ★★
Surgelé : ★★
Remarque : n'hésitez pas à cuisiner avec de bonnes quantités d'huile végétale.

Vandoise : poisson d'eau douce à chair blanche.
Conservée par le sel : ★★
Conservée sous vide : ★★
Consommation crue
Cuisson à la milanaise avec beurre doux : ★★★
Cuisson à la milanaise avec beurre salé : ★★★
Cuisson à la milanaise avec huile végétale : ★★★★
Cuisson à la milanaise avec margarine végétale non salée : ★★★
Cuisson à la milanaise avec margarine végétale salée : ★★★
Cuisson à la milanaise avec saindoux ou graisse d'oie ou de canard : ★★★
Cuisson à la milanaise sans matière grasse : ★
Cuisson en beignet : ★★★
Cuisson en friture : ★★★
Cuisson en sauté (idem poêlée).
Grillée : ★
Pierrade : ★
Poêlée avec beurre doux : ★★★
Poêlée avec beurre salé : ★★★
Poêlée avec huile végétale : ★★★★
Poêlée avec margarine végétale non salée : ★★★
Poêlée avec margarine végétale salée : ★★★
Poêlée avec saindoux ou graisse d'oie ou de canard : ★★★
Poêlée sans matière grasse : ★
Salée et fumée : ★★
Séchée : ★★
Surgelée : ★★

Veau (viande de...) : représente les viandes non préparées ni transformées, nature, prêtes à être cuisinées provenant du veau.
Conservée par le sel : ★★
Conservée sous vide : ★★
Consommation crue
Cuisson à la milanaise avec beurre doux : ★★★

Cuisson à la milanaise avec beurre salé : ★★★
Cuisson à la milanaise avec huile végétale : ★★★★
Cuisson à la milanaise avec margarine végétale non salée : ★★★
Cuisson à la milanaise avec margarine végétale salée : ★★★
Cuisson à la milanaise avec saindoux ou graisse d'oie ou de canard : ★★★
Cuisson à la milanaise sans matière grasse : ★
Cuisson à l'étouffée avec beurre doux : ★★★
Cuisson à l'étouffée avec beurre salé : ★★★
Cuisson à l'étouffée avec huile végétale : ★★★★
Cuisson à l'étouffée avec margarine végétale non salée : ★★★
Cuisson à l'étouffée avec margarine végétale salée : ★★★
Cuisson à l'étouffée avec saindoux ou graisse d'oie ou de canard : ★★★
Cuisson à l'étouffée sans matière grasse : ★
Cuisson au court bouillon : ★
Cuisson en braisé avec beurre doux : ★★★
Cuisson en braisé avec beurre salé : ★★★
Cuisson en braisé avec huile végétale : ★★★★
Cuisson en braisé avec margarine végétale non salée : ★★★
Cuisson en braisé avec margarine végétale salée : ★★★
Cuisson en braisé avec saindoux ou graisse d'oie ou de canard : ★★★
Cuisson en braisé sans matière grasse : ★
Cuisson en friture : ★★★
Cuisson en meunière avec beurre doux : ★★★
Cuisson en meunière avec beurre salé : ★★★
Cuisson en meunière avec huile végétale : ★★★★
Cuisson en meunière avec margarine végétale non salée : ★★★
Cuisson en meunière avec margarine végétale salée : ★★★
Cuisson en meunière avec saindoux ou graisse d'oie ou de canard : ★★★
Cuisson en meunière sans matière grasse : ★
Cuisson en ragoût avec beurre doux : ★★★
Cuisson en ragoût avec beurre salé : ★★★
Cuisson en ragoût avec huile végétale : ★★★★
Cuisson en ragoût avec margarine végétale non salée : ★★★
Cuisson en ragoût avec margarine végétale salée : ★★★

Veau (viande de) - Vieille

Cuisson en ragoût avec saindoux ou graisse d'oie ou de canard :
★★★
Cuisson en sauté (idem poêlée).
Cuisson rôtie à la broche : ★
Cuisson rôtie au four avec beurre doux : ★★★
Cuisson rôtie au four avec beurre salé : ★★★
Cuisson rôtie au four avec huile végétale : ★★★
Cuisson rôtie au four avec margarine végétale non salée : ★★★
Cuisson rôtie au four avec margarine végétale salée : ★★★
Cuisson rôtie au four avec saindoux ou graisse d'oie ou de canard : ★★★
Cuisson rôtie au four sans matière grasse ajoutée : ★★★
Cuisson vapeur : ★
Grillée : ★
Pierrade : ★
Poêlée avec beurre doux : ★★★
Poêlée avec beurre salé : ★★★
Poêlée avec huile végétale : ★★★★
Poêlée avec margarine végétale non salée : ★★★
Poêlée avec margarine végétale salée : ★★★
Poêlée avec saindoux ou graisse d'oie ou de canard : ★★★
Poêlée sans matière grasse : ★
Salée et fumée : ★★
Séchée : ★★
Surgelée : ★★
Remarque : n'hésitez pas à cuisiner avec de bonnes quantités d'huile végétale.

Vengeron : voir « Gardon ».

Ventrèche : voir « Porc (viande de) ».

Vesse-de-loup : voir « Champignon ».

Vieille : poisson marin à chair blanche.
Conservée par le sel : ★★
Conservée sous vide : ★★
Consommation crue
Cuisson à la milanaise avec beurre doux : ★★★
Cuisson à la milanaise avec beurre salé : ★★★

Cuisson à la milanaise avec huile végétale : ★★★★
Cuisson à la milanaise avec margarine végétale non salée : ★★★
Cuisson à la milanaise avec margarine végétale salée : ★★★
Cuisson à la milanaise avec saindoux ou graisse d'oie ou de canard : ★★★
Cuisson à la milanaise sans matière grasse : ★
Cuisson à l'étouffée avec beurre doux : ★★★
Cuisson à l'étouffée avec beurre salé : ★★★
Cuisson à l'étouffée avec huile végétale : ★★★★
Cuisson à l'étouffée avec margarine végétale non salée : ★★★
Cuisson à l'étouffée avec margarine végétale salée : ★★★
Cuisson à l'étouffée avec saindoux ou graisse d'oie ou de canard : ★★★
Cuisson à l'étouffée sans matière grasse : ★
Cuisson au court bouillon : ★
Cuisson en braisé avec beurre doux : ★★★
Cuisson en braisé avec beurre salé : ★★★
Cuisson en braisé avec huile végétale : ★★★★
Cuisson en braisé avec margarine végétale non salée : ★★★
Cuisson en braisé avec margarine végétale salée : ★★★
Cuisson en braisé avec saindoux ou graisse d'oie ou de canard : ★★★
Cuisson en braisé sans matière grasse : ★
Cuisson en friture : ★★★
Cuisson en meunière avec beurre doux : ★★★
Cuisson en meunière avec beurre salé : ★★★
Cuisson en meunière avec huile végétale : ★★★★
Cuisson en meunière avec margarine végétale non salée : ★★★
Cuisson en meunière avec margarine végétale salée : ★★★
Cuisson en meunière avec saindoux ou graisse d'oie ou de canard : ★★★
Cuisson en meunière sans matière grasse : ★
Cuisson en sauté (idem poêlée).
Cuisson rôtie à la broche : ★
Cuisson rôtie au four avec beurre doux : ★★★
Cuisson rôtie au four avec beurre salé : ★★★
Cuisson rôtie au four avec huile végétale : ★★★
Cuisson rôtie au four avec margarine végétale non salée : ★★★
Cuisson rôtie au four avec margarine végétale salée : ★★★

Cuisson rôtie au four avec saindoux ou graisse d'oie ou de canard : ★★★
Cuisson rôtie au four sans matière grasse ajoutée : ★★★
Cuisson vapeur : ★
Grillée : ★
Pierrade : ★
Poêlée avec beurre doux : ★★★
Poêlée avec beurre salé : ★★★
Poêlée avec huile végétale : ★★★★
Poêlée avec margarine végétale non salée : ★★★
Poêlée avec margarine végétale salée : ★★★
Poêlée avec saindoux ou graisse d'oie ou de canard : ★★★
Poêlée sans matière grasse : ★
Salée et fumée : ★★
Séchée : ★★
Surgelée : ★★
Remarque : n'hésitez pas à cuisiner avec de bonnes quantités d'huile végétale.

Vive : poisson marin à chair blanche.
Conservée par le sel : ★★
Conservée sous vide : ★★
Consommation crue
Cuisson à la milanaise avec beurre doux : ★★★
Cuisson à la milanaise avec beurre salé : ★★★
Cuisson à la milanaise avec huile végétale : ★★★★
Cuisson à la milanaise avec margarine végétale non salée : ★★★
Cuisson à la milanaise avec margarine végétale salée : ★★★
Cuisson à la milanaise avec saindoux ou graisse d'oie ou de canard : ★★★
Cuisson à la milanaise sans matière grasse : ★
Cuisson à l'étouffée avec beurre doux : ★★★
Cuisson à l'étouffée avec beurre salé : ★★★
Cuisson à l'étouffée avec huile végétale : ★★★★
Cuisson à l'étouffée avec margarine végétale non salée : ★★★
Cuisson à l'étouffée avec margarine végétale salée : ★★★
Cuisson à l'étouffée avec saindoux ou graisse d'oie ou de canard : ★★★
Cuisson à l'étouffée sans matière grasse : ★

Cuisson au court bouillon : ★
Cuisson en braisé avec beurre doux : ★★★
Cuisson en braisé avec beurre salé : ★★★
Cuisson en braisé avec huile végétale : ★★★★
Cuisson en braisé avec margarine végétale non salée : ★★★
Cuisson en braisé avec margarine végétale salée : ★★★
Cuisson en braisé avec saindoux ou graisse d'oie ou de canard : ★★★
Cuisson en braisé sans matière grasse : ★
Cuisson en friture : ★★★
Cuisson en meunière avec beurre doux : ★★★
Cuisson en meunière avec beurre salé : ★★★
Cuisson en meunière avec huile végétale : ★★★★
Cuisson en meunière avec margarine végétale non salée : ★★★
Cuisson en meunière avec margarine végétale salée : ★★★
Cuisson en meunière avec saindoux ou graisse d'oie ou de canard : ★★★
Cuisson en meunière sans matière grasse : ★
Cuisson en sauté (idem poêlée).
Cuisson rôtie à la broche : ★
Cuisson rôtie au four avec beurre doux : ★★★
Cuisson rôtie au four avec beurre salé : ★★★
Cuisson rôtie au four avec huile végétale : ★★★
Cuisson rôtie au four avec margarine végétale non salée : ★★★
Cuisson rôtie au four avec margarine végétale salée : ★★★
Cuisson rôtie au four avec saindoux ou graisse d'oie ou de canard : ★★★
Cuisson rôtie au four sans matière grasse ajoutée : ★★★
Cuisson vapeur : ★
Grillée : ★
Pierrade : ★
Poêlée avec beurre doux : ★★★
Poêlée avec beurre salé : ★★★
Poêlée avec huile végétale : ★★★★
Poêlée avec margarine végétale non salée : ★★★
Poêlée avec margarine végétale salée : ★★★
Poêlée avec saindoux ou graisse d'oie ou de canard : ★★★
Poêlée sans matière grasse : ★
Salée et fumée : ★★
Séchée : ★★

Surgelée : ★★
Remarque : n'hésitez pas à cuisiner avec de bonnes quantités d'huile végétale.

Volvaire : voir « Champignon ».